金陵全書

甲編・方志類・府志

康熙江寧府志（四）

（清）陳開虞　纂修

南京出版社

江寧府志卷之二十五

人物傳六 列女

乾知大始坤順承天閨閣之內實鍾英賢孤貞獨善四德廼全彤管有煒光兹簡編作列女傳

貞義捐生者一人

貞義女黃山里史氏女也見李太白碑伍員奔吳乞食溧陽值女擊綿瀨上筥中有飯員跪而乞飡飯畢曰掩子壺漿勿令其露女子嘆曰嗟乎妾獨與母居三十年自守貞明不願從適何宜饋飯而與丈夫越理虧義妾不忍也子行矣遂自沈于瀨後員克楚還過溧陽

報德無所投金水中而去

通經授徒一人

宋趙定母金陵人多通詩書常聚生徒數十人張惟講說儒碩登門質疑必引與之坐開發與義咸出意表景德二年子定登第授海陵從事訓曰無飾虛以沽名無事佞以奉上處內在盡禮居外在活民識者以爲名言見石徂徠賢惠錄

行義高潔辭后不爲者一人

徐氏妙錦中山武寧王女也長姊適燕王後正位中宮是爲仁孝文皇后次姊代王妃妹安王妃洪武末年

藩不靖代王被逮妙錦感悟矣不適人親王求婚皆
拒絕之仁孝崩文皇聞妙錦美且賢欲聘爲后命内
使女官往諭旨妙錦稱病不出女官直抵臥榻妙錦
擁被呻吟女官叩首請不得已乃徐起自指曰吾面
陋無婦容不足備六宫選女官羅跪審視姿態瑩麗
眞天人也歸復命妙錦即翦髮爲尼文皇聞之竟虚
中宫不復册立洪熙改元妙錦乃返初服宣德初仁
廟張太后自入東宫時聞妙錦行義高潔心敬慕之
至是徵入京女官將命中使護行既至叙戚里恩入
宫中朝自稱徐達第三女肅拜進止端凝不失跬步

太后以下皆尊敬之賞賚優厚宮娥見之莫不悚然私相語曰此辭皇后不爲者也隨遣內使護歸正統中卒祔葬鍾山先塋之次姒錦嘗言靖難師至建文當坐殿上以待燕王苟不讓則死之何自焚爲益其識見遠矣

流離遷謫閭門孝義者一人

張逸妻孫氏太僕卿諫母也何容人逸父觀與氏父穀實相得歡甚會二家俱娠遂訂婚姻之約逸生十年而家難作父死舉家謫戍崇山逸隨母胡氏及兄達往稍長母命還鄉就婚實欲負約女不可曰娠而

之以患難而棄之非人也誠慮女棄于外窮苦耳命誠窮卽他適何所逃必許之于是竟歸逸從之戍所迄至姑已歿則事嫂譚氏與諸姑如其姑未幾從逸徙戍赤水逸雖在邊守父母遺訓合族而爨譚氏病以內事付孫氏氏黽勉經營家用稍給延師訓子卒底于成當達謫戍時達諸母倪氏孀姑全一俱在謫中及達死逸謫赤水倪氏譚氏全一俱隨與俱顛沛之中禮法肅然倪氏年七十四全一八十有三而終

改裝從父明晳守身者一人

黃善聰金陵淮淸橋人年十二失母有姊已適人父販

香爲業憐聰孤幼無依收男子裝携遊廬鳳間數年父亦死聰變姓名曰張勝仍習其業有李英者亦販香自金陵來與爲伴侶同寢食者踰年不知其爲女也後與英偕返金陵往省其姊姊初不之識詰知其故乃怒詈曰男女亂羣辱我甚矣拒不納聰以死自明乃呼鄰嫗察之果處子也相持痛哭自爲改裝明日英來再約同往知其爲女怏怏如失歸告母爲求婚聰不從曰若歸英如瓜李何鄰里交勸所執益

官府聞之助其聘禮判爲夫婦

浮海扶櫬不愧丈夫者一人

王氏江東人都指揮陳忠妻忠守交趾王與俱會黎賊叛忠戰殁王時年二十三與其父攜二女登竹筏潛駱賊黨收忠屍殮之浮海間關扶柩南歸葬所居後紡績以度朝夕卒與忠合葬人謂其夫婦忠節兩無愧云

毁容全節一人

史可模妻李氏順天人故相國道鄰公之弟婦也初可模爲順天庠生娶李三載以病卒李氏長跪柩前號泣五晝夜昏暈臥地灌以瓜水乃甦父母孀姑跪求進飲食勉從親命侍太夫人隨相國來江寧有要人

聞其賢而美欲娶之遣官往聘且以危言脅其必從氏聞之閉戶取利刃割耳截鼻家人排戶而入已死地下夜半始甦要人聞之相與歎異而止後姑病割股以療年四十二卒

孤身遷徙教子成家者一人

狄氏吳縣王以材妻明初平蘇州籍其土以材例當徙以畏怯竄身亂兵間不知所終狄氏生子甫六月煢煢無依從衆徙居金陵南郭外攻苦食勤績織爲生四十餘年教子就學敦孝篤行稱安節處士三傳至襄敏公遂大其家

生不辱身死能報仇者一人

蔡丑女上元文學蔡坦從妹也少孤與祖母居年十五已受聘一日祖母出有逐僕爲僧行者來就食挑之不從誘之以賄繼之以刃女拒益堅亥第受傷至十一處罵聲不絕宛轉竈下而死時賊旣遁去官行驗時忽自來叩首伏罪如被拘狀官詰問故賊曰女適引我至此耳異哉

純節篤孝一人

施氏女名寅其先湖州人父益政避寇家金陵年十七許字金陵黄氏子會壻病甚舅姑急欲得婦以事

之女遂歸黃氏然未成婦也親嘗湯藥不解帶者數晨夕婿卒不起女悲號求殉不得恐舅家奪其志乃歸父母家織紝自給亡何父領順治某年橫海運轉輸不及額下獄氏聞之謀收裝走京師救父會朝命漕艘積逋下所在省會追補益政遂下江寧府獄女乃髡髮易男子服携幼弟省父于獄父倉皇中不識也女自白父熟視大慟獄吏及諸纍四皆泣下稱曰孝女云自是女間數日一偕其弟入視出則坐斗室刺繡易米以供父食及母弟妹有貴人慕其行持千金求聘曰歸我我力能出爾父女曰救父誠所願

屍身何謝之去亡何父病且革女懷牒詣漕司庭
跪而號請身代繫出父就醫漕司覽牒心動惟保
歸踰一月竟死死之日家無一錢鄉里感其義醵貲
以斂女朝夕上食叩棺而呼悲號辟踴竟以戚疾垂
革語呼父者三而死卒年三十有四諸生黄虞稷哭
葬之于分山口鄭家庄
値變之變死不失身者二人
郭彬女丑字道安六合人年十九歸同里鄭玄玄不得
志于父恒悒悒氏曰子弟盡孝何患不慈也翁無道
欲以非禮加婦氏厲色拒之屢見凌逼氏嚙指出血

曰所遇若此惟有死耳滕曰當告諸姑氏曰苟白之彼父子何顔相見耶然則請歸告父母氏曰祇揚惡聲無益也遂潛出沉于河而死其後姑與夫俱夢氏歸儀衞甚都曰職長蘆水府掌鉤考人間善惡言畢颯如風雨而去宋學士濂爲之傳

王烈婦夫汪姓貿春爲生以嗜酒廢業僦居江東門之積善橋與娣家相望僅廛一楹以箬蓬分內外婦日塞戶坐門扇上績麻自給雨中上下漏濕持葢手績不休夫與[illegible]從李姓遊李悅婦姿謀亂之夫被酒以狂言侮婦婦奔母家避之夫逼令歸夜挾酒

李俱至夫引婦同坐婦懸走且大罵夫以威挾之婦堅拒被榜笞無數且日乘間逸告其姊夫踵追至婦度不能免是夜攜幼女坐河干慟哭徑投水死及曙女尚熟睡草間蓋婦初欲與女同溺旣而不忍遂自死耳死之夜大風雨屍不漂沒人咸異之

餓死存節一人

溧陽餓婦佚其姓氏舊志云元大德中有溧陽士人挈妻授經于句容之潘邸歲荒學徒皆散夫婦績綱給食一日夫出不返婦餧坐室中里人有慕其姿者願爲饋食婦正色拒之閉戶愈嚴踰日鄉里啓視之死

矣

智勇却盜者一人

陳南塘忠夫人沈氏居倉巷中忠偶他往有盜數十人劈門而入將登樓沈持鐵鎗守樓門盜不敢登乃放火燒樓沈見火逼從後窻挾鎗投于鄰家得免于災人謂智勇不愧其夫云

抱骨投江者一人

成化十年江浦居人言一日有一婦抱一骨函至江滸謂舟子曰吾欲瘞吾夫於江中舟子曰骸骨不與生人同渡懼蛟龍焉婦曰我有百錢遺子請勿渡

舟子詣乃登舟至中流仰天而號遂抱骨俱沉救之
不可得竟莫知其鄉里姓氏云
三刲股五就死者一人 附三刲股一人
氏六合生員夏汾妻祖姑疾篤刲左股以進而祖姑
愈姑疾又刲股爲羹而姑愈夫病劇又籲天刲股以
進而夫愈後汾應大京兆試以暴疾卒氏自刎未殊
以手指扼其喉又不死夫櫬至氏嘔心血出扶拜成
禮躍入井家人救之防護備至氏臥床餘微息猶經
紀喪事伺隙竟投井以死縣官請旌有三刲股以全
孝五就死以從夫之語又溧水王弘治妻陳氏夫病

封股以進夫死青年苦節値舅姑先後病氏封股和藥以療撫孤臣白少食餼膠庠爲邑知名士

明淑教子三人

王氏宋太尉長史誕之女適袁氏生粲而夫卒粲尚幼孤寒無依紡績以供朝夕粲嘗以事忤宋孝武坐徵下獄王候孝武出負磚叩頭因至傷目粲疾王憂念特甚夢粲父曰愍孫疾無憂將爲國器但恐富貴終當傾滅耳及粲貴王恒以夢言爲戒粲因自損抑後因討蕭道成死于石頭城

魏氏梁王僧辯母也性和順僧辯以事下獄魏徒行

罪詣貞惠世子自陳無訓辭旨哀切世子爲改[illegible]
僧辯得釋魏深相勸勵勉以忠孝後僧辯殄滅侯景
光復舊都魏恒以謙抑爲戒卒謚貞敬

陳氏江寧白應甲妻也生二子夢周夢爵皆知名士氏
事繼姑如姑嫁姑女如己女相夫教子克盡其道撫
族孫外孫孤俱成立嗣其家二子以公論忤貴人羅
致于獄母怡然曰吾子沈滂流也吾寧不爲滂母乎
絶無慍色會國變得釋晚年伯子以明經選仲子舉
于鄉母無喜色惟奉佛修善訓諸孫以讀書明理而
已年八十四忽命家人環向念佛無疾而終女適王

姓二十夫歿歸侍母守節三十餘年

三世守節者九人

宋劉虎妻王氏虎爲觀察使自廬州徙居建康拒元兵于五河中矢洞腹而死王守志五十餘年子裕爲鹽稅官僅弱冠死妻郝氏守志五十三年孫應麟妻亦郝氏應麟歿事二姑四十餘年時稱三世守節

明溧水顏守翰妻謝氏媳李氏孫媳蔣氏三代守節

楊天瑞母鄒氏妻顧氏子楊春秀妻夏氏三代守節旌

祖孫相繼守節者十人

明府軍千戶趙和妻孫氏孫趙琮妻魏氏旌

江寧孝廉沈九思妻廖氏孫沈懋修妻殷氏

汪希和妻余氏孫汪授元妻劉氏余侍御公光女劉戶部主政公安節孫女

徐孝祥妻楊氏孫徐張吳妻宋氏楊太僕少卿徐公揚先母宋堯東道徐公惺母

溧陽繆士寬妻丁氏孫繆彥卿妻王氏

母女守節者四人　同死節者三人

明施愈妻徐氏女施氏上元人徐爲孝廉施化遠母寄劉服愈夫女紉徐朗一聘嫁一月而寡歸與母同守二十餘年

陳希堯妻謝氏女王明揚妻陳氏 句容人皆夫死守志

元劉桐妻孫氏及其二女 桐官平江兵亂城陷掠孫氏不從被害二女乞掩親骨至江濱皆赴水死高淳人

姑媳守節者三十人　同死節者十人

元張宜妻周氏子婦樊氏 上元人

明李志妻孫氏姪李純妻屈氏 江寧人旌

許尚彥繼妻王氏子許清之妻亦王氏 句容人

庠生張光瀚妻葉氏子張啓胤妻吳氏

楊昊妻陳氏子楊煦妻王氏 溧陽人

張予妻芮氏與姑支氏同守 失舅名溧陽人

弓正妻趙氏子婦楊氏 江浦人[illegible]夫卒依母家[illegible][illegible]娶楊氏始生一孫而子卒姑媳共撫遺孤以守

庠生劉學孔妻陳氏子劉宜生妻應氏 六合人

李增科妻劉氏子李如璋妻田氏 高淳人

童灦妻朱氏子童繼辛妻王氏 高淳人

史存守妻趙氏子史正諫妻徐氏 高淳人

周應心妻李氏子周克聖妻李氏 高淳人

劉璿妻王氏子劉鐙五妻楊氏 高淳人

柳校妻韓氏子柳宗仁妻曹氏 高淳人

陳時可母張氏妻黃氏 高淳人

元趙宗澤妻衛氏趙棟妻夏氏趙楷妻劉氏建康人汝穎兵陷建康三氏皆投水死時號三烈

明大叅張明熙妻陳氏子張子駒妻胡氏句容人明熙官粵東攜家往歷轉運陽叅政破獻賊于臨武恢湖南十一城調閩之典泉時土寇縱橫明熙留家廣城而獨身入閩子駒隨往省之會土賊破廣城姑媳焚香告天携其幼子俱投井中賊退僕婢索井得屍面目如生幼子呱呱水面氣猶未絶人以爲異

曹弘昌母陳氏妻錢氏錢年十九從姑避亂遇兵先後沒水死

楊會春妻趙氏子楊楚妻夏氏女楊氏趙年二十寡居教子楚[illegible]庠楚妻夏避兵北湖遇盜抱兒投水死女適庠生吳智錫亦遇盜同死之

妯娌守節者二十三人 同死節四人

明庠生陸經妻李氏弟陸永芳妻陳氏

樂鎰妻楊氏樂鍾妻鍾氏溧陽人

丁可輔妻楊氏丁可弼妻徐氏溧水人皆無子同守

陸桓妻沈氏陸奎妻汪氏六合人

庠生茆康宇妻傅氏茆康年妻胡氏茆康衢妻陸氏

妻尹氏溧水人一門守節各有子

陳鳴霄妻邢氏陳鳴鶴妻李氏高淳人夫病同刲股夫殁同守節

徐廷周妻戴氏徐晉妻薛氏江浦人同居守節

陸明妻鄭氏陸斯妻亦鄭氏六合人族孫陸珀妻倪氏陸墀妻蔣氏同守節

毛伯顒妻趙氏伯顯妻趙氏伯頎妻徐氏京衛人

朱熙耀妻華氏朱熙代妻張氏句容人二氏孀居閫守會大兵臨城采皆姒撤二氏偕竄身受數矢知不免赴水死華氏子之楷張氏二幼女皆哀泣投水死

庠生孔毓珂妻王氏毓珙妻吳氏高淳人同舟避亂遇賊負子投水死

妻妾守節者十二人　同死節四人

明劉學曾妻楊氏妾李氏句容人

宋叔昂妻朱氏婢黃氏溧陽人二氏同寢食足不踰閫

監生鄭鋹妻張氏妾毛氏六合人

庠生陳河洛妻王氏妾尹氏高淳人旌

王啓陵妻周氏妾戴氏高淳人

邢祖法妻谷氏妾王氏高淳人

王容妻陳氏妾江氏溧水人值兵亂並餓而死

俞熊妻周氏婢失名溧水人爲亂兵所挾同躍入水死

姊妹守節者四人

明彭永康妻潘氏二十寡居妹十八亦寡居溧陽人刺臂作[illegible]心不改字相繼卒

江浦薛氏許字葛椿未嫁而卒守節死妹適徐晉[illegible]卒守節

守節者一百五人

宋王友筠妻李氏

元樂氏張氏余氏溧陽人俱以貞節旌舊志失其夫名姓

曹子英妻尤氏旌

明張五妻俞氏　李福保妻胡氏

楊祖壽妻余氏

江寧縣民陶某妻焦氏夫從征不返守節至死

蘇官福妻薄氏　府軍衛田二妻王氏

豹韜衛黃公受妻龔氏　豹韜衛陳安兒妻汪氏

奚善才妻顧氏　神策衛劉受妻楊氏

陳保兒妻吳氏　劉留住妻倪氏

鄧信妻魏妙眞　伊端妻魏氏

楊阿庇妻陳氏　金吾衛楊氏佚夫名

李老哥妻孫氏　上元十三坊人沈氏佚名

孫敏妻喬氏　唐思敬妻尤氏

庠生陳福妻俞氏　趙壽妻呂氏

羅受童妻倪氏　舉人任忱妻焦氏

徐昱妻錢氏　葉阿僧妻張氏

陳阿福妻秦氏　張純妻龔氏

王關孫妻言氏　陸阿葛妻倪氏

趙春妻呂氏　周稱住妻張氏

徐真保妻朱氏　孫成道妻徐氏

中山裔徐鳳岐妻王氏　邑人于氏佚夫名以上俱旌表

庠生王之範妻許氏許石城公榖女　潘啓妻易氏

俞璉妻顧氏尚書顧公女　庠生陸登之妻沈氏

庠生胡士吉妻黃氏都督黃公越女　沈所問妻童氏

趙國樑妻沈氏　庠生謝元華妻陳氏石亭孫女

李昌徹妻顧氏顧少宰妹　庠生承晉妻沈氏

顧夢麃妻葉氏尚書璘曾孫婦　湯其妻陳氏溧水

陳應科妻程氏足不踰閫五十餘年　何樊如妻陳氏

牟氏指揮牟仰峰女適樊姓四十日而夫亡守節終身以上俱郡城人

朱約妻石氏　笪元善妻鄧氏

徐尚學妻趙氏以上旌　李繼本妻王氏

胡文光妻賀氏　蔡應聘妻王氏以上俱句容人

花宗啟妻粱氏溧陽人旌　彭邦靈妻王氏溧陽人

舉人武尚訓繼妻王氏旌　朱其妻馬氏

庠生周輅妻俞氏　庠生武光世妻龔氏

庠生許黙妻張氏剔目拒婚　陳民弼妻周氏以上俱溧水人

陳聘美妻蕭氏　孔徹昌妻劉氏

楊經春妻王氏以上旌　庠生夏鳴雷妻陳氏

謝諒妻趙氏　史文燦妻周氏

黃銘妾王氏　邢一轄妻劉氏

李思恭妻杭氏　陳儆妻王氏

趙一魁妻邢氏　吳繼爵妻王氏

邢本仁妻陳氏　沈澤妻周氏

芮道體妻趙氏　霍思懋妻孫氏

王世亨妻周氏　周汝明妻馮氏

劉定三妻陳氏　王繼玉妻諸氏堅志苦守歲旱田湧甘泉

孔亂發妻陳氏亂發有胎疾手足拘攣口吃貌寢氏貌極端麗既歸亂發事之克盡婦道亂發死有求婚者凡三拒絕忍飢以死以上俱高淳人

張景妻譚氏　丁謙妻屠氏

嚴丕緒妻毛氏　趙思訓妻狄氏旌

趙應魁妻袁氏　楊天瑞妻顧氏以上江浦人

李倫妻王氏　張潮妻姚氏

庠生葉時章妻厲氏以上六合人

講舉人夏亂聯妻史氏上元人

總兵劉瑛芳妻沙氏郡城人　鴻臚楊念橋妻張氏上元人

陳宗倫妻芮氏　王嘉中妻楊氏

趙經初妻魏氏　吳世卿妻劉氏

徐葆初妻楊氏　魏承詔妻王氏以上高淳人

事舅姑撫孤者二百二十一人

元李成妻周氏上元人　劉英傑妻吳氏上元人

劉祚妻馬氏上元人　王元壽妻楊氏上元人以上俱旌

曹裕興妻王氏句容人　張進甫妻王氏句容人

張和妻黃氏溧水人　夏公八妻魏氏高淳人

芮珙妻陳氏高淳人　楊穆五妻楊氏高淳人

明龍江衛鄭忠妻周氏忠北征氏孕方三月生子三歲而忠始歸旋病歿氏養曾祖母撫孤子二十七年　王留兒妻鄭氏

朱金保妻蔡氏　周濟妻姜氏

薛雙兒妻卞氏　潘英妻朱氏

張豫妻倪氏尚書張公益母　陳忠妻仲氏

袁討兒妻張氏　陳慶妻曹氏

匠籍徐義妻馬氏　龍江衛邵登妾　氏

陳鎧妻王氏

侯四兒妻吳氏

太學陳穀妻周氏孝廉陳奚母

史敏妻王氏撫子子卒撫五孫有成

庠生賈明遠妻丁氏守節三十餘年卒時母鄧已八十五歲無使知恐傷母心也

李元武妻蔡氏守節六十七載壽九十三

太學張世懋妻梅氏

劉壽妻李氏撫子應龍舉辛丑武進士應詔贈朝議大夫

淵墅村李兆雍妻方氏年二十有遺腹子業農甚孝

太學程君衡室人楊氏媒來茹蘗晝荻和熊能教其子堯情成名廷對

朱萬春妻陳氏割股救夫訓子國才成名

靈石丞張尚善妻宣氏以[illegible]此[illegible]

儀鳳門陛某妻顧氏撫[illegible]孤侄[illegible]

徐標吳妻吳氏

張士化妻祁氏撫子京升孫秉謙俱成名

王應鳳妻顧氏媳黃[illegible]氏俱早孀苦節

鄒蔡妻孫氏曾孫復任鎮算守備與獻賊數十戰屢立功卒亡于陣

孝陵衛吳仁妻馬氏十八孀居長齋奉姑教子爲農兵過相戒無犯壽一百零二歲

劉嘉仕妻王氏　胡文耀妻陳氏廷評陳訒所公女

選貢魏珠妻張氏　馬應圖妻馮氏壽至一百零三歲

柳星華妻江氏　庠生汪攸妻吳氏

庠生吳儀沆妻雷氏教嗣子樹聲成進士　金淳妻劉氏

夏齊周妻董氏撫子森成立後病子森刲臂愈之旌　吳汝璋妾龔氏

顧振昆妻申氏大司馬玄渚公女鄒衍先生媳　周可因妻柴氏

李胤昌妻陳氏子世洪刲肱療母疾尋父骸[illegible][illegible]里外負歸合葬

李嵩華妻伯氏夫死撫孤成立嘗染危疾子如沆刲股以療

傅存義妻李氏　焦存仁妻李氏

庠生陳茂德妻李氏教子元慶登賢書見人物傳

童鉉母張氏　庠生黄益妻梅氏

生員張光世妻康氏　李長庚妻唐氏旌以上俱郡城人

曹㫫妻張氏淑清　馬壽春妻王氏

孔士傑妻許氏　譚謙妻王氏

陳儀之妻魏氏　笪元善妻鄧氏以上俱旌

張德清妻周氏旌　王玉之妻淩愛貞

舉人張恪妻楊氏　佘泰妻王氏

居轔妻高氏　樊庸妻徐氏

徐延胤妻張氏　陳景清妻徐氏教孫成進士

許宗庸妻葛氏　朱仁妻曾氏

山西按察高志繼妻譚氏教前妻子如己子

徐一鯉妻吳氏　謝登明妻徐氏

潘一忠妻梁氏　居邦翰妻高氏

吳某妻徐氏子淵舉孝廉　張聚升妻許氏

笪元主妻張氏　笪友善妻朱氏

笪明倫妻趙氏以上俱句容人

湯習妻蔣氏　陳濟妻王氏

史子登妻王氏子嵩以孝廉　楊庭茂妻王氏

史侃妻王氏　呂商妻吳氏

芮夔妻陳氏　戴觀妻彭氏以上俱旌

王信妻霍氏撫子廷璋長刲股愈母　王亮忠妻陳氏

強錄妻遲氏　張粲妻狄氏

沈復隆妻周氏　費勉仁妻狄氏

吳中懋妻沈氏　錢德妻周氏

王祿妻芮氏　呂陽妻鍾氏

劉士志妻呂氏　庠生狄儁明妻吳氏

黃東啓妻蔣氏撫子成孝廉子卒又撫二孫以上溧陽人

毛邦久妻張氏　嚴國輔妻周氏

王仕妻陳氏　　庠生甘如桂妻俞氏

黄志遠妻任氏　　王崇妻劉氏

許根善繼妻楊氏　　陳文心繼妻王氏

庠生徐時亨妻俞氏　　丁櫝妻端氏

章時獻妻吳氏　　王懋柯妻趙氏

郁道昇妻俞氏　　魏樞妻陶氏以上溧水人

葛善三妻劉氏　　庠生陳時召妻張氏

庠生吳近伯妻施氏　　孔尚武妻陳氏以上俱旌

周冉九妻孫氏　　劉元七女失夫名

周斌妻靳氏　　張應唐妻諸氏

庠生邢世道妻袁氏　陳九獻妻王氏

谷應喬妻張氏　傅楠妻孔氏

胡廷華妻閔氏　陳爊妻施氏

周迴妻李氏　徐守善妻芮氏

鄭汝慶妻胡氏　葛美儒妻劉氏

徐邦濟妻黃氏　孔尚卿妻吕氏

史耿臣妻趙氏　李太春妻楊氏

庠生劉尚德妻麻氏　魏繼登妻陳氏

庠生陳其經妻魏氏　庠生夏可凱妻施氏

夏近誠妻袁氏　夏之楷妻陳氏

吳守學妻王氏　楊紹芳妻邢氏

邢彥元妻夏氏　邢祖騰妻許氏

史汝華妻王氏　邢祖華妻史氏

路元松妻呂氏　張儒妻孔氏

劉開宗妻李氏　孔一璧繼妻濮陽氏

典史孫可大繼妻王氏孫高淳人氏父家山西賈王高淳遺百金于道孫拾而還之後孫授山西稷山尉謀續娶于氏父郎以女妻之越二年孫以老病去官氏從之歸明年孫故氏年方十八生子翥甫二週矢志守節教子讀書翥長嘗刲股救母

孫可學妻陳氏以上高淳人

醫官嚴師心妻蔡氏　高仲艮妻張氏

吳遴妻俞氏　趙恩訓妻張氏

庠生朱思近妻弓氏以上旌　魏福成妻蘇氏

趙典妻鄭氏　曾晚節妻楊氏

陳邦宗妻黃氏　周尚倫妻吳氏

徐應科妻俞氏教子成立後病子伯昇割股以療

楊茂榮妻黃氏　劉學禮妻許氏以上江浦

丁允恭妻洪氏　丁尚彬妻解氏

馬鑑妻江氏　郭盟妻徐氏

厲瞻妻徐氏　庠生林寶妻許氏以上旌

孫彥斌妻馬氏　許完妻劉氏侍三姑撫四子

庠生陳濟妻胡氏　馬維垣妻高氏

庠生胡澄妻謝氏　黃潤妻朴氏

王鷺妻李氏　庠生汪元行妻黃氏

貢生汪元震妻韓氏　太學沈啓元妻葉氏旌

孝廉葉時憲妻胡氏　太學徐廷周妻戴氏俱六合人

大清張文科妻鄭氏　庠生朱圻妻盛氏旌

童廷策妻張氏　義民董重母陳氏

工員機妻徐氏苦節撫孤按院劉題建石坊旌表[illegible]載縣誌子文燦以孝著聞

司理朱應昇母孫氏　都司陶一鵬妻黃氏

馬維驥妻溧氏撫孤士熊二週訓孫蕃登進士壽七[illegible]十有三守節四十四載以上郡誌

倪璋妻周氏溧陽人　司徒國章妻王氏

張應鵬妻李氏　邰繼盛妻汪氏

王仲舉妻朱氏　邢道悌妻袁氏旌

袁日近妻邢氏旌　吳正亨妻甘氏

吳耀南妻邢氏　王啓陵妻沈氏

周應召妻陳氏　陳有成妻吳氏

魏光禎妻湯氏　庠生徐有年妻傅氏

劉定儔妻葉氏　庠生王思誠妻張氏

庠生劉開雲妻趙氏　陶艮福妻李氏

周遠二妻李氏　陳希轍妻邢氏

邢仕題妻劉氏

諸名世妻夏氏以上俱高淳人

死節者四十七人

宋俞氏溧水人少寡里中惡少慕其色脇以刃不從而死因名其市曰節婦里

趙淮妾翠蓮綠雲淮被執二妾相從渡江淮死元帥欲納之二妾請先葬淮擇吉以從元帥許之令二卒隨之至江干覓淮骨置器中操小舟至中流抱持投水死

元闕文興妻王氏建業人文興從霍漳州為萬戶府知事氏與俱行陳吊眼作亂文興戰沒氏被掠紿賊瘞夫負屍還積薪焚之投火死贈貞烈夫人祠漳州

陰有光妻張氏句容人年十五歸陰氏六年而有光卒父母欲嫁之自刎死

史氏溧陽人遭紅巾之亂舉家被害自刎未絶抱子入水死

花山婦失其姓氏至元中從[illegible]被執至崇[illegible]亭嚙指題詩赴水死詩曰君王有難[illegible]

棄子離夫被擄來遥望花山
何處是存亡兩地亦哀哉

明安陸侯吳復妻楊氏復守黔陽卒于官氏自經以殉高帝手詔曰楊氏身處偏徼
知大義慨然自經從侯于地下跡其志操
雖秋霜勁柏何以加茲其追封貞烈夫人

錦衣指揮黃賓妾王懿貞賓卒懿貞欲自戕以從人防之屛食垢面哭不絕
聲卒自經死生子
琚甫百日旌

庠生汪宗妻柴氏宗病危氏晝夜侍湯藥請以死殉及垂革手治殮具先宗投繯死

武定橋烈婦失姓名文皇靖難誅戮臣僚妻子發教
坊或配象奴有一烈婦題詩衣帶投武
定橋河而死詩云不忍將身配象奴手提麥飯
祭亡夫今朝武定橋邊死留取清風滿帝都

陳伯妻黃氏年十八歸伯父死母欲改節氏苦諫不從竟他適一日母歸省女氏閉門不與
相見母慙而去後伯病危篤氏誓不獨生一日姑
扶伯起坐氏熟視曰嗟乎病至此吾無望矣請具

盥遂之竈下碎食器自刎木死自刎乃死時年方二十一

黃氏失夫名夫死公姑欲奪志自刎死余孟麟作歌弔之

杜鍵妻黃氏鍵大將軍弘璋子也將軍家金陵老而食貧鍵混跡行伍病死氏方少艾有勸改適者氏不應禮高僧所雲薙髮爲尼受具戒夜半縊于夫柩之旁有司醵金斂瘞之

趙棊妻楊氏東衛人武進士楊應乾女夫死于陣投河死

岑明俊妻趙氏金陵人避亂遇兵執至塘溝舟中投水死被掠婦女相繼投水二十餘人

陳無過妻諸氏夫男爲兵所害氏詈賊爲兵剖腹擲于河

楊阿三居孔廟浴沂橋側夫廢業而貧將挈阿三鬻身爲奴阿三諫不聽抱幼子投橋側小

太學程有倫次妻劉氏程長劉四十餘歲有倫氏絕粒不食積十四日

庠生胥庭治妻任氏遇亂兵夫婦俱赴水死子婢逢時迸相繼赴水從亡

庠生孫　妻程氏新安程仲謙孫女祖父皆[illegible]谷居秣陵闖遭亂兵焚[illegible]氏氏紿之日屋後池中有藏鎰可取之去因[illegible]池中罵詈不已亂兵怒甚以箭矟刺之池水盡赤而死

張國權妻魏氏江寧人居淳化鎮朱墅村遇兵被掠怒罵不從抱幼子投池水死氏即魏琳之女○以上俱郡城人

耆育望妻張氏溧陽人夫死絕食自縊死

經國猷妻管氏溧水人遺腹得女自經死旌

端烈婦溧水人失其氏姓夫病癩令婦他適投水死

庠生錢化龍妻陳氏溧水人兵欲犯之赴水死

太學徐思義妻薛氏溧水人夫死有欲犯之者氏持剪刺之即自刺仆地

劉檜妻王氏　高淳人夫死人爭求之遂自殺

張可扳妻陳氏　高淳人遇亂投水死

王汝梅妻楊氏　高淳人為兵執被數十刃死

王錫堯妻陳氏　高淳人兵至抱子赴河死

王經妻朱氏　六合人經失足墜樓死氏自縊死

陳貴妻唐妙貞　六合人姑欲嫁之聚薪床下自焚死

許坦妻吳氏　六合人舅姑欲嫁之自經死

庠生孫繼善妻謝氏　六合人無子立侄侄死曰吾無望矣自經死

庠生鄭曜妻袁嫥　六合人夫得惡疾氏不肯改適歸鄭六年夫死服砒霜卒

厲振鴻妻孫氏　六合人歸厲六月而夫殁隨絕粒死

李秀妻達氏六合人夫溺死氏自縊

夏應昇妻葉氏六合人土寇之亂夫病不能避抱子投水死

庠生夏濟妻劉氏六合人避兵與夫相失投水死

葉先馨妻季氏六合人幼育于叔亂光夫卒病不起聞亂光復卒痛哭而死

張義瑞妻章氏六合人爲兵掠投水死

余馨妻馬氏六合人爲兵掠罵不絕口被射七矢投河死

詹明宇妻左氏六合人被掠不從同夫投河死

張起祥妻某氏六合人被掠不從挈幼女投水死

庠生厲一鶴妻黃氏六合人流寇至縣氏與夫奉姑避與賊遇欲殺其姑與夫而掠氏氏詭從賊使釋姑與夫度去遠投水死

大清史秉文妻宋氏溧陽人

陸思賢妻殳氏溧水人草寇妻十六掠婦不從死于舟

刲股者三十七人

宋夏氏女高淳人年十二割肝愈母旌其里曰昭孝

明邵達妻錢妙寧江寧人刲臂肉進母而母愈或欲聞之有司妙寧曰此自女子一時計無復之耳豈求人知哉孫清爲御史

李芹妻王氏江寧太僕少卿韋女取臂肉療姑

何官童妻汪氏夫死守節母病刲股旌　方潤妻周氏上元人刲股救夫

趙知府俊女上元人刲肉療母旌　周繼序妻余氏刲股愈姑

殷一桂妻吳氏上元人刲臂肉愈夫　趙錫吉妻陳氏上元人刲股

陳本鑼女三姐上元人長齋養親矢志不嫁匝月之內兩刲股愈母旌

周政新妻顧氏割股愈夫

趙祚昌妻顧氏鴻臚顧公起鳳女刲股救父

沈無咎妻何氏何尚寶遵之後夫病刲股夫凶守節母病復刲股以療

劉承恩妻林氏江寧人刲股愈舅子長庠生嘉次鍾岳皆刲股一救父一救母

雷肇元妻沈氏江寧人刲股愈母元同知九江年二十九歲守節沈御史越[illegible]

姜文燮妻劉氏江寧人刲股療翁後復刲股愈姑

胡鍾茂妻柳氏江寧人刲股愈姑

許持世妻李氏句容人刲股愈姑

芮鏘女溧陽人刲股救父

謝女溧水人刲股療母

李震龍妻趙氏溧水人刲股愈母

唐養元妻周氏溧水人刲股愈夫

省祭陳雲鵬妻丁氏溧水人未字刲股愈母既嫁刲股愈夫

吳啓祥妻毛氏溧水人刲股愈姑

李德祚妻章氏高淳人刲股愈夫旌

徐濟邦妻王氏高淳人刲股救姑劓目守節

李以逢妻孔氏高淳人年二十寡居刲股愈姑

陳汝亮妻戴氏高淳人刲股愈姑

吳學讓妻徐氏高淳人刲股愈夫

張炳妻胡氏高淳人刲股愈姑

張司台妻陳氏高淳人刲股愈姑

庠生劉芳遠妻王氏高淳人嚙指血煮藥療姑

楊啓龍妻劉氏高淳人刲股救姑子媳皆死于兵

楊文徵妻胡氏高淳人夫病刲股夫死守節

庠生楊圭妻張氏高淳人夫病刲股夫歿撫孤

陳有奇妻趙氏 高淳人夫病刲股夫歿守節姑病復刲股

孫近辰妻陳氏 六合人刲股愈夫

孫國御妻王氏 六合人刲股愈翁

知府劉玉佩妻陳氏 江寧人未字刲股救父既嫁刲股救母救姑旌

大清邢道悌妻袁氏 高淳人夫病刲股夫亡守節

孝烈之女二十七人

元袁氏孤女 年十五至孝母病鄰火起其廬鄰婦呼之出女泣謝曰使我生而無母不如無生遂抱母死火中

明都司母承恩女 上元人許聘姚某未嫁而夫死易服毀容聞葬期自縊死

許吳儒女 上元人母病危哭跪大士前誦經求代取刀割一耳以誓僅連數分祖母驚覺以艾敷之家人聞所割耳中隱隱誦經聲數日視之耳已復合

上元縣民李其女母病反胃垂殆女焚香籲天而疾平旌

侯貞女上元人父母亾不嫁撫弟侯纂侄侯一位成立持家甚嚴至親罕見其面

張孝女江寧人午戸張卿之女以父無子不肯嫁守志事親至七十歳

薛氏江寧人受徐聘未嫁卒斷髮長齋以終

徐惠甫女句容人年十七許聘未字遇兵至欲挽上馬女堅拒之兵怒斫其左臂痛仆臥地後來者見其雖被創面貌[illegible]力欲挽之去女大罵死于亂刃之下

毋墅村張氏女句容人許聘王姓夫天不嫁年八十餘

宣氏句容人許配湯維藩未嫁死節

狄氏女溧陽人許字周顯儒儒死不嫁

史義姑溧陽人許字宜興邵一龍年十六而一龍卒姑褰經奔之父母有難色姑涅面爲誓不改字歸邵門事公姑甚謹父母死撫幼弟成人旌

羅氏女溧陽人許字周有灝亾涅面不二往周守節

楊氏女父母死矢不字人撫幼弟成立溧陽人

唐氏女溧陽人許字蔣文粹粹以事成義不更適至年五十二粹還始歸之

強氏女溧陽人許字陳鋼鋼死不嫁

汪紹祖女溧水人未字値兵亂投湖死

程天民女溧水人遇兵投水死

武可樨女艾溧水人遇兵自縊死

庠生許夢明女溧水人年十六未字遇亂投屋後塘溺死

庠生朱嘉試女溧水人許字陳彥璽及笄璽溺死哭請于母欲往弔其父弗許後有徐氏者強委禽焉女聞之以筆書几上曰願葬陳墓側自縊死陳族人迎柩歸合葬

陳氏女溧水人年十五兵過其家執父索金女跪泣救父兵舍父挾之去行經一村邊見一井故言口渴索水投井死兵去父尋至乃知所投之井即其夫家也

周貞女高淳人許字溧陽彭胤驥驥殤周隨母徒步至夫家構一室奉木主坐卧其中十六年以哭泣喪明

凌氏女高淳人許聘里人王純之侄未適而侄卒純欲謀以爲妻不從自縊救免遂守節終身

凌氏女江浦人許配張仲仲殁引錐刺目自縊救解因留張門守節終身旌

張二女勝奴江浦人事親孝旌

大清趙氏女江浦人納劉以謙聘未嫁謙卒奉姑盡孝旌

論曰古人有云願爲良臣無爲忠臣然必有忠臣之心而後可以爲良臣婦道亦然以節義自表見者乃女子之不幸也然非有節婦之心亦惡能爲賢妻此其關于世風非淺鮮也旌異之典先代已然

年以來寒微者或不聞于有司而往往藉家之豪富子孫之貴顯然後得邀光寵人或得而訾議之而憐其貧者則亦奚足貴乎甚非

朝廷風勵意也司世道之責者其留意焉見上元志

江寧府志卷之二十五終

江寧府志卷之二十六

人物傳七 方技

五運六氣惟聖節宣三兆八筮體無咎言以前民用精者達天無曰小道必有可觀作方技傳

漢沈建丹陽人世爲長吏建獨好道學導引服氣之術又能治病輕重應手而愈嘗遠行寄僕婢并牧羊於人各與藥一丸皆不復食建還更與藥乃食如故

南北朝徐文伯字德秀丹陽人太守熙曾孫熙好黄老隱秦望山有道士授以扁鵲鏡經曰君子孫當以道術救世得二千石因精心學之名震海內子秋夫工

中國國家圖書館藏

其術仕至射陽令世傳嘗爲鬼針腰痛秋夫生道度叔嚮皆精其業道度生文伯叔嚮生嗣伯文伯兼有學術倜儻不羣孝武路太后病衆醫不識文伯診之曰此石博小腸耳乃爲水劑消石湯病即愈除鄱陽王常侍明帝宮人患腰痛牽心每至輒氣欲絶衆醫以爲肉癥文伯曰此髮癥也以油投之吐得物如髮引長三尺頭已成蛇能動挂門上適盡一髮而已病都差

嗣伯字叔紹有孝行位至員郎諸府佐直閤將軍房王服五石散十許劑無益更患冷夏日常複衣

診之曰卿伏熱應須以水發之非冬月不可至十一月氷雪大盛令二人夾捉伯玉解衣坐石取冷水從頭澆之盡二十斛伯玉口噤氣絶家人啼哭請止嗣伯遣人執杖防閤敢有諫者撾之又盡水百斛伯玉始能動而見背上彭彭有氣俄而起坐曰熱不可忍乞冷飲嗣伯以水與之一飲一升病都差自爾恒發熱冬月猶单褌衫體更肥壯常有婦人患滯冷積年不差嗣伯爲診之曰此尸注也當取死人枕煮服之即差後秣陵人張景年十五腹脹面黄衆醫不能療以問嗣伯嗣伯曰此石蚘耳極難療當得死人枕服

依語煮枕以湯投之得大利并蚘蟲頭堅如石五升
病即差後沈僧翼患眼痛又多見鬼物以問嗣伯嗣
伯曰邪氣入肝可覔死人枕煮服之竟可埋枕於故
處如其言又愈王晏問之曰三病不同皆用死人枕
而俱差何也荅曰尸注者鬼氣伏而未起故令人沉
滯得死人枕投之魂氣飛越不得復附體故尸注可
差石蚘者久蚘也醫療既僻蚘中轉堅世間藥不能
遣所以須鬼物驅之然後可散故令煮死人枕也夫
邪氣入肝故使眼痛而見魍魎應須邪物以鈎之故
用死人枕氣因枕去故令埋於冢間也嘗春月出南

籬間戲聞屋中有呻吟聲嗣伯曰此病甚重更二日不療必死乃往視見一老姥稱體痛而處處有黶黑無數嗣伯還煮斗餘湯送令服之服訖痛勢愈甚跳投床者無數須臾所黶處皆突出釘長寸許以膏塗諸瘡口三日而復云此名釘疽也其神異若此

南唐吳廷紹爲太醫令烈祖食飴喉中噎國醫莫能治廷紹進楮實湯一服而愈馮延巳苦腦中痛延紹密詰廚人知平日嗜山鷄鷓鴣投以甘豆湯亦愈羣醫叩之曰噎因甘起故以楮實湯治之山鷄鷓鴣皆食烏頭半夏故以甘豆湯解其毒耳聞者大服

宋朱杰生而異相有隱德治人目如神針甫下而翳旋徹明嘉靖中其裔名鼎者召用有効錫賚甚重

明嚴景字克企先姑蘇人祖道通以醫徙金陵景幼好學通易尤精家學永樂中詔太醫院送名醫子弟讀書備用景在選中益探閫奥其師趙友同吳敏德嘗曰是子不羣他日必以醫名後果名都下求療者無虛日子弟來從學者無問遠近景氣岸甚高動必以禮而勇於行義尤喜吟咏學士周公敘結詩社金陵景與焉倪文僖公亦稱其行誼志節有古逸之風

周文銓字汝衡蘇人也徙家金陵學儒不成去而學醫覩世醫所爲詫曰醫道止此耶復棄去獨取內經本草難經等書徹晝夜讀務窮精奧診病立方多異衆殊及病者輒愈乃大服知此道深永重於用藥過有故輒不赴召及赴召或見病疑輒不投藥人不測所操負其才氣達官顯人非與抗禮卒不赴常語顧東橋先生曰醫者聖人之學也非盛德莫能操其慮非明哲莫能通其說是故士有能知草木金石昆蟲之藥辨類審性析經致能弗乖其宜弗亂其忌是謂知物知物者巧士有能知人之疾病狸於四氣薄於五

臟動於七情見外知內按微知巨占始知終執生知死由是以審施湯液醪醴鍼砭按摩之治是謂知證知證者工士有能知臟腑之所表裏經絡之所離會榮衛之所豴勝命脉之所消息遡物設方制於未形體微發慮決於衆惑是謂知生知生者聖士有能知天地之情陰陽之本變化之因死生之故立教布法使人專氣含精以握樞機汰穢葆眞以固根柢疾疢不作神乃自生是謂知化知化者神夫神聖者上智之能事未易冀及工巧之道術學之所造也醫不□此不足以名業其持論精微如此平生不以授人人

亦無能受之者

南都正嘉間醫多名家乃其技各顓一門無相奪者如楊守吉之爲傷寒醫李氏姚氏之爲産醫周氏之爲婦人醫曾氏之爲雜症醫白騾李氏刁氏范氏之爲瘍醫孟氏之爲小兒醫樊氏之爲接骨醫鍾氏之爲口齒醫袁氏之爲眼醫自名其家其人多篤實純謹有士君子之行而守吉醫尤著有謝五老者夫婦病感冒月餘矣飲食纔屬口輒嘔噦衆醫皆以死法棄去一日守吉過其門邀入診之曰無傷也病久已去但小進食蚘亟爭上噉胸坎攪繞作惡耳試頓食之

當勿藥而愈家人羣駭其說度無可奈何姑從之遂以冷茶投粥中頓與人二大盂初尚作嘔已漸喜食食已沉睡覺而霍然又一人病羸瘦委頓甚百方不效求楊診之楊曰若病非藥所能愈第於五更向煑牛肉肆中候其初啓釜時以口鼻向鍋傍吸取其氣然後取汁一碗飲之數日可愈矣從之果然它治多類此

鄭之彥字蘭巖江寧人父道光精六書善琴并畫梅與盛雲浦方樵城輩相唱酬之彥少爲諸生屢試不售輒棄去好神仙吐納之術體羸多病遇異人授以司

圭遂精於醫有名僧古曇者設壇普德之彥僧遊
地診視之語其徒曰爾師六脉沉溺殆不起衆不以
爲然明日哄傳古曇坐化矣神驗如此年八十卒長
子笏有文名少子篚亦以醫名而篆隸冠一時

孟繼孔字春沂亞聖公裔宋南渡以醫世居吳門洪武
初隸太醫院繼孔幼穎慧習舉子業遊焦澹園先生
之門父亟歿命習世業道術日進聲滿都邑生平存
活嬰稚未可數計每痘疹流行閭從尋兒孺遊中預
決生死無不奇中性通脫不羈所得金錢悉推予貧
乏之隨手輒盡歿之日囊無餘物所著有幼幼集子三

人皆能世其業仲子景沂尤以大方脉著

王元標字赤霞上元人宋文安公堯臣後少業儒兼精素難諸書遂以醫名崇禎己卯大疫標携藥囊過貧乏之家診視周給全活多人甲申之變大宗伯薦爲太醫丞標不應逃于赤山茅蕩稚川舊居卜築焉著有紫虛脉訣啓微又著醫學正言未及就而卒子諸生輅及女子稱續成之稱字東皐尤精世業群推重焉

吉兆來字逢生爲瘍醫有神効誠朴無僞隨疾輕重爲人治絶不計利尤善用針相其形色針到而患[illegible]父秋宇有詩名兆來乞陳仲醇序其遺稿而刊行之

錢御冷相國李曉湘太僕皆重之三子皆能世其
司馬隆字季平先世陝之咸寧人父元亨家金陵儒而
能醫隆少勤學嘗從林龍谿受尚書後繼父業遂擅
醫名讀內經丹垣諸書手不釋卷每至病者家或羣
醫異集辨論紛然隆徐以一言定之人皆悅服遇人
危疾端居靜繹或通夕不寐必得其病之源治之法
而後已有貧士病疫親族畏避隆診視不輟嘗曰人
皆有死豈獨疫疾能死人哉子泰中嘉靖癸未進士
謝世泰字約齋曾祖儒郡庠生兼通醫每逢奇症他醫
或不能辨儒必識之識即療之嘗爲徐文敏季子治

腮瘍奇効文衡山先生爲文以贈儒傳子日昇昇傳世泰皆有名泰存心濟物不責報人多稱之

李尚元字仰春以治傷寒名家焦太史嘗贈以文畧云自古論病惟傷寒最爲難療表裏虛實稍不審輒不可救李君有三勝焉每用藥言某時當得睡某時當得下時刻皆應一也予見病誤服補劑幾殆李君所用獨異羣咻之不爲動卒以奏功嘗曰倉公言吾以脉法治而愈二也麗安常治傷寒有名傳稱其藝能耐事如慈母而有恒君爲人似之三也其爲名公卿服如此子言曾孫鍾懋時邁皆世其業有聲

陳景魁字叔旦世居句容幼慧善記誦長從鄉先生
懿齋習舉子業又受易於毘陵陸秋岸開湛甘泉
道南畿魁往謁學日克裕因父病疫諸醫罔效精誠
禱天一夕夢老叟書授既蟺水可愈既覺不辨其物
博訪之始知爲蚯蚓搗水飲父疾立愈遂精心醫學
治疾多驗著醫案皆奇疾奇方也
丁毅字德剛江浦人路逢殯者棺下流血毅熟視之曰
此生人血也止舁者欲啓之喪家不之信毅隨至墓
所強使啓棺乃孕婦也診之以鍼刺其胸俄而產一
兒婦亦旋甦蓋兒手執母心氣暗身僵耳鍼貫兒掌

兒驚癇開拳始婉通邑稱神著有醫方集宜玉函集
蘭閣秘方人爭傳之崇祀鄉賢

漢李南字孝山句容人也少篤學明於風角永元中太
守馬稜坐盜事被逮當詣廷尉南特通謁賀稜意恨
之謂曰太守不德今當即罪而君反相賀邪南曰旦
有善風明日中時應有吉問故來稱慶耳旦日稜延
望景晏以爲妄至晡乃有驛使齎詔原停稜事南問
遲留狀使者曰向度宛陵浦里航馬踠足是以不得
速稜乃服焉後舉有道辟公府病不行終於家南女
亦曉家術爲由拳縣人妻晨詣爨室卒有暴風便

堂求歸辭二親姑不許跪而泣曰家世傳術疾風卒
起先吹竈突及井禍主爨者因著其亡日乃聽還宗
如期病卒
吳趙達中州人時世亂知東南有王氣可免遂渡江治
九宮一算之術射禍福有神解大帝即位令達筮在
位幾年達曰漢高帝十二年陛下將倍其曆後卒如
達言達嘗謂占星者當不出戶牖知天道碌碌宵夜
露中庭以測望不已勞乎黃武中魏主丕大舉入犯
軍臨廣陵朝廷惴恐達布算曰國未可量也其在庚
子乎魏莫予難也已皓亡歲果在庚子時吳範以治

曆數知風氣聞劉惇以明天官達占數顯皇象工書嚴武善棊宋壽占夢曹不興善畫孤城鄭嫗能相人與達為八絕

晉陳訓字道元少好祕學天文算歷陰陽占候無不畢綜尤善風角時臨平湖開或言天下當太平靑蓋入洛陽孫皓以問訓訓曰臣止能望氣不能達湖之開塞退而告人曰靑蓋入洛銜璧之兆後吳果亡王導多疾每自憂以問訓訓曰公耳竪垂肩必壽且貴子孫當興於江東訓卒年八十餘

戴洋字國流吳興人善風角好道術妙解占候卜數

末爲臺吏知吳將亡託病不仕吳平還鄉里揚州刺史嘗問吉凶於洋答曰熒惑入南斗八月有暴水九月當有客軍西南來如期果大水而石冰作亂堂邑令孫混欲迎其家洋曰此地當敗豈可移家賊中乎混便止歲暮陳敏叛遣攻堂邑混隻身走免居建康王導病召洋問之洋曰君侯本命在申金爲土使之主而於申上石頭立冶火光照天此爲火金相爍水火相煎故受害耳導即移居東府病遂差

郭璞字景純河東聞喜人嗜經術博學有高才詞賦爲中興冠好古文奇字妙於陰陽算曆有郭公者客居

河東精卜筮璞從之受業公以青囊中九卷與之由是遂洞五行天文卜筮之術攘災轉禍通致無方旣過江王導深重之引參軍事嘗令作卦璞言公有震厄可命駕西出數十里得一栢樹截斷如身長置常寢處災當可消導從其言數日雷震栢樹碎之時元帝初鎭建業導令璞筮遇咸之井璞曰東北郡縣有武名者當出鐸以著受命之符西南郡縣有陽名者井當沸其後晉陵武進縣人於田中得銅鐸五枚歷陽縣中井沸經日乃止其符驗若此者甚衆王敦舉逆璞托卜筮諫止之爲敦所害所著江賦南郊賦注

傳誦之

扈謙精易卦嘗在建康筮一卦百錢日限錢五百以三百供母二百飲酒并施貧乏五百足一卦千錢不爲也晉海西公日出見赤蛇蟠御床俄爾失蛇詔謙筮之謙曰晉室有磐石之固陛下有出宮之象海西旣廢伏否曰後年有大將北征失利應損三萬人此災可消後桓温北征敗績還石頭城乃廢海西立簡文桓温妾産桓元時至艱謙筮曰公第六間馬埒壞竟便産當是男兒聲氣雄烈震動四海温贈錢三十萬夫人亦贈三十萬謙辭無容錢處温不聽後仍筮

[illegible][illegible]貰毋溫錢日以醉客不問識與不識一日毋亡謙
[illegible]酒家許氏云因緣盡矣安葬而去不知所之數日
許氏家人於落星路邊見謙臥地始謂其醉提手引
牽惟空衣無尸云謙居金陵攝山寺碑云北望荒村
屈謙卜築之宅是也

宋術士王生金陵人瞽而善聽聲丁晉公謂守金陵王
生潛聽其馬蹄聲曰參政月中必名拜相果如其言
後真宗晏駕謂充山陵使王生來京師俾聽馬蹄聲
曰有西行之兆諸子責曰爾知相公充山陵使有是
說耳生出語人曰蹄西去而無回聲恐有他命後果

龍相分司西京繼貶崖州

劉盧白金陵人善相陳執中為撫州通判使者將劾之盧白曰無患公當作宰相使者果被召半道而去王益知韶州日幾大拜還金陵召盧白問狀盧白曰當得一都官止耳益大不懌以他事領繫之已而益果終都官郎中

元蔡儒德與人僑居建康工相術莫知所師受與人言率肆意指陳亡所諱避人信而畏之至元間世祖問朕壽幾何對曰壽及八旬時春宮未建嘗見便殿俾定儲君於諸皇孫中對曰某位他日必為太平天子

卽成宗也久之大臣有爲姦利者請問休咎槐拒不往見他日見於朝辭色甚怒槐爲言曰相公能憂國愛民自可享耆願之福然亦懼其讒間授集賢學士辭不拜乞歸田里從之復其家稅役隱居鍾山臺[illegible]以下恒歲時存問數年時相果敗元貞初復名不[illegible]以疾終

陳梅湖善星極數受知於元世祖凡遇推卜多以[illegible]諷諫朝臣咸敬之官至江西宣慰副使或問何[illegible]諸子計曰吾數非其所當傳且命貧賤令其[illegible]爭足矣又有史春谷者善推人休咎大德間[illegible]

塗旅館遺書曰溧陽史春谷數當盡於此三日後遭
孔君仁人也願求棺殮歸果有孔文昇至感其言爲
之棺殮以歸

明貝琳字宗器其先浙之定海人洪武初以戎籍居金
陵幼業儒慕天官學學於何司曆盡得其秘被薦入
欽天監正統景泰間從征占候有功成化戊子因災
異上言君能修德格天則災變爲祥若高宗雊鼎宣
王旱魃遇災知懼皆致中興因條陳弭變圖治六事
言多可采居家孝友有嘉瓜並蒂之異

王奇其先台州人爲諸生通天文卜筮星數之學後以

事祓禠乃以術游四方成化中來金陵三原王公在兵部方爲權貴所尼屬奇筮之奇曰公歸矣越三載其起當銓衡乎已而果然吏部欽䘏二御史問其命奇曰命豈宜問哉公進退人材固有不在命者不對而出刑部逸重囚主者屬奇筮之遇恒之大過奇曰五爲囚囿賊入矣其焉逃之討其獲日與時皆不爽陳指揮妻死將斂其女病問命於奇奇曰女固亡恙母亦未死後當生二子即欲斂其必越午午時妻復生後果生二子王郎中應奎問命奇曰是火氣太盛若官之南所至必有火災後守台州既上三月郡中

災十室九燼王以疾去其他奇中多類此

周相嘉靖中天文生歷官欽天監正加順天府丞相

曉曆算占候之術嘗與唐荆川先生反復辯難其所

著曆法皆得精竅相嘗言候占星宿不但知其分野

度數而已其光色星星不同要須隔紙窗穿隙觀之

一見其光便知爲某星百不失一方可言占候耳此

昔人論星所未發孫元舉萬曆乙未進士爲知縣有

才名

李槐善風鑑居金陵朱蘭嵎太史爲諸生時槐決其必

中及會試入京遇槐復相之曰精采殊常鼻端已正

決中元無疑脚指甲如有楞功名有萬里之行榜發果驗後冊封高麗如其言一日謂太史曰尊人數已盡恐不能越冬至當備後事杜村公果以冬至前卒太史丁艱家居槐之子忽齎槐柩至太史贈以金及酒米等物其子出父書則具載書中葢已前知之矣

洪鶴鹿句容人早歲不識一丁壯遇異人遂精相術且通義理有陳某求其相判云宴罷瓊林志氣豪洛陽新柳映宮袍文章事業俱堪美不使霜飛上鬢毛其人竟發而不壽又相與化一人戒其元正勿出戶恐有大災其人從之至初五日暮爲妻所逼出拜婦翁

行至橋上值有弄獅戲者爲觀者所排殞於橋下生平語多奇驗如此隨李文定公門下三十年嗣後數月之前自言死日果卒

章星文字人龍溧水廩生通星緯奇門之術每試輒中奇不勝書富膂力能直行壁上數步嘗游兩浙賊登其舟星文徒手奪械擊賊於頂旋轉數周擲岸上羣賊驚潰年七十八忽一日別親友曰某日吾逝矣果如期卒

宋僧沙應六合人姓李氏受業於釋迦院誦經典欲造佛殿化緣揚州市有道人以相法授之遂精其術遊

京師以東明二字贈蔡京京始謂其字無益後貶潭州卒於東明寺始驗嘗遊湖湘間都督張魏公遇於大梁師一見奇之謂公必爲國家建功立業後公爲作塔銘云行純而勤心亦以誠修有爲果證無漏身嶽之麓湘之濆是爲師銘我揭以銘百世莫遷考我以文

論曰有謂方技之士多假託以神其說如醫稱黃帝卜筮稱大易者是不盡然聖人立法凡以利斯民而已上世飲醇含樸詐僞不作是以民無夭札而物無疵癘後世情欲日滋疾病多有其不得不有疾[illegible]

斯民目作之咎而欲舉斯民之疾病而生全之者聖人如傷之心庖羲氏仰觀俯察設卦以盡情僞凡具一病輒立一方是千古大藥王不待雷公之辨難草木之箋註而始稱醫也善乎周文銓之言曰醫者聖人之學也知物者巧知證者工知生者聖知化者神醫不臻此不足以名業而近世俞塞之言亦曰不知易理不能學醫顧世醫不足以論此耳至於卜筮不足盡易而不可謂非易之一端也至誠無息前知如神而假物以前民用使之知所趨避聖人之不得已也顧專心致志者皆能繇奇術以決疑弘大雅而定

志使人兢兢焉歸於本廉正直之中而不敢爲僥倖苟且之事所益斯民亦自不小若夫借禍福以惑愚民託妖異以亂羣聽則聖世所必誅也

江寧府志卷之二十六終

江寧府志卷之二十七

人物傳八 釋道

夫道一耳豈有同異自失家珍以讓二氏反覆譁之甘墮俗諦弘會通觀是眞實義作釋道傳

吳康僧會本西域康居國大丞相子棄俗歸緇赤烏四年至建康時中國未有像教會誅茅設像人怪之詔至問狀會曰如來化已千年然靈骨舍利神應無方昔阿育王奉之爲八萬四千塔此其遺化也權以爲謬乃曰舍利得乎當爲若浮圖即不得吾不貫若會請假七日不得再請七日又不得權趣烹之會默念

曰佛名真慈夫豈違我哉更請展期又七日聞空中鏗然有聲起視甁五色顯發進於朝權與羣臣聚觀得未曾有會又言舍利威神一切世間物無能壞者權使力士搥之砧碎而光明自若乃即秦淮西南建建初寺居之江左之有僧刹自會始也

晉吉友梵名帛尸黎密西域師子國王子以國讓弟爲沙門晉元帝永昌中至東土止於大市王丞相導一見奇之曰我輩人也嘗對導解帶盤礴卞望之適至吉友正容肅然或問其故曰王公風道期人卞公執道格物故當如此應之周顗爲僕射見之嘆曰爲朝

廷選賢得如君眞無愧耳吉友常行頭陀行卒
岡詔於塚邊立寺因號高座高座道人不作漢語或
問此意簡文曰以省應對之煩
支遁本姓關氏陳留人幼有神理聰明秀徹晉哀帝時
召遁講法禁中一時名流咸所推許在建業將涉三
載乃註般若四禪諸經嘗與人論逍遥篇曰桀跖以
殘害爲性若適性爲得者彼亦逍遥矣因爲之註羣
儒舊學咸所嘆伏廢帝太和二年遁抗表辭闕還山
竺法汰名釋也入都止瓦官寺晉簡文帝深器重之講
放光般若經開延大會帝親臨幸王侯公卿莫不畢

集汰形解過人流名四遠開講之日黑白觀聽士庶
成羣及諮稟門徒以次駢集三吳負表至以千數瓦
官寺本是河內山玩墓王公爲陶處晉興寧中沙門
慧力啓乞爲寺止有堂塔而已及汰居之更拓房宇
修立衆業領軍王洽東亭王珣及太傅謝安竝欽注
云

南北朝杯度者不知姓名常乘木杯渡水因而爲號在
建康時唯荷一蘆圌子更無餘物或擲於地數十人
舉之不能得嘗欲之瓜步累足杯中食頃達北岸幽
溝有朱文殊者奉佛法渡多來其家其他神異不

備述元嘉三年死墊覆舟山後人復見渡如平常
求那跋摩中印度人宋元嘉中東遊渡江居金陵祇洹
寺文帝嘗問之曰朕常願持齋不殺生命對曰道在
心不在事法由已不由人且帝王所修與凡庶不同
四海爲家萬民爲子出一嘉言則士庶咸悅布一善
政則神人以和刑不夭命役不勞力則風雨時若百
穀滋繁以此持齋齋亦大矣以此不殺利亦多矣安
在輟半日之餐全一禽之命然後爲弘濟邪帝撫几
稱善
寶誌禪師初金陵東陽民朱氏之婦上巳日聞兒啼鷹

巢中舉以爲子七歲依鍾山僧儉出家專修禪觀宋太始二年髮而徒跣著錦袍卓錫杖杖頭挂剪尺拂子及鏡或一兩匹帛與人言始難曉後皆騐時或賦詩言如讖記江東士庶皆共事之齊武帝謂其惑衆收禁建康獄詰旦遊行如故而獄中仍一誌乃迎入宮敬事之忽一日著三重布帽人皆怪之俄而武帝殂文惠太子及豫章王相繼薨逝梁武帝尤敬禮嘗對武帝食鱠武帝曰朕不知味二十餘年矣誌即吐水中皆成活魚太子綱初生遣使問誌誌合掌曰皇子誕育幸甚然寃家亦生葢與侯景同年月日生也

嘗詔張僧繇寫誌像僧繇下筆輒不自定誌以指剺面門分披出十二面觀音妙相殊麗或慈或威僧繇竟不能寫誌垂語曰終日拈香擇火不知身是道場天監十三年入滅葬鍾山之獨龍岡明洪武中建孝陵遷塔於靈谷寺或云鷄鳴寺塔下像乃師遺蜕也

建康法雲寺雲光法師凡講經天雨花如雪片

大士傅弘東陽郡烏傷人體權應道躡嗣維摩時或分身濟度爲任或金色表胸異香流掌或見身長丈餘臂過於膝脚長二尺指長六寸兩目重瞳色貌端峙梁武聞之延於鍾山定林寺天花甘露恒流於地常

以經目繁多人不能遍閱乃建大層龕一柱八面實以諸經運行不碍謂之輪藏

初祖達摩尊者南天竺國香至王第三子以梁普通七年至南海廣州刺史蕭昂表聞武帝遣使齎詔迎請至金陵帝問曰朕即位以來造寺寫經度僧不可勝紀有何功德答曰並無功德帝問何故答曰此但人天小果有漏之因如影隨形雖有非實帝問如何是眞功德答曰淨智妙圓體自空寂如是功德不以世求帝乃問聖諦第一義答曰廓然無聖帝曰對朕誰答曰不識帝不領悟祖知機不契是月十九

蘆渡江届嵩山少林寺面壁九年後授法於弟子慧可遂端逝後魏使宋雲自西域回遇祖於葱嶺手携隻履翩翩獨逝雲問何往曰西天去雲歸具奏啓龕唯隻履存焉

天台智者名智顗華容陳氏子謁慧思禪師爲說四安樂行乃悟法華三昧見靈山一會儼然未散陳宣帝大建七年抵建康瓦官寺僕射徐陵等並師事之詔居光宅寺後憩廬山隋晉王廣請設僧會於金城授菩薩戒還寂於荆州石城是爲台宗

唐法融禪師延陵韋氏子年十九學通經史尋閱大部

般若省悟入牛頭山幽棲寺石室修道虎鹿馴伏百鳥獻花貞觀中四祖信禪師遥觀氣象知此山有奇人廼躬自尋訪見融端坐問之曰在此何爲融曰觀心祖曰觀是何人心是何物融乃起作禮請益祖曰百千法門同歸方寸河沙妙德盡在心源一切戒定慧門神通變化悉自具足不離汝心一切煩惱業障本自空寂一切因果皆如夢幻汝但任心自在莫作觀行亦莫澄心不作諸善不作諸惡行住坐卧觸目遣懷總是佛之妙用融言下大悟得入頓宗自此[illegible]席大盛唐永徽中邑宰蕭元善請於建初寺講大[illegible]

若經聽者雲集坐逝塔於雞籠山爲牛頭第一世　祖

智巖曲阿華氏子初爲隋郎將累有戰功已乞出家入舒州皖公山從寶月禪師爲弟子嘗在谷中入定山水暴漲師怡然坐不動其水自退後謁融大師發明大事爲牛頭第二世

智威江寧陳氏子謁法持禪師傳授正法爲牛頭第五世

慧忠得法於威師爲牛頭宗第六世平生一衲不易器用唯一鐺嘗有供僧穀二廩盜窺之虎爲守縣令張遜入山謁問有何徒曰三五人遜曰可見乎忠擊牀

者三三虎哮而出移居莊嚴寺將啓法堂有古樹羣鵲巢其上忠謂鵲曰肯堂於斯汝其速去言已鵲徙巢學衆雲從得法者三十有四人各住一方轉化多衆

守亮居瓦官寺爲人儻蕩善周易李衛公鎮江南下令求論易者亮至升座講解詞吉朗暢大入元門公所心疑而欲難者亮輒先意攤決公撫几稱嘆命以寺爲居置講座於府將校以下皆入聽講未終忽謂衆曰大期至矣爲具浴浴已端坐而逝

明覺寅號旭一天長人幼至陵出家於毛公渡之觀音菴戒律精嚴尤深於字授徒數十年成就緇素多人性孤潔篤於孝義然

不苟有儒者之風與一二素心高
士樂數晨夕晚居蔣山示疾而終

清凉文益禪師餘杭魯氏子得法於羅漢琛禪師南唐主重其道迎住報恩禪院一日與李主同觀牡丹主請作偈益賦有何須待零落然後始知空之句主悟其意益緣被金陵叢林尊奉隨根悟入不可勝紀周顯德五年閏七月五日跏趺而逝塔於江寧縣丹陽謚大法眼

智筠河中府王氏子盛化棲賢南唐後主創淨德院延請居之賜號達觀禪師闡法既久乃曰吾不能拔身巖谷滅迹市廛而出入禁庭以重煩世主吾之過也

遂辭歸故山

木平和尚不知何許人南唐保大初徵至闕下掛木瓶杖頭能引瓶自蔽其形常出入禁中他日從登百尺樓後主問制度佳否對曰尤宜望火初不諭其意後數載淮甸大擾烽火相接後主常登望以占動靜後主素愛慶王問壽命幾何曰壽當七十是歲病終年十七葢反語也爲建寺宮側居之名木瓶後訛爲木平云

蔣山法泉隨州時氏子幼年出家過目成誦號泉萬卷得心印於雲居舜禪師僧問南禪結夏爲何却在

山解泉曰衆流逢海盡曰如此則事同一家泉曰發裡到家鄉晚奉詔住智海禪寺問衆曰赴智海留蔣山去就孰是衆無對泉乃索筆書曰非佛非心徒擬議得皮得髓漫商量臨行珍重諸禪侶門外千山正夕陽書畢坐逝

宋佛果勤禪師五祖演之嗣初住碧岩道林樞密鄧子常奏賜紫服師號詔住金陵蔣山法席之盛學者至無地以容勅補天寧萬壽上召見褒寵甚渥建炎初賜號圜悟禪師得法弟子大慧杲虎丘隆等皆宗匠杰出冠絕一時

淸遠臨邛李氏子嚴正寡言幼讀法華經至是法非思惟分別之所能到嘆曰義學名相非所以了生死大事遂卷衣南遊投機五祖唱道龍門宣和初辭歸蔣山之東堂二年冬至前一日飯訖趺坐謂衆曰諸方老宿臨終必留偈辭世世可辭耶且將安往乃合掌怡然趨寂　金陵俞道婆參瑯琊起和尚婆賣油糍爲業一日聞貧子唱蓮花落云不因柳毅傳書信何緣得到洞庭湖忽然契悟拋油糍於市其夫云你顛也婆打一掌云非公境界乃往見瑯琊起可之後凡見僧便云兒兒纔擬議便掩却門時佛珣往勘之婆見便云兒兒珣云娘娘爺在甚處婆身拜露柱珣蹋倒云將謂有多少奇特便出婆云兒兒來我惜你則個珣竟不顧婆嘗頌馬祖不因緣云日面月面虛空閃電雖然截斷天下衲子舌頭分明只道得一半

明天界雪軒道成禪師雲州人年十五出家興國寺有大志結侶青州土窟中究单傳之旨弘洞宗於靈岩洪武中天下郡縣開立僧司統領釋教師應選命住天界師奏不會佛法上製詩譏嘲懇諸法堂曰不答來辭許默然西歸隻履傳单傳鼓鐘刻望空王殿示座從前數歲年勅就寺建普度大齋三晝夜上幸丈室顧問賜鈔文皇嗣位永使日本設奉旨就鍾山建普度大齋命師說法聽者數萬人赴北京朝賀留住慶壽宜廟時遣中使護還天界西菴十七年臘八辭衆說偈趺坐而逝塔安德門外勅賜塔所爲鷲峯禪

寺

天界覺原慧曇禪師天台楊氏子母夢吞明珠而孕依越之法果寺出家受具戒華嚴止觀無不貫練謁笑隱於中天竺有省初住祖堂清涼繼遷保寧蔣山詔住天界特授演梵善世大禪師洪武三年奉使西域至僧伽羅國其王事西於佛山精舍明年示寂祔葬辟支佛塔勅賜遺衣於雨花臺左

天界季潭宗泐禪師台臨海周氏子始生坐即跏趺人異之八歲從笑隱佛經過目成誦元末隱徑山洪武元年詔致天下僧有學行者師應詔首至

天界凡對皆稱旨高后崩臨葬風雨雷電帝甚不樂師至宣偈曰雨落天垂淚雷鳴地舉哀西天諸佛子同送馬如來上大悅賜金無何以老還示疾喚侍者曰者箇齋侍者茫然師曰苦遂寂塔於天界許公之後

天界平中懷信禪師奉化姜氏子參竺西知是法器後住龍翔會明兵下金陵寺僧散去信獨趺坐執兵者滿前投杖而拜高帝嘗幸其寺信說法要喜其純慈特敕龍翔爲天界一日書偈曰平生爲人戾契七十八年漏洩今朝撒手便行截斷晴空片雪示寂前一

日帝方留師江陰夢師入謁曰將西歸來告別耳駕
還金陵聞計與夢符詔出內帑以助葬事
碧峰乾州禾壽人少棄家入禪林時如海真公樹法蜀
晉雲山亟往見之聞法要遂出遊憩峨嵋山中不復
粒食日採栢啖之脅不沾席者三年自是入定或累
日不起嘗趺坐大樹下溪水橫溢人疑其死七日水
涸競往視之趺坐如故衆以爲神高帝詔至京師止
於天界寺時召入問佛法及鬼神情狀奏稱旨後召
齎衣鉢作佛事七日　不豫疾上親御翰墨賜詩問
亡何沐浴更衣危坐而逝

僧智瑛上元人正統初住雲溪寺因號雲溪初行頭陀行爲諸僧負薪米力作已而有所悟生平不識文字後乃能詩廬山有天眼寺得佛宗旨者惟瑛一人晚年忽語其徒曰某月日吾將逝逝必有風雷之驚屆期預報諸菴主使來集時天朗霽無纖雲至午有片雲起西北瑛乃沐浴具盛儀禮諸佛與諸菴主别已而疾風震電掣茆嗹瓦旋風自下轉入空際視瑛已遷化矣

永慈字海州蜀余氏子少時見僧輙喜投獨照月禪師剃染遍叅諸方首謁太初和尚開示父母未生前有

得還靈谷依雪峰和尚結制後至牛首領衆三載正統中守備太監袁誠欽其道德請住東山翼善寺先是慈叅東明和尚勘驗水乳明欲付以衣鉢慈不受至是明將示寂命其弟子曰吾有衣法二物待十年後送至金陵東山海州和尚受納屆期弟子持衣至山慈陞座祝香而受慈付嗣法門人智瑄字寶峰皆塔於東山禪院之後

定林白下人自幼不茹葷血不娶原名周安爲周生執巾屨之役周生從諸大儒講說安時時竊聽拱身鵠立不欹不倦以是知學周生病故乃事楊道南先

道南名儒終歲讀書破寺中安日受薰習益有得道南死安乃請於焦弱矦太史求出家太史遂約李卓吾管東溟諸公同送於雪松禪師披剃爲弟子改名定林創菴居之菴成即舍去之牛首創華嚴閣太史爲之記閣甫成又舍去之楚訪卓吾於天中山一夕坐化而逝塔於山中

遠夢和尚溧陽人住金陵俗名袁應魁棄妻子兄弟田產出遊至鴈蕩靈巖谷落髮爲僧更名圓魁魁然不甚禮誦講解常掩室靜坐冬夏衣一衲萬曆丙戌祭酒戴洵遊靈巖谷因乞造靈巖寺寺成月有寺無經佛法何明又乞祭酒公書走南京化緣造經壬辰正月坐化去七日鬚髮漸生都人瞻禮者甚衆火之煙皆西向

古心律師溧水人幼從素菴於金陵棲霞寺得法悟後

往五臺山有金甲神夜報僧衆謂有法師至早迎之山下至中途果得師禮供上座萬曆間陳太后勅製衣鉢各萬二千五百數勅師説戒於五臺畢仍歸棲霞開戒僧衆求從不可勝紀時三懷法師修報恩寺塔頂不能上夢神云待波離尊者至次蚤師至三拜而舉頂上後圓寂於古林菴塔安德門外天龍寺

守心關陜人中年捨俗出家身傾而清癯住弘濟寺之法堂戒行精嚴緇素傾心道名甚著流聞掖廷兩宮皆有經幡之賜有所庋佛像曾爲鼠齧守心見而曰畜生何物不足噉而殘我像耶既夕而鼠之伏

像前者數葦法堂後山壁峭削中開一洞深數尺許因搆小屋日夜趺坐其中一日命移坐具出衆莫諭其故至夜三鼓石壁忽隕其半小屋糜碎矣後示寂就法堂右茶毘之時西風方壯青烟一縷逆風而西塔於寺之傍

憨山大師名德清字澄印全椒蔡氏子年十二辭親入報恩寺與雪浪恩公同事無極法師内江趙文肅公摩其頂曰他日人天師也淸以江南習氣柔脆宜入春氷夏雪苦寒之地痛自磨勵遂北叅徧融笑岩二老偕妙峯登公樓北臺之龍門老屋數間在萬山氷

雪中日尋溪橋危坐其上忽然忘身衆籟聞寂身心湛然如大圓鏡慈聖太后建祈儲道場於五臺清與妙峯實主其事光廟誕生師棲東海之牢山慈聖布金造寺賜額海印爲黃冠所構以私造寺院遣戍雷陽時礦使所至如毒蛇聚清以佛法攝受皆心折作禮而去兩粵受其庇居五年住錫曹溪宗風大暢忽示微疾沐浴焚香集衆告別危坐而逝

雪浪大師名洪恩金陵黃氏子年十二出家長干寺剪髮於元奘塔前事無極法師恩高顴廣額肌理如玉具天人相般若內熏凡習頓現讀內外典利如奪

以無師智得大辨才聰大師北遊遂以弘法爲已[illegible]日據高座講說諸經盡標訓詁单提本文拈示言外之旨恒教學人以理觀爲入法之門說法三年弟子繼席者以百計秉法轉教者以千計南北法席之盛近代未有也旁及外典丹黃不輟晚居吳之望亭日則隨衆作務夜則篝燈說法以勞苦示微疾沐浴端坐說偈而逝歸葬金陵之雪浪山錢宗伯謙益爲之塔銘

博山無異禪師名大艤龍舒沙氏子出家後參無明老人於寶方舉佛印蟻子話勘之不契久之聞護法神

倒地不覺心開又一日覩人登樹始徹根源寶方試以元則龍吟霧起公案犧頌曰飲光不遂時流意依舊春風逐馬蹄方印可之住博山之能仁寺宗風震天下崇禎巳巳余中丞大成暨徐魏國弘基迎請於天界寺高提祖印廣度羣品法席稱盛

天界覺浪禪師名道盛別號杖人閩浦城張氏子因祖父坐亡輒疑此個靈明從何處去後聞猫墮地作聲有省遂披剃隱邑之夢筆山閱百丈再參馬祖機緣始大悟東苑鏡禪師肯之嗣曹洞宗单提向上今三教百家之言多發前人所未發金陵士大夫請

天界已亥九月中示寂塔於棲霞之中峯嗣法門人
笠庵成住棲霞石潮寧住天界
雲居嵩懸大師名觀衡霸州趙氏子母夢大士攜童子
入門而誕焉依五臺空印大師學出世法又遍參雪
浪雲棲諸大老夜於乾罡嶺上經行省悟憨大師深
相器重邀主曹溪未赴住郡陵五臺菴遍禮名山重
整雲居祖庭嘗自稱雲居栖栖癸未放舟金陵說戒
清涼寺緇素慕之卓錫城北淨室曰紫竹林丙戌五
月坐逝衡道風甚著雖領衆說法循躬執勞役不倦
山居但坐一傘下人或稱傘居和尚塔雲居山之陽

月潭講師名廣德字國一廣陵桂氏子生而趺坐不近葷血誦經史日千餘言一日聞佛諭王城學道事有感遂往雲棲出家受具足戒參請無虛日諸佛法藏明若指掌年廿六辭雲棲徧印海內耆宿萬曆丁酉至京師講華嚴宗旨道價高重旋錫秣陵諸剎輟講延請設化德教觀雙融臻微入妙義學知解渙然氷釋崇禎巳卯雲棲諸法屬請還山拈示揚舉多所開悟還返白下示寂於鳳山龍河之間德修眉秀目品儀魁岸於佛法不輕許人嘗曰癡禪狂慧爲法門蟊若解學不深品行不高何足以寄斯道故開悟後[illegible]

一時爲盛其徒貝巖勗八皆講壇赤幟貝巖名性實閉關靈谷深究佛理土水草法席耕茅於攝山天開岩名曰宜谷塔於後山勗八名佛閑博通教典居螺髻菴十載足不踰戶受普德請據講席八載示寂塔於山右

靈峯法師智旭號藕益俗姓鍾父母持白衣大悲咒十年夢大士送子而生幼讀儒書長而出家體究大事細行無忒皎如冰霜究心台部歷開講筵始入靈峯作請藏因緣草衣木食若將終身來金陵住祖堂述唯識心要相宗八要直解彌陀要解移長干三藏殿

演楞嚴文句生平不事干謁名公大人執經問難者必直決可否不徇俗情嘗有言曰漢宋註疏盛而聖賢心法晦辟如方木入圓竅也隨機鍛磨出而律學衰辟如水添乳也指月錄盛行而禪道壞辟如鑿混沌竅也四教儀流傳而台宗昧辟如執死方醫變症也乙未正月趺坐向西稱佛而逝塔於靈峯之衆香塢

棲霞笠一菴禪師名大成楚人幼豪邁喜飲好爲詩忽於夢中有儆投南嶽無礙和尚出家閱高峯狗舐熱[illegible]鐺話到處諮詢無能答者發心參方其師送至[illegible]

僮雪關大師至小祇園成以前話問之雪師云你獨子即今在甚麽處成答不契打出隨上博山執事不容討單成念少喪父母離出家又未蒙師友之教失聲大哭雪師憐而許之成於佛前誓欲發明巳事蒲團默坐猛提話頭忽聞開靜魚聲通身汗下又久之豁然爆地始知落處雪師歎視良久曰汝捉得賊也癸未再參淚杖人益臻微奥開法南岳壽昌匡廬以掃塔至金陵紳士留住棲霞門風峻絕無敢當鋒者洞宗為之再振

漢茅盈咸陽人得道隱句曲人稱茅君山盈弟衷為五

官大夫西河太守固爲執金吾各棄官渡江求兄於東山後咸得仙道太上命固治丹陽句曲山衷治艮常山盈爲司命眞君東嶽上卿内法既融外教坦平爾乃風雨以時疾癘不起父老歌曰茅山連金陵江湖據下流三神乘白鵠各在一山頭佳雨灌畦稻陸田亦復周妻子保堂室使我無百憂白鶴翔青天何時復來遊

晉許邁句容人也少恬靜不慕仕進未弱冠造郭璞璞爲之筮遇泰之上六璞曰君元吉自天宜學升遐之道南海太守鮑靚隱跡潛遁人莫之知邁乃往候之

其至要時父母存未忍去於是立精舍於餘杭縣留
山而往來茅嶺之洞室放絕世務以尋仙朔望時節
還家定省而已父母既終乃遺婦還家徧游名山初
採藥於桐廬縣之桓山餌术涉三年以山近人不得
專一四面藩之好道之徒欲相見者登樓與語以此
爲樂常服氣一氣千餘息永和二年移入臨安西山
登巖茹芝眇爾自得乃改名元字遠游與婦書告別
又著詩十二首論神仙之事與王羲之爲世外交遺
羲之書云自山陰南至臨安多有金堂玉室仙人芝
草左元放之徒漢末諸得道者皆在焉羲之自爲之

傳多述靈異之跡自後莫測所終

李盤白溧陽人西晉初築室高遂山之西陲煉丹丹成以九井藏之得玉苗芝一本類白蓮花養一虎飼以藥苗清水不血食謂之仁虎峰頂作一亭名會仙白鬟皤然而紺髮盤頂因以盤白爲號或曰名盤栢云

桓闓者不知何許人事陶弘景爲執役之士積十餘年不懈一旦有白鶴集弘景中庭將弘景自謂已上昇之期臨軒撫接忽有青衣童子曰太上命求桓君耳闓遂乘鶴冲舉後三日密降弘景之室曰君之陰功著矣所修本草以虻蟲水蛭爲藥功雖及人而害物

物命以此一紀之後當解形去世言訖遁去

唐王遠知瑯琊人也父曇選嘗為揚州刺史遠知母夢靈鳳集身因而有娠遠知少聰慧博綜羣書後事陶弘景受其道法隋煬帝鎮揚州時起玉清元壇命遠知主之遠知心不欲髯髮斯須變白乃遣之少選又復故高祖龍潛常密陳符命武德中秦王與房元齡等微服謁遠知遠知曰此中有聖人因謂秦王曰方作太平天子願自愛也即位後欲加重爵固辭居茅山太平觀卒年百二十六歲

南唐女冠耿先生烏爪玉貌宛然神仙保大中遊金陵

以修鍊爲事元宗召見悅之常止於卧内先是大食國進龍腦油二器其味辛烈服之蠲疾元宗秘惜先生見之曰此非佳者當爲陛下致之乃以絹囊懸龍腦於屋棟須臾灑如注香味逾所進者嘗掬雪爲鋌爇之成金指痕隱然其上又因宮人掃除取箕中糞壤煉爲白銀元宗嘗購眞珠數升欲得圓者先生曰易致也就取小麥微滌以銀釜灼之匀圓皆成珠胎元宗殂先生不復入宮往來江淮不知所之

許堅南唐人性嗜魚炙火上不去鱗腸盤白山觀前有放生池堅吐所食魚入水卽躍去每和衣入溪澗中

人問其故曰天象森列吾裸裎可乎嘗過宜興中欵觀題詩於壁時謂逆旅道人一日呼道士共浴滆湖堅忽凌波如履平地乃漸遠手招道士笑而去譚紫霄泉州人先有道士陳守元者斸地得木札數十貯銅盎中皆漢張道陵符篆朱墨若新紫霄盡能通之遂自言得道陵天心正法劾鬼神治疾病多劾廬山僧闢路有大石當道堅不可去紫霄索杯水噀之令工施鑱應手如粉南唐後主召至建康賜官不受所獲醮祭之施轉給賓旅宋開寶初年百餘歲無疾而卒人謂尸解

郡圃老卒不知姓名宋張稚圭爲江東漕攝金陵府事嚴酷鮮恕喜與方士游一日行郡圃見老卒項繫念珠稚圭曰汝誦經乎卒曰日數息爾稚圭異之呼至室內問其所得論養生吐納內丹皆造精微又曰運使平生殊錯用心酷虐用刑非所以爲子孫福延方士皆非有道之士此曹特覬公惠耳稚圭曰能傳我乎卒曰正欲授公然須今夜半潛至其室當以傳公初亦難之不得已許焉既歸與內人議之咸曰不可公以嚴毅人素苦之夜中獨出事有不測奈何太夫人微聞之潛鎖其寢室竟不得出黎明視事衙梜

圓卒是夜四更趺坐而化

黎道人溧陽人少落魄去家足跡遍秦魏政和間遊陝夜爲虎窟鼠伏古廟頃燈燭光中有三道士飲數童侍黎驚趨詢其自以銀盌酌飲之自是不饑飲水而已建炎多難黎歸溧結茅菴於市側遇兵癘必先知之輒別去人無視其去留以爲安否嘗有火災黎往救時四門各一黎人愈崇敬一日奄然而逝後有人遇於建康猶寄訊邑中好事者啓棺視之止存草履焉

金真人溧陽人幼愚戇不事檢束父母遣之執洒掃於

泰清觀夜夢三茅真君授以靈符密呪既覺忘之復夢如初凡三夕乃能記憶宋理宗時錢塘江潮爲患真人曰我能治之因抵江濱以丹書符投江中三叱之潮漸平丞相史彌遠引見帝賜以官服粟帛皆不受問所欲曰願免三茅峯稅糧耳許之賜真人號遣還嘗大雪中澡浴市河不解衣或伏水上如龜狀或逾半月不語或三四日不食凡旱潦禱之輒應一夕不知所之其徒晨視則僵卧於三清殿几上云

明周顛仙建昌人患顛疾嘗浪遊南昌撫州歲將三十俄有異詞每謁新官必曰告太平明太祖平南昌

建業顛亦隨至日告太平日語如是太祖厭之一日
命覆以巨釜圍以束薪火盡啟視儼然如故如是者
三俱無恙乃放歸廬山後太祖病熱甚有異僧齎藥
獻闕下詢之乃顛仙所使也服之即愈詳見御製周
顛仙傳
張鐵冠者名中字景和臨川人少應進士舉不第遇異
人授以皇極數談禍福多驗元末兵亂歸隱幕府山
間至城市輿人言避兵之方從之者多獲全壬寅陳
友諒圍南昌高帝帥師下之參政鄧愈薦中旣召至
上問之曰予定南昌兵不血刃市不易肆生民自此

蘇息否中對曰天下自此大定但此地旦夕當流血廬舍焚燬必盡鐵柱觀亦僅存一殿耳後指揮康泰反一如中言癸卯夏中言省署當有震驚城中擾擾俄而忠勤樓火樓近省署內外咸恐及友諒復圍南昌上忽得異夢命占之曰當於咽喉中用力遇夜燒燈花稽蕾可愛鐵冠適在旁遽剪之左右嘖曰嘉兆可惜鐵冠曰宜亟援江西後三日報果至上遂親將兵往復問中中曰是行勿遲五十日當大勝戊亥之月獲其首領常遇春等與友諒戰挐舟深入敵圍之數重衆謂不可出中曰勿憂當自出既而果出其他

有中往往類此中爲人狷介寡言笑不事華飾常戴
鐵冠人號張鐵冠云

冷謙字啓敬諳音律能畫嘗爲仙奕圖人共傳之明初以黃冠入見高帝授之協律郎因事忤旨將誅之召至便殿索小罌先納一足已而漸没其中呼謙輒應及視之乃空罌耳因令碎之左右執碎罌以呼片片皆應自是不復見後有人遇之武當者

張三丰不知何許人丰姿魁偉美髯如戟入武當山修行寒暑惟衣一衲或處窮寂或遊市井浩浩自如有問之者終日不荅一語或與論三教經書則吐辭滚

滚皆本道德忠孝每事輒先知之所啖斗升俱盡或辟穀數月自若也登山如飛隆冬卧雪中齁鼾如常太祖聞其名遣使求之不得永樂初累致書敦請乃入見嘗奏對忤旨欲殺之忽不見上遂病有使者遇之途附進襲衣草數莖煎湯服之立愈由此遂絶李景隆事之甚敬臨去贈以簑笠云他日有難可服此後其家遭幽閉年久絶食乃思其言服之行遍處地即生穀一夕便熟賴此以濟及宥出後服之而行地不復生穀矣

劉淵然贛州人幼爲道士遇趙原陽授以淨明忠孝[illegible]

學洪武中召至闕下試以道術靈應赫然建西山道院於朝天宮以居之嘗出入禁中與論道要命乘傳遊名山永樂初召還禮遇甚至以忤權貴爲所中謫置雲南洪熙改元徵還賜號長春眞人屢賜手札以尊師稱之後書御號元谷子宣德中寵眷益隆没於冶城趺坐而化眞人志行高潔旁通醫術又爲金丹起人之疾尤有奇驗

焦姑名奉眞家中和橋南有仙術能祈陰晴永樂時召入宫中數年建元眞觀於中和橋北以居之有弟爲神樂觀道士一日語之曰吾不食數日死期已近弟

曰當修醮與姊禳之醮畢來復姑謂醮無益奏玉帝表文上有汗涴玉帝未曾見也道士驚異果以汗污未及易也又戒弟曰吾死後不用龕與棺只以蘆蓆捲之送江浦縣定山上吾願足矣道士如其言送於定山忽雷雨驟作遂失其尸所在封妙惠仙姑

王問者父爲衛千户受命籍沈萬三家得仙人王古峰丹經十卷爐火一方於萬三處寶藏之問有惡疾募能醫者道士沈野雲住雨花臺傍清源觀中素師古峰受鍊氣之術過而憐之語之曰吾觀子形神清[illegible]似可入道者病不足憂也吾爲子起之雖然必[illegible]

爲弟子乃可冉許諾乃爲治療不踰月而愈於是冉拜野雲爲師出其書以奉野雲見而喜曰吾自失其師養胎未脫豈意今日復見元機野雲遂擇其粗以授冉而自用其精以得道冉後亦超元秘棄官遊行江湖間闖河南周王好道延徐生者共事修煉往見之王不聽其言徐生亦不深信乃别去明年徐生鄉人毛姓者商於他州與鼎相值鼎以一封物寄徐生曰急予之命猶可救比歸而徐溺死王亦薨逝乃以物付徐之子啟之中有筆二枝破其管得藥二九柬一通云藥可延年度世化汞爲金知子無緣托以予

汝友人錢子其子賣汞試之得二十金而不甚珍秘同門友錢生者求觀遂擲其一春之及世子覓藥而藥已盡訪錢生生逃去不知所之矣

潘爛頭江寧人不知其名爲朝天宮道士能行掌心雷法曾於東園上召神取紙神怒雷火燒其頭遂病創後居驍騎倉營中每出遊羣兒以錢索雷則以手染頭創書雷字兒掌中令握固行數武開手即雲氣蒸蒸起轟然雷聲人有疾病以頭創書符與之或懸於門或焚其灰而飲病輙愈後不知所終

尹鬔頭名從龍華州人囊有宋理宗時度牒弘正年間

來金陵寓邸中輒閉關卧多者逾月少亦五六日後起每出從者如市能出陽神分身赴請一貴人女病瘵甚劇羣醫束手邀尹視之曰此非藥力所能治與我同寢一夕可愈也其父不可女病愈篤母涕泣懇請父乃從尹令糊密室無留纖隙令女去衵衣而以其足抵女下體而卧戒女曰喉中有物出急語我尹鼻息如雷足熱如火天將明女報蟲從口出尹亟起覓不復見見窓有微罅曰惜哉害一人矣蓋其乳母開罅竊視而爲蟲所中也女病頓愈而乳母竟死戶曹李員外遣僕上疏請告一日尹語李曰適遇爾

僕於京師端門前已得請矣後僕還核問果然館魏國居第晝寢而寤語魏國曰適遊洞庭返魏國愕不信出袖中兩橘畀之果洞庭産也王文成卒業南雍從尹遊甚歡尹曰子大聰明人而無仙分其以勳名顯乎文成愕然洛陽張姓者自言得道議論雄肆引重縉紳間尹隨衆往謁張傲岸不爲禮顧罵曰乞兒辱吾教尹曰無然爾注悟眞多誤何謾罵爲張曰爾知悟眞耶尹因爲抽廣成壺丘延歷度紀樞奥稍論序柱下五千文曁外內典三教合一之旨衆皆傾聽張慚遁尹歸倚墻立自掌其頰者數十以爲未忘

心也因鏡尸寢伏久之有終南黃道人來値其師云

留青鞋而去後數日尹起問弟子曰有黃師來何言

弟子獻所贈尹曰是知我將遠行也無何當事懼其

詭異遣卒押歸華州過鐵雀觀騎一鶴飛去

毛海泉居大勞山有郭次甫者入山中拜謁寶山爲師

寶山引見海峰遍身綠毛目光如電自言金陵人元

末入山山中人皆傳其爲眞仙

郝風子自云高淳人嘉靖中來縣騎虎食蛇放蕩不羈

咸以風子呼之安遠柳公送居華山天心塢死葬塢

側方羽化時適柳公遣使遺一衲衣因焚於墓側而

去使回過風子於山中者所莫初使驚問曰何以復
命乃舉手以所執麈尾授之乘雲而去

闕希言不知何許人頂一髻不巾櫛豐輔重頤腰腹十圍盛暑暴日中不汗窮冬則鑿冰而浴所至人皆異之有奉之幘者則幘奉之衣則衣予金錢則亦寘袖中轉盼即付之何人手不顧也出則童子譟而從之人有以爲二百歲或云止可五六十則亦隨荅之[illegible]其所繇得及延年冲舉之術則不應萬曆初年嘗過金陵土街口毛百戶家飾畢沐浴趺坐而化顏色如生浹旬不變蓋尸解云毛百戶名俊號華峰能行[illegible]

之術先是有頭陀劉五北人嘉隆間來金陵居城之西北數日不食面無飢色赤脚履氷雪中無寒態劉誠意夫人病乳岀甚危頭陀取紙筆畫一石一水吹氣一口命縛額上越宿而乳潰嘗過俊家飯飯竟解履間繩欲自縊毛懇止之乃笑曰爾不與我死數年後定有一道士死於此遂走大倉後縊死死之日人有見其浮江者亦尸解也及聞之化人益異之

萬鎡字秉時家貧發蒙拆字以活隆慶中得末疾以帛絡臂於項左手執杖而行一日早有事過普德寺肩輿而往事畢下輿稍息見一道人自前山下呼鎡與

語鎡乃曰我不幸得偏枯乃如此道人厲聲曰偏枯者樹之榮悴相半也樹若此即屬於火不得爲木矣汝少饒今溢怒盛於肝以致生火火不生土而土焦土不生金而金銷金不生水水火反克之子孫拂意方致汝厥血氣滯於脉絡所謂密雲不雨者也因問道人何姓曰我思屯乾道人也屯於義爲難思屯者常以難自思也因與言乾坤陰陽之理甚悉言畢曰汝可往橋上一行鎡不覺遂扶杖隨出時日初升道人橋邊對日而立口喃喃誦而無聲復呼令行遂自橋至雨花臺之麓倚樹坐以手捫鎡腰復向衣内上

前日幸瘦可愈不必餌藥惟武夷茶烹以澗泉[illegible]之耳鎡問其寓曰淸元觀問思屯乾道人可也別去歸遂步履如常矣後至淸元觀訪之但有呂祖塑像耳乃知思者絲也以絲合屯爲純乾者陽也所遇眞純陽也

嘉靖中有[illegible]錦者住武定橋偶一道人叩其家索齋因飯之道人見錦面上一瘤指之曰長將害事子善人也與子藥一粒謹藏之瘤癢時以水調敷飯後索茶茶畢以空甌置井口上遂去後數年瘤忽癢甚因出所藏藥敷之頃刻消矣有爲解者曰空甌置井口上乃呂字恭遇仙也

賣藥道人不知所從來監前西倉巷有艾千戶者一子年十六七而唇上有贅瘤初如豆漸大如拳觸之痛不可忍父子相抱終日啼一日艾老往南門歸至內橋逢遇賣藥道人試以詰之道人曰吾能治此若家何許且當詣汝告之翌日道人果至診其子曰是不難第愈時當謝我二金耳艾老許諾遂出囊中藥以一青綫縿

之繫於瘤之根次日又至又次日再至語艾老曰病卽愈矣明日當具金謝我翌日瘤如故父子又相抱而啼疑其紿已也午飯時子方擁七瘤者然墜几上毫無所苦候道人竟不至矣　丙申丁酉間有一道人坐朝天宮門前丰儀甚偉聚觀者衆城北一少年亦隨衆觀之道人召之至前曰汝邪氣滿面必有妖物相嬲試以語我爲治之不治且死少年愳因告之曰數月以來有一美婦人夕夕必共寢莫知所從來苦神氣疲憊耳道人曰是不難因從衣上取布縷數條結成圈與之曰今夕來以以繫其指上勿令先覺也復授藥一丸曰以愈子病少年歸俟婦至如言繫之甫繫而結卽斜緊入骨婦則狂呼痛楚不可堪忍跳擲床上每擲則身漸縮小纔數寸許躍出戶外至簷上而没其父母升屋索之從承霤中得一木女子滿身皆苔痕也取焚之復服所與藥病遂愈少年父母德其愈子命治齋延之少年至宮前不復見一日遇之於市邀之歸道人不可袖中出一緘并藥兩丸與之曰歸示爾父母如我至也子持物展視則呂祖像一幅而丰儀儼然道人也

武蓬頭年未二十如老人性與俗忤不知時務不冠不履披髮鬅鬙因號爲武蓬頭一日走鎮江何氏習太素脉七日得訣歸診人脉决生死悉驗往往語未來事無不應者自言死期人以爲顛至時微笑曰吾與君等別矣始知仙去

論曰道家稱老子老子之言修身治國之道詞深而旨遠未易測識及讀古先生言則又汪洋澒洞其論心性殆并吾儒之所引而不發者吐露盡矣茲無論其精者即其徒草衣木食澗飲巖棲殆蟬蛻塵埃之外其視功名富貴不啻鵷鳶腐鼠耳世之儒者號曰

知道顧往往勢利膏肓塵情痼疾茲正可爲其鍼砭且欲爲空言以闢之奚益哉假令剖籓籬窺寥廓藉以反性命之情則於吾道不爲無助此可與知者道未易爲俗人言也吾悲世人不究其實猥斥之曰異端異端云爾故爲之說如此大觀者或有取焉見上元志

江寧府志卷之二十七終

江寧府志卷之二十八

古蹟

遊覽勝地憑弔古賢風流未忘鑒戒係焉長綆汲古邈焉遥集不待登臨開卷如覿作古蹟志

冶城本吳王夫差鑄劍之所一云孫吳即今朝天宮地晉元帝太興初王導寢疾方士戴洋曰君本命在申而申地有冶金火相鑠不利遂移冶城於石頭城東以其地爲西園是晉時猶爲冶處

金陵邑城周顯王三十六年楚威王所置孫吳即其地築城曰石頭城即今石城門近清涼門處丹陽記石頭城吳時土塢後因山加甓爲城因江爲池地形最爲險固隋置蔣州城唐韓滉五城皆相去不遠詳見石頭山（齊

〔謝朓詩〕九河亘積岨三嵕鬱旁眺皐州總地德回江遨巖微井幹耗蒼林雲甍蔽層嶠川霞旦上薄山光餘晚照翔集亂歸飛虹霓紛引曜〔梁武帝詩〕鬱盤地勢遠參差百雉壯翠壁絳霄際丹樓青霧上夕月出濠渚朝雲生疊障〔何遜詩〕關城乃形勢地險差非一馬嶺逐紆開犬牙傍隆寧百雉極襟帶億庾並量出至理歸無爲善守竟何恤眺聽窮耳目遠近備幽隱擾擾見行人暉暉視落日連檣入迴浦飛蓋交長衢天暮遠山青潮去遙沙出薄宦恧歸來臨辭慚愈疾願乘觳觫牛還隱蒙籠室〔劉禹錫詩〕山圍故國周遭在潮打空城寂寞回淮水東邊舊時月夜深還過女牆來

吳都城大帝黃龍元年築在淮水北五里據覆舟山下東環平岡以爲安西城石頭以爲重後帶元武湖以爲險前擁秦淮以爲阻周迴二十里十九步正門曰宣陽又南五里至淮水爲大航門時都城皆設籬門

古籬門晉元帝渡江復爲都改爲建康城仍吳而增築焉凡十二門南曰宣陽開陽清明陵陽東曰建春東陽西明閶闔北曰廣莫元武延熹大夏宋齊梁陳皆因之

臺城在縣東北五里本吳後苑城即宋建康宮城宋齊梁陳皆因爲宮侯景之亂梁武帝餓死于此此城唐末尚存唐史張雄傳云使別將趙暉據上元暉負其才欲治臺城爲府者是也舊志云新宮即臺城也在上元縣東北五里有墻兩重晉成帝時蘇峻亂盡焚臺城宮室溫嶠以下咸議遷都唯王導固爭不許咸和六年使卞彬營治孝武太元三年謝安以宮室朽壞啓作新宮王彪之曰中興即東府誠爲偏陋元明二朝亦不改制蘇峻之亂

武帝止蘭臺不蔽寒暑是以更營修築務合奢儉之中今自可隨宜增修强寇未殄不可大興力役安日宮室不壯後世謂人無能彪之曰任天下事當保固國家朝政惟允豈以修屋爲能耶詔曰昔大賊縱暴宮室焚蕩元惡雖殄未暇營築有司屢陳朝會逼狹遂作新宮子來之歌不日而成新宮内外殿宇大小凡三千五百間

倉城吳積貯之所近古苑城市

白馬城不詳所在吳時舉烽火於此金陵故事云吳時沿江烽火臺二所一在石頭左一在白馬城

金城吳時所築今縣東北句容縣之瑯琊鄉即其地考證吳後主寶鼎二年於金城門外露宿迎神明陵蔡宗旦金陵賦云遊金陵以愴然問種柳之何在笑吳主之信巫乃露宿於門外晉大典中王氏舉兵反將軍劉隗軍於金城初中宗於金城置瑯琊郡咸康中桓

溫爲瑯琊內史出鎮金城後北伐行經金城見爲
瑯時所種柳皆十圍因嘆曰木猶如此人何以堪
枝執條泫然流涕金陵志謂上元縣金陵鄉地名金
城戍即其地臧氏辨以爲金城即前句容之瑯琊城
其說
是

建鄴城在冶城東晉太康三年分淮水北爲建鄴治在
宣陽門內

西州城即古揚州城漢揚州治曲阿晉永嘉中遷於建
康剏立州城即此太元末會稽王道子領揚州東府
故號此城爲西州城西接冶城東臨運瀆今朝天宮
西州橋是

考證晉以西州爲丹揚尹治所謝安鎮新
城欲俟經略粗定自海道東還後雅志未
遂復入西州城慨然自失謝安爲時人所愛重及鎮
新城以病輿入西州門薨後所知羊曇輟樂彌年行

不由西州路嘗遊石頭大醉扶路唱樂不覺至州門左右曰此西州門曇悲感以馬策叩門詠曹子建詩云生存華屋處零落歸山丘因慟哭而去宋時徐羨之住西州高祖嘗思之卽步出西掖門往見焉殷景仁旣拜揚州疾遂篤上勑西州道上不得有車聲孝武時熒惑守南斗乃廢西州舊館使西陽王子尚移居東府城以厭之

瑯琊城在古江乘縣界晉元帝以瑯琊王過江國人隨而居之因城焉齊永明元年移瑯琊於白下此城遂廢按晉書江乘南岸有瑯琊城立瑯琊內史以治之齊武帝移於白下大起樓觀講武於此又南徐州記云江乘南岸蒲洲津有瑯琊城與白下相近白下卽齊武所徙者永明六年講武瑯琊城指白下瑯琊城也〔王融瑯琊講武應詔詩〕白日映丹羽赬霞文[illegible]旃凌山炫組帶積水被戈船〔江孝嗣詩〕驅車去連[illegible]山下情不息芳柳似佳人惆悵予何極薄暮苦羈愁朝傷旅食丈夫許人世安得顧心臆按劍勿復

誰能眀與織（謝朓詩）春城麗白日阿閣跨層樓蒼江忽渺渺烟波復悠悠京洛多塵霧淮濟未安流豈不思撫劍惜哉無輕舟夫君良自勉歲暮忽淹留（徐敬業詩）甘泉警烽候上谷抵樓蘭此江稱豁險兹山復鬱盤表裏窮形勝襟帶盡巖巒修篁壯下屬危樓峻上干登陴起遐望回首見長安金溝朝灞滻甬道入鴛鸞鮮車騖華轂汗馬躍銀鞍少年負壯氣耿介立衝冠懷紀燕山石思封函谷丸豈如霸上戲羞取路傍觀寄言封侯者數奇良可歎

懷德城晉大興元年築（舊志云在建初寺前即王謝宅處者非）

臨沂城在獨石山北臨大江今攝山之西白常村蓋其地距縣治三十八里

東府城晉安帝義熙十年冬城東府在清溪橋南臨淮水周三十里九十步簡文爲王時舊第後爲會稽王

道子宅道子錄尚書事以爲治所府人呼爲東府其子元顯亦錄尚書時謂道子爲東錄元顯爲西錄西府東騎塡湊東第門下可設雀羅東第即後東府城也會稽王傳嬖人趙牙爲道子開東第築山開池列植竹木工用鉅萬帝嘗幸其宅謂道子曰府內乃有山因得游矚甚善然修飾太過道子無以對帝去道子謂牙曰上若知山是人力所爲爾必死矣牙曰公在牙何敢死其城東北角有土山即牙所築也宋武帝領揚州日築東府城以居彭城王義康文帝元嘉中義康更開拓北壖浚西塹自後常爲宰相府第景和中嘗改爲未央宮明帝時建安王休仁鎮東府訛言東城出天子帝懼殺休仁而常閉東府不居桂陽王休範反車騎典籤茅恬開東府納賊齊高帝封齊王以東府爲齊宮梁太清三年侯景舉兵毀板牆以磚甓爲之纔秦末盡摧焚毀陳天嘉中徙治所東三里臨淮水陳亡遂廢

湖熟城古縣名漢屬丹陽郡今在丹陽鄉去縣五十里

淮水北宋元嘉中遷越城流人於此

東宮城本吳永安宮在臺城東門外宋元嘉十五年修永安宮爲東宮城

檀城本謝元別墅謂之城子墅亦曰墅城至宋屬檀道濟故名檀城在今縣東清風鄉黃城橋之西

白下城本江乘之白石壘齊武帝以其地帶江負山移瑯琊民居之唐武德九年罷金陵縣築城於此因其舊名曰白下貞觀九年復舊治城遂廢今靖安鎮北有白下城故基按南史齊武帝欲修白下城難於動役劉係宗啓謫役在東者上從之後

武帝講武白下履行其城日係宗爲國家得此一城

同夏城梁武帝所生處大同元年置同夏縣因城焉

金陵府城宮苑記隋大業六年置在元風觀南按唐李孝恭再破巨賊欲以威重夸遠俗築第石頭城陳廬徼自衛此又唐府城也

韓滉五城在石頭唐德宗狩梁州韓滉觀察江東乃築石頭五城自京口至土山

南唐都城周二十五里四十四步楊吳順義中築初六朝舊城在北去秦淮五里故淮上皆立浮航緩急則撤航爲備孫吳沿淮立柵吳王溥時徐溫改築稍遷近南夾淮帶江以盡地利西據石頭南接長干東以白下橋爲限北以元武橋爲限所跨水皆所鑿城濠

也有上下水門以通淮水出入宋元皆因之

即丘陽都二治俱東北

建康府治初在天津橋北後徙東錦繡坊

昇州治即今內橋北

太社太稷壇晉元帝建武元年立在古都城宣陽門外

郭璞卜遷之

北郊壇晉安帝咸通八年立在覆舟山南宋孝武大明

三年移於鍾山北原定林寺山巔有平基二所闊數

十丈即其地

雩壇梁天監九年有事雩壇遂移於東郊在籍田之域

內

籍田壇在東郊十五里梁普通三年移置有便殿齋省

望耕壇祈年殿沃野千畝

天地壇在洪武門外壇制闢四門而繚以朱垣內復為垣圜列壇中屋樂舞上為大祀殿前為齋宮大垣之左列神樂觀樂舞禮生設犧牲所養犧牲于內今廢

上元舊社壇在白下門外尉廨東

夢筆驛在治亭江淹嘗宿此夢人自稱郭璞謂曰吾有筆在公處可見還淹探懷中五色筆一枝授[illegible]後為詩絕無美句

舊金陵驛二宋建於長樂鄉一名蛇盤驛元建於[illegible][illegible]

坊有水馬二站（宋文天祥詩）草色離宮轉夕暉飄泊欲何依山川風景元無異城郭人民半已非滿地蘆花和我老舊家燕子傍誰飛從今別却江南去化作啼鵑帶血歸

烏榜村圖經初立西州城未有籬門立烏榜遂以名村

銅螭署在臺城本洛陽故物晉平姚秦遷於此

雞鳴埭在潮溝上齊武帝早遊鍾山射雉至此始聞雞鳴

藥園壘在覆舟山南晉劉裕築以拒盧循

賀若弼壘隋伐陳若弼過江於蔣山龍尾築壘在北二十里

韓擒虎壘在石頭城西

到公石慶元志云梁到溉第臨淮水齋前地有礓石長丈六尺武帝戲與賭之溉輸即迎置華林園宴殿前謂到公石云

華林園在臺城內本吳舊宮苑也宋元嘉中更修廣之鑿天淵池起景陽樓鳳光諸殿梁武造重閣陳永初中又造聽訟殿臨政殿隋平陳俱廢世說晉簡文帝在華林園謂左右曰會心處不必在遠翛然林木便有濠濮間趣覺鳥獸禽魚自來相親宋書何尚之見造華林園在盛暑時諫宜休息不許曰小人常自暴背此不足爲勞運曆圖齊高帝建元二年幸華林園褚彦回彈琵琶王僧虔彈琴沈文季爲子夜吟王敬則舞劍王儉[illegible]跣誦封禪書帝曰此盛德事吾何以堪謝朓詩江[illegible]佳麗地金陵帝王州逶迤帶綠水迢遞起朱樓夾馳道垂楊蔭御溝鳴笳翼高蓋疊鼓送華輈獻[illegible]

[illegible]表功[illegible]良可嘆

西園一名別苑即冶城地王導所築晉書成帝幸司徒府游觀西園即此太元十五年武帝爲江陵沙門法新於中立寺以冶城爲名至桓元盡移僧出以寺爲苑

東籬門園在東府籬門內南史何點信佛居東籬園[illegible]德璋爲築室豫章王嶷命[illegible]遷點點從後門逃去竟陵王子良聞之曰豫章王[illegible]塹壓不及吾當望岫息心後點在法輪寺子良就[illegible]之點角巾登席子良欣悅無已遺點嵇叔夜酒杯徐景山酒鎗園有卞忠貞冢點植花冢側每飲必舉酒酹之

沈約郊園在鍾山下〔沈約詩〕陳王鬬雞道安仁採樵路東郊豈異昔聊可閑余步野徑盤[illegible]紆荒阡亦交互槿籬疎復密荊扉新且故樹頂鳴[illegible]飆草根積霜露驚麏去不息征鳥時相顧茅棟嘯愁鴟平岡走寒兎夕陰帶層阜長煙引輕素飛光忽我遒豈止歲云暮若蒙西山藥頹齡倘能度〔又〕憩郊

圃詩郭外三十畝欲以貿朝饘繁蔬既綺布密果亦星懸又芡瓜方臥壟秋菰亦滿陂紫茄紛爛熳綠芋鬱參差初藝向堪把時韮日離離高梨有繁實何減萬年枝荒蕪集野宴安用昆明池謝朓詩清淮左長薄荒徑隱高蓬回潮旦夕上寒渠左右通霜畦紛綺錯秋町鬱蒙茸環梨懸已紫珠榴折且紅君有棲心地伊我歡既同何用甘泉側玉樹望青蔥

半山園宋王安石營王荊公居半山園有詩示蔡天啓云今年鍾山南隨分作園圃又次吳氏女子詩話云南朝九日臺在孫陵曲街傍去吾園數百步

棕園漆園桐園在鍾山之陽明初植之以供用者今廢

桂林苑在落星山之陽吳都賦曰數軍實于桂林之苑

樂遊苑即晉藥園壘處宋元嘉中以其地為北苑更造樓觀改曰樂遊苑孝武大明中造正陽林光殿

侯景亂焚毀略盡元嘉十一年三月禊飲於樂遊苑會者賦詩顏延之爲序〔范曄應詔詩〕崇盛歸朝闕虛寂在山岑山梁協孔性黃屋非堯心軒駕時未肅文囿降照臨流雲起行蓋晨風引鑾音原薄信平蔚臺沼備層深蘭池清夏氣修帳含秋陰遵渚攀蒙密隨山上嶇嶔睇月有極覽游情無近尋聞道雖有積年力互頹侵探已謝丹黻盛事懷長林〔劉苞侍宴詩〕六郡良家子幽并游俠兒立乘爭飲羽倒騎競分馳鳴珂飾華眊金鞍映玉羈膺蓋礙海陸和齊眂秋宜雲飛雅琴奏風起洞簫吹曲終高宴罷景落樹陰移微薄承嘉惠飲德良不貲取效績無紀感恩心自知〔丘遲詩〕詰旦閶闔開馳道聞鳳吹輕荑承玉輦細草藉龍騎風遲山尚響雨息雲猶積巢空初鳥飛荇亂新魚戲實惟北門重匪親孰爲寄參差別念舉肅穆恩波被小臣信多幸投生豈酬義〔沈約詩〕丹浦非樂戰負重切君臨我皇秉至德忘已用堯心愍兹區宇內魚鳥失飛沉推轂二崤道揚旆九河陰超乘盡三屬選士皆百金戎車出細柳餞席樽上林命師誅後服授律綏前禽函轘方解帶嶢武稍披襟伐罪芒山曲弔民伊水潯將陪告成禮待此未

拙
簪

上林苑在雞籠山東宋孝武大明三年築初名西苑梁改曰上林其地有古池俗呼爲飲馬塘亦曰飲馬池其西又有望宮臺

芳林苑一名桃花園齊高帝舊宅也帝即位修舊宅爲青溪宮一名芳林園後改爲苑永明五年禊飲於芳林苑王融曲水詩序云載懷平浦乃睠芳林謂此梁天監初賜南平元襄王爲第益加穿鑿蕭範爲記言藩邸之盛莫過於此

方山苑齊武帝立見方山下

博望苑在東七里齊惠文太子所立輔公拓城是其地沈約郊居賦云睇東巘以流目心悽愴而不怡昔儲皇之舊苑實博望之餘基謝朓詩戚戚苦無悰攜共行樂尋雲陟累榭隨山望菌閣遠樹曖仟仟生分漠漠魚戲新荷動鳥散餘花落不對芳春酒還望

青山郭

芳樂苑齊東昏築在臺城齊東昏侯即臺城閱武堂爲芳樂苑山石皆塗以彩色池水立紫閣諸樓觀又於苑中立店肆以潘妃爲令又作土山開渠立埭苑中時百姓歌云閱武堂楊柳至尊屠肉潘妃沽酒王僧孺侍宴詩迴輿避暑宮下輦迎風館散漫輕烟轉霏微高雲散蔓草亘山石垂高枝起天半回風稍驚水落花漸斜岸妙舞駐行雲淸歌入層漢眄顏暢有懷德音良已樂

北苑南唐築在城北不詳其所徐鉉徐鍇陽悅有北苑侍宴詩序云鑾蔣幡之[illegible]蔣祝爲聖壽泛潮[illegible]之淸淺流作恩波

元圃齊惠文太子築在臺城北惠文太子竹奢麗宮中多雕飾精綺過於王宮開拓元圃與臺城北塹等其樓觀塔宇多聚奇石妙極山水慮帝望見傍列修竹內施高障造游墻數百間輿地志云圃有明月觀婉轉廊徘徊橋內作淨明精舍梁書昭明太子於元圃立館以延朝士番禺侯

軌稱此中宜奏女樂太子不答誦左思招隱詩何必絲與竹山水有清音軌大慚〔王儉詩〕秋日在房鴻雁來翔寥寥清景藹藹微霜草木搖落幽蘭獨芳眷言梁苑尚想濠梁既暢旨酒亦飽微猷有來斯悅無遠不柔

王騫墅在鍾山南史騫歷黃門郎司徒右長史有舊墅在鍾山八十餘頃與諸宅及故舊共佃之嘗謂人曰我不如鄭公業有田四百頃而食常不周以此為愧梁武帝於鍾山西造大愛敬寺騫墅在寺側者即王導賜田也帝宣旨取之騫曰此田不賣若敕取亦不敢言帝怒評價取之

郭文舉書臺宋志天慶太乙殿即文舉讀書處金陵故事文舉為王導所重築臺於冶城以處之

望耕臺在白上村宋文帝嘗登此以觀公卿親推詳見越城下

日觀臺一名司天臺在臺城內宮苑記臺城西有臺祥符圖經云宋司臺也

九日臺在商飈館岡上齊武帝每九月九日宴群臣於此

昭明讀書臺一在蔣山定林寺後北高峰上一在湖熟鎮皆昭明讀書處今遺址尚存

獨足臺在舊宮城陳將亡有一鳥獨足上臺以喙畫地書云獨足上高臺茂草化為灰欲知我家處朱門傍水開後遷洛陽果賜第洛水傍

南唐月臺胡宿高齋記在子城東南唐李氏因城作臺

望月人呼為月臺下臨深壕北面覆舟南對長干西望冶城立齋其上高倂麗譙廣容晏息用謝宣城晏坐之意曰高齋

觀象臺在雞鳴山之巔明改名欽天山欽天監觀天象於此重門週垣官廳圍房欽天監儀正等官司之上有璇璣玉衡量天尺渾天球銅壺滴漏日晷風竿星宿海元至正元年所製有銘記年月日時精工典麗觀者欽為法物又有乾坎艮震巽離坤兌銅山八座八龍盤繫中一龍斷二爪相傳此龍乘雲霧飛入後湖中故斷其爪而鋃鐺鏁之今臺廢法物俱解北

太初宮即長沙王孫策故府吳赤烏十年改作周五百丈晉元帝渡江以為府舍及即位稱為建康宮江表傳載權詔曰建康宮乃朕從京來所作將軍府寺耳材柱率細小今未復西可徙武昌材瓦更繕治之有司

武昌宮已二十八歲恐不堪用宜令所在更伐木治[illegible]詔曰大禹以卑宮為美今軍事未已所在多賦指[illegible][illegible]昌材自可用也左太冲吳都賦曰作離宮於建[illegible][illegible]闔閭之所營采夫差之遺法抗神龍之華殿施[illegible][illegible]而捷獵崇臨海之崔巍飾赤烏之韡曄東西轇轕南北崢嶸房櫳對櫎連閣相經閽闥譎詭異出奇名左稱彎碕右號臨硎彫欒鏤楶青瑣丹楹圖以雲氣畫以仙靈雖茲宅之夸麗曾未足以少寧註云神龍臨海赤烏宮名彎碕臨硎殿名晉史石冰之亂太初宮盡焚陳敏平石冰因太初故基創府舍元帝所居即敏所造帝領江左十年始即位常在舊府至成帝始繕苑城

昭明宮甘露中造周五百丈與太初宮相望榜曰昭明

晉避諱改曰顯明

南宮吳太子所居在臺城南

永安宮晉孝武建即吳東宮在臺城東南輿地志吳東宮在城之南

晉初東宮在城之西南其後徙於宮城之東北宮苑記孝武太元二十一年新作東宮本東海王第安帝立以何皇后居之桓元折其材木入西宮以其地為射宮至宋元嘉十五年築為東宮陳太建九年移皇太子居之

南唐宮今內橋北以昇州治所為之

宋行宮在清溪南即舊建康府治高宗紹興二年修為行宮

建炎元年尚書右僕射兼中書侍郎李綱言於高宗曰天下形勝關中為上建康次之請以長安為西都建康為東都各命守臣葺城池治宮室積糗糧以備臨幸則天下之勢安矣上出其章付中書營盧敏劉珏皆主幸東南三年五月上駐蹕神霄宮詔改江寧府為建康閏七月如浙西紹興二年上命江南東路安撫大使李光即府舊治為行宮光乞撤創後殿許之以圖進呈上曰但令如州治足矣若一殿雖用數萬緡亦未為過必事事相稱則土木之役傷財害民何所不至象箸之漸不可不戒由是

度翁論六年六月右僕射張浚謂建業爲中興根本[illegible][illegible]秋冬臨幸七年三月辛未上至建康十一月上謂浚曰朕來建康行宮皆因張浚所修之舊不免葺數間小屋爲寢處地不施丹雘蓋不欲勞人費財也八年正月上將還臨安參知政事張守言曰陛下至建康席未及煖願少安於此以係中原之心趙鼎持不可壬戌召張浚至宮中諭之曰朕來日東去卿在此無與民爭利勿興土木之工浚見地無磚嘆息上曰艱難之際一切從儉少紓民力朕爲人主雖以金玉爲飾亦無不可但如此後世以朕爲何如主也三十二年正月上復至建康二月還臨安初上謂輔臣曰將來幸浙西建康宮守令有司照管他時復幸免更營造以傷民力中書門下省言建康府已除行宮留守詔應合行事件並依西京留守司例自是江南東路安撫司常兼留守

歲四季令入宮點視

元御史臺公署在大中街北明太祖克金陵即署建中書省後即吳王位爲宮焉東沿青溪西接古御街後

阻內橋東虹舊賓榜曰舊內之門今廢獨周垣存

太極殿建康宮之正殿也晉初造以十二間象一歲之月至梁武帝改爲十三間以象閏高八丈長二十七丈廣十丈並以錦石爲砌兩傍有太極東西堂更有二上閤在堂殿之間方庭闊六十畝山謙之丹陽記云太極殿周制路寢也秦漢曰前殿今稱太極東西堂亦魏制於周小寢也徐廣晉記曰謝安作新宮造太極殿缺一梁忽有梅木流至石頭城下因取爲梁殿成畫梅花於其上以表嘉瑞實錄云太元中起太極殿謝安欲使王獻之題榜因說魏韋仲將懸虛櫈書凌雲臺額獻之正色曰仲將魏之大臣寧有此事使其若此有以知魏德之不長安遂不之逼晉中興書云孝武造太極殿郭璞卜筮云一百一十年此殿爲隸所壞後梁武帝毀之捨身爲奴也文昌雜錄云東晉太極殿東西閣天子間以聽政閣之名起於此宮苑記云大[illegible]

殿前東西有二大鐘宋武帝平洛所獲並漢魏舊物

清暑殿在臺城內晉孝武帝造重樓複道通華林園爽塏奇麗無與爲比宋孝武太明五年殿尾中生嘉禾一枝五莖遂改爲嘉禾殿

含章殿宋孝武帝造在宮中帝女壽陽公主人日臥於殿簷下梅花落額上號梅花粧

玉燭殿宋孝武帝造考書孝武壞武帝居室起玉燭殿與從臣觀之牀頭有土障壁上掛葛燈籠麻蠅拂侍中袁顗稱武帝儉德帝不答獨言曰田舍翁得此已過矣按南史晉諸帝多處內房朝所臨東西二堂而孝武末年清暑方建宋初受命無所改作所居惟稱西殿不制嘉名文帝因之亦有合殿之稱孝武承統造臨所規更造正光玉燭紫極[illegible]麗無比

靈和殿在臺城內益州刺史劉悛獻蜀柳武帝命植於靈和殿三年柳成枝條柔弱狀如絲縷帝與公卿晏賞嘆曰楊柳風流可愛猶如張緒當年

紫極殿宋明帝所作珠簾綺柱江左所未有者齊高帝欲以其材起宣陽門王儉諫王僧虔連名表諫手詔酬納

披香殿在臺城內陳子山詩宜春花中春已歸披香殿裏作春衣指此殿

顯陽殿昭陽殿齊太后皇后所居者證永明中無太后皇后並貴嬪居昭陽殿

鳳華殿壽昌殿靈曜殿皆齊內殿武帝時建

芳樂殿玉壽殿齊東昏建在臺城內齊史東昏大起芳樂玉壽諸殿以麝香塗壁刻畫粧飾窮極綺麗役者自夜達曉猶不副速後宮服御極選珍奇府庫舊物不復用民間

價帛數倍建康酒租皆使輸金尚不能足鑿金爲蓮花以帖地令潘妃行其上曰步步生蓮花

重雲殿梁武造在華林園 隋志云殿前置銅渾儀是劉曜光初六年孔挺所造何承天以爲張衡所造

五明殿在臺城內 考證梁武帝謙恭待士時忽有四人來貌可七十鶉衣躡履入丹陽郡建康里行已經年無人知者帝召入儀賢堂給湯沐解御服衣之惟邵明太子識之一見如故舊目爲四公子帝移四公子入五明殿更重之大同末魏使崔敏來聘敏博贍儒釋知天文醫術帝選十人於此殿推論三教百家六籍五運九十餘日敏喪神嘔血歸未及境而卒事類記四人姓名𨶹闖𪏕杰𡠡𪇗仉督難敏者仉督也

光華殿在臺城梁武帝大通中施與草堂寺取珠貝直百萬以其地起重閣

楚

求賢殿在臺城內陳建後主皇后沈氏居之后端靜好學後主常自作哀冊文辭甚酸

儀賢堂吳建初名聽訟堂在宣陽門內每歲策孝秀考學士學業歲暮習元會儀於此梁改曰儀賢

樂賢堂在臺城內晉肅宗為太子時建宮城西南角外有清游池通中引水帶堂左右咸和七年彭城王紘上言樂賢堂有先帝手畫佛像屢經寇難而此堂猶存宜勑作頌下其議蔡謨曰佛者西方之俗非經世之制先帝量同天地多才多藝聊因臨時而畫此像至於雅好佛道此未聞也乃寢

宣猷堂晉置後在梁東宮內梁紀修飾國學增廣生員立五館置五經博士皇太子宣城王亦於是堂講論釋老

武帳堂宋元嘉中建武帳岡上

澄心堂南唐後主建爲藏書撰述之所金陵舊有澄堂紙相傳寄

芙蓉堂在宋安撫司（王安石詩）投老歸來一幅巾尚榮祿備藩臣芙蓉堂下疏秋水且與龜魚作主人

戲綵堂在轉運司正堂後嘉定八年真德秀將母出使葺而名之馬光祖王埜皆公門下士寶祐中同持節於此新其堂刻石識之

忠宣堂在轉運司西廳本雙槐堂真德秀改建

清如堂在清溪渌波橋北馬光祖建取御翰中一清如水之語梁椅爲記

大本堂明洪武初建以爲太子諸王授經之所延四方耆儒于其中公侯子弟皆就學焉今廢〔魏觀鄭國公常茂等授經〕

〔大本堂詩〕鄭國新侯弟子羣儒關時得奉懸懃宮花細浥研朱露禁柳微濃灑墨雲御氣日從雙闕望書聲時徹九重聞楚王可是推仁愛臨帖常容半席分〔又大本堂詩〕玉署儲書紫禁東宛然鱗鳳穆清風雲開奎壁天光合日射蓬萊御氣通炬柄蓮花歸學士燈燃藜杖教仙翁詹吳宋樂皆時彥譔進承恩晝夜同

烽火樓在石頭城西南最高處吳時舉烽火之所〔考證〕宋元嘉中魏太武至瓜步聲欲渡江文帝登烽火樓極望不悅謂江湛曰北伐之計同議者少今日貽大夫之憂在予過矣蘇峻之亂陶侃溫嶠入討舟直指石峻登烽火樓望見士衆之盛有懼色謂左右曰吾知溫嶠能得衆也〔簡文帝詩〕犇樓排樹出却堞帶清涉峯試遠望鬱鬱盡郊京萬邑王畿廣三條綺

平亘原横地險孤嶼派流生悠悠歸棹入渺渺驚水烟浮岸起遥會逐霧征〔謝朓登樓詩〕徘徊戀邑躑躅杳層阿陵高墀闕近眺迥風霜多荆吳阻山岫江海潤瀾彼歸飛無羽翼其如離別何

冶城樓晉建在吳冶城舊基即謝安石王羲之同登處宋嘉定中重建椄忠孝堂

入漢樓在石頭城晉義熙八年建加累入於雲霄連堞帶於積水

青漆樓在臺城內齊書云世祖興光樓上施青漆時人謂之青漆樓

景陽樓在法寶寺西南宋精鋭中軍寨內遺址尚存呼爲景陽臺明旗手衞營內地宋元嘉二十二年修廣華林園築景陽山始造景陽樓孝武大明元年紫雲

出樓中粧如烟改爲慶雲樓宮苑記云齊武帝置鍾景陽樓上令宮人聞鍾聲並起粧飾〔劉義恭詩〕丹墀設金屏瑤樹陳玉牀温宮冬開燠清殿夏含霜弱蔓布遐馥輕葉振遠芳攀望錯無際肆睇周華疆象闕對馳道飛廉屬方塘邸寺送暉曜槐柳自成行通川溢輕艫長街盈方箱顧此嚮火微何顏側夫光〔王僧孺侍宴景陽樓詩〕金爍鋪可鏡桂棟儼臨雲沾觴均飲德服道驗朝聞詎論禹聞善非恥堯爲君小臣亦何者短翮屢追羣洲[illegible]〔詩〕太液滄波起長楊高樹秋翠華承漢遠雕輦逐風流

百尺樓在南唐宮中類說云唐主於宮中作高樓召羣臣觀之衆皆歎美蕭儼曰恨樓下無井耳唐主問其故對曰以此不及景陽樓唐主怒貶儼舒州

忠勤樓在建康府治中宋淳祐十年吳淵建〔汪廣洋詩〕西掖延爽高樓倚太清玉繩當座轉銀漢近人明上相思經濟諸公任老成不知前席夜曾詔及蒼生

元武觀宋建在元武湖上南朝嘗臨此閱武蔡景歷度支尚日駕幸元武觀宴百官恐景歷援舊式午後拜官午預特令早拜重之也江總詩詰曉三春暮新雨百花朝星官疑度漢天馹動行鑣旆轉蒼龍闕塵飛飲馬橋翠觀迎斜照丹樓望落潮鳥聲雲裏出樹影浪中搖歌吟奉天詠未必待聞韶

通天觀在華林園宮苑記云梁武帝於景陽山東嶺起通天觀觀前起重閣閣上曰重雲殿下曰光嚴殿殿當街起二樓左曰朝日右曰夕月堦道繞樓九轉極其巧麗金陵故事晉孝武講孝經於通天觀則晉時已有之矣

齊雲觀在臺城內陳建後主令採木湘洲擬造正寢至牛渚磯盡沒既而漁人見桄於海上復起齊雲觀國

人歌曰齊雲觀寇來無際畔

延祚閣在冶城後岡上宋太始中建延祚寺閣因名許渾登閣詩極目背陳迹披圖問遠公戈鋋三國後冠蓋六朝中葛蔓交殘壘苔花没廢宮水流蕭鼓絕山在綺羅空極浦千艘聚高臺一徑通雲移吳岫雨帆轉楚江風登閣慚漂梗停舟憶斷蓬歸期與歸路松桂海門東

臨春結綺望僊三閣陳至德二年建在華林園光昭殿前高數十丈並數十間窻牖戸壁欄檻之類皆以沉檀爲之餙金玉珠翠珠簾寶帳服玩瑰麗近古未有積石爲山引水爲池植以奇樹雜以花藥後主自居臨春張麗華居結綺龔孔二貴嬪居望僊並複道往

宮使女學士與狎客賦詩采其尤豔麗者被以新聲有玉樹後庭花臨春樂等曲君臣酣歌自晝達夜有女學士袁大捨獻春樂詞以諷之（劉禹錫詩）臺城六代競豪華結綺臨春事最奢萬戶千門成野草只緣一曲後庭花

商飈館齊武帝建在蔣祠西南去城十五里九月九日登此以宴羣臣

士林館臺城西梁武帝建以延集學者

武學在大市街北巷內明洪武中設以教武官幼者及兵家子弟領于兵部今廢

化龍亭在幕府山側晉元帝與彭城王元西陽王羕南

頓王宗汝南王宏渡江之所識云五馬渡江一馬化

龍故名

東冶亭續志云在東二里汝南灣西臨淮水晉太元中

送別之所謝安爲揚州袁宏爲東揚郡祖道于冶亭羣賢畢集南史王琳之元嘉六年遷尚書令固辭表求東遷改授侍中及東歸帝幸東冶餞送乾道五年留守史正志于牛山寺前重建劉珙以四面皆田作亭于旁以知稼名景定辛酉馬光祖新之又增一亭扁曰瑞麥與知稼對峙是年上元惟政鄉麥秀兩岐知縣鍾蜚英因以名亭南山墨蹟建康舊志冶亭嘗在鍾山隹處元文宗在金陵亭去行邸近常遊幸見虞集題詩

命侍臣模寫藏諸篋

冶亭在冶城

征虜亭在石頭塢晉太元中創丹陽記曰太元中征虜

將軍謝安止此亭因以爲名南史何尚之遷吏部告休定省送別於野及至郡父叔度謂曰聞汝此來傾朝相送此是送吏部郎非關何彥德昔殷浩亦嘗作豫章送別者甚衆及廢徙東陽船泊征虜亭積日乃至親舊無復相窺者徐陵送新安王詩鳳吹臨南渚鸞餞東平亭輿迋漳水乘旆轉洛濱笙池凍斑輪響風嚴羽蓋輕燒田雲色暗古樹雪花明岐路一回首流襟動眷情

甘露亭陳大建七年秋甘露降樂遊苑詔於苑內覆舟山立亭按輿地志宋元嘉中移晉北郊壇出外以其地爲北苑更造樓觀於覆舟山上大設亭館侯景之亂焚燬至陳大建中更加修葺於山上立甘露亭陳亡並廢

白下亭驛亭也在舊東門外考證李白獻從叔當塗宰陽冰詩云小子別金陵來時白下亭又云驛亭三楊樹正當白下門亭似在府西王安石詩有門前秋水可揚舲有意西尋白下門又有東門白下亭摧甓蔓寒葩之句亭又在府東意者新舊亭各在一處不然李白所謂金陵指鍾山耳

〔李白別金陵諸公詩〕海水昔飛動三龍紛戰爭鍾山危波瀾傾側駭奔鯨黄旗一掃蕩割壤開吳京六代更伯王遺跡見都城至今秦淮間禮樂秀羣英地擅鄒魯學詩騰顔謝名五月金陵西祖余白下亭欲尋廬峯頂先繞漢水行香爐紫烟滅瀑布落太清若攀星辰去揮手緬含情

翠微亭在清涼寺山巔南唐時建宋乾道間毀紹熙中復建隸淮西總領所淳祐己酉總領陳綺新而大之爲登臨勝處今山頂如砥殆其遺址〔林逋詩〕亭在江干寺清涼更翠微秋階響松子雨壁上苔衣絶境常難得浮生不擬歸旅情何計足西巘又斜暉〔又〕渺渺江天白鴈歸石城秋色送僧歸長干古寺經行少爲到清涼看翠微

紅羅亭南唐時建古今詩話南唐後主作紅羅亭四面栽紅梅作豔曲歌之韓熙載和云桃李不須誇爛熳已輸了春風一半時淮南已歸宋景定志作羅江亭

忠孝亭在冶城下壼墓側南唐時建名忠貞宋慶曆中改曰忠孝〔天治周泊詩〕晉鼎虧虒姦人窺孰謀國者如兒戲陷穽弗設延虎貔虓闞搏噬嬰者摧羣公奔潰不敢誰卞公力疾起督師謂事迫矣奚生爲以肉餧虎吁可悲公則死矣二子隨偉哉忠孝萃一時維公忠義天所資向來謀國如著龜不用吾言至於斯

半山亭在鍾山郎宋王安石故宅〔安石集中有詩〕

郡圃諸亭在建康府治內東北鎮青堂之左右〔金陵志〕鎮青堂在府廨東北其上爲鍾山樓其後爲青溪道院木犀亭曰小山菊亭曰晚香牡丹亭曰錦堆芍藥亭曰駐春皆在堂左疊石成山上爲亭曰一丘一壑下爲金魚池曰真愛其南爲曲水池亭曰觴詠又其西爲杏花村桃李蹊亭曰種春竹亭曰深淨梅亭曰雪香海棠亭曰嫁梅皆在堂右大抵皆馬光祖所建

青溪園亭〔舊志〕溪西自百花洲入臨水小亭曰放船入門有四望亭榜曰天開圖畫環以四亭曰玲

瓏池曰玻璨頃曰金碧堆曰錦繡段其東有橋曰鏡中橋東爲青溪莊南有萬柳堤榜曰溪光山色北有亭臨水曰撑綠其徑前曰添竹後曰香遠尚友堂西扁曰香世界先賢祠之東有亭曰花神仙清如堂南綠波橋西有亭曰衆芳曰愛青其東又曰割青青溪閣之南清風關之北有橋曰望花隨柳其中有亭曰心樂其前曰一川風月自清風關東折而北亭出溪東二曰看竹曰蒼雪其後則爲靜菴菴後有石亭曰最高山後跨梁陟徑爲堂二前曰閒暇後曰近民諸亭惟割青爲舊餘皆馬光祖所建宋名青溪園爲小西湖今廢　以上上元

越城一名范蠡城周元王四年范蠡築在古秣陵長干里今聚寶門外報恩寺西遺址猶存俗呼爲越臺金陵故事云范蠡佐越滅吳欲圖伯中國立城於金陵漢吳王濞敗保此城晉王含以水陸兵五萬逼淮湍[illegible]潛師渡水大破含軍於越城南盧循犯建康劉裕[illegible]治越城按越絕書其城越范蠡所築城東南角近故

城望國門橋西北即吳牙門將軍陸機宅故機作懷舊賦望東城之紆餘即此〔唐竇鞏詩〕傷心欲前朝事惟見江流去不回日暮東風春草綠鷓鴣上越王臺〔明顧起元詩〕長江水湛湛搖風吹暮林蕪際高臺浮雲鬱以陰孤雌繞樹飛哀猶中夜吟顧言駕行游涕淚霑衣襟越王安在哉荒臺留至今東望長楓館秋風正蕭森無爲采葛曲此曲悲人心

丹陽郡城漢元封二年置丹陽郡孫吳移治建康淮水南晉太康中始築城在長樂橋東一里南臨大路城周一頃開東南北三門長樂橋即今武定橋東南有長樂巷蓋自城東角之內外皆是

王含五城在丹陽郡城之東考證晉王含錢鳳戰敗乃率餘黨自柵塘西置五城唐景雲中縣令陸彥恭於城側造橋渡淮水今五城渡是

秣陵城在宮城南八里小長干巷內梁宋北齊皆於秣陵故城跨淮立橋柵當是隋併入江寧

古江寧縣城今縣治西南七十里南臨江寧浦周六里餘

古國門梁天監七年作國門于越城南在今高座寺東南澗橋北越城東

古壄國門南史侯景令羊侃率千騎頓壄國門其地在越城東南

南郊壇吳太元元年始祭南郊晉元帝建武二年定郊兆於建鄴之南太興二年立於城南十餘里在長

橋東籬門外宋孝武大明三年遷於牛頭山西在宫之午地梁武帝即位南郊爲壇在國之陽今城東與婁湖相近

雩壇晋穆帝永和中立在南郊傍

方盟壇陳宣帝大建十年立婁湖側臨壇誓衆分遣大使頒盟誓警四方以備周人

建康府社壇在城西南慶元元年留守張杓移置下水門内秦淮南元時遷於城南門外越城之後

明堂在國學南宋大明五年立其墻宇規制一如太廟十有二間以應朞數無古三十六戸七十二牖之制

梁天監中修築陳亡毀

太廟晉中宗置在秦淮西孝武太元十六年改築宋以後仍之至陳廢（通典江東太廟門北有竹葉文石元嘉中得之陸澄云晉武帝郊禖石也）

臨江驛臨江舊縣名因以名驛（岑參詩古戍依重險高樓見五涼山根盤驛道河水浸城墻庭樹巢鸚鵡園花隱麝香忽如江浦上憶作捕魚郎）

新亭壘宋孝武入討元凶劭柳元景至新亭依山築壘東西據險察賊衰竭乃開壘鼓譟以奔之賊衆大潰金陵志云亭在城西南十二里壘不存（考證元徽年桂陽王範舉兵潯陽蕭道成頓兵新亭以當其鋒築新壘未畢賊前軍已至道成登西垣使陳顯達等帥水戰大破之）

景故壘在梧桐灣古大航城在其南 梁紹泰元年[illegible]齊兵至建康陳霸先問計於韋載載曰齊人若分兵據三吳之路略地東境則大事去矣今可於淮南因侯景故壘築城以通轉輸乃遣載於大航築侯景故壘使杜稜守之

烏衣園在烏衣巷東馬光祖立 城南有王謝故居一堂扁曰來燕歲久傾圮馬光祖撤而新之堂後建亭館羅元詩烏衣池館一時新晉宋齊梁舊主人無處可尋王謝宅落花啼鳥林陵春

繡春園宋時重建在府社壇東隷運司 端平一年高定子記云昔得繡春園名及來將漕訪其遺址無知者有造船場餘地盍以廢圃乃築之

南苑在瓦官寺東北 宋明帝末年張永乞借南苑帝云且給三百年期滿更請後帝葬於此梁改名建興苑侯景攻臺城裴之高營於南苑即此

婁湖苑齊武帝永明元年望氣者言婁湖有天子氣乃築青溪舊宮作婁湖苑以厭之陳更加弘壯後其地爲光宅寺（江總侍宴詩翠渚還鑾輅瑤池命羽觴千門響雲蹕四澤動宸光玉軸昆池浪金丹太液張虹旗照島嶼鳳蓋繞林塘野靜重陰潤淮秋水氣涼霧開樓闕近日遠浪煙長陪宴詠斯在鎬飲詎能方朽劣叨榮遇簪笏奉同行）

江潭苑在新林路西梁大同初立輿地志武帝從新亭鑿渠通新林浦又爲池通大道立殿宇一名王遊苑未成而侯景亂事寢（蔡宗旦金陵賦云訪江潭之大苑惟蕭瀟之名存）

孫楚酒樓在城西李白翫月於此達曉歌吹日晚乘醉著紫綺裘烏紗巾與酒客數人棹歌秦淮往石頭訪

雀四侍御〔李白詩〕昨翫西城月青天垂玉鈎朝沽金陵酒歌吹孫楚樓忽憶繡衣人乘船往石頭草裹烏紗巾倒披紫綺裘兩岸拍手笑疑是王子猷酒客十數公崩騰醉中流謔浪棹歌客喧呼傲侯半道逢吳姬卷簾出揶揄我憶君到此不知狂與羞一日一相見三杯便迴橈舍舟共連袂行上南渡橋興發歌綠水秦客為之謳雞鳴復相招清宴逸雲霄贈我數百字字字凌風颷係之衣帶上相憶每長謠〔又〕金陵夜寂涼風發獨上高樓望吳越白雲映水搖清光白露如珠滴秋月月下長吟久不歸古今相接眼中稀解道澄江淨如練令人却憶謝元暉

芙蓉樓舊名北樓在丹陽城北〔王昌齡送客詩〕寒雨連江夜入吳平明送客楚江孤洛陽親友如相問一片冰心在玉壺〔又〕丹陽城南秋水陰丹陽城北楚雲深高樓送客不能醉寂寞寒江明月心

東南佳麗樓建康志在銀行街舊為賞心樓久廢景定

元年馬光祖建改曰東南佳麗樓即今縣治基

南礀樓舊志在府城西南近何尚之宅南礀即今躍馬澗

來賓樓在聚寶門外西南馴象街北洪武間建即宋豐裕樓舊基（蔣主忠詩）層樓迢遞俯遥岑此日登臨喜盍簪鍾阜雲霞雙闕迥石城烟樹萬家陰鍾聲隱隱來官寺秋色蒼蒼帶遠林自是聖朝恩澤廣越裳臣妾盡傾心

重譯樓在馴象街南與來賓樓相對

鶴鳴樓在三山門外西關中街北

醉仙樓在三山門中街南

集賢樓在瓦屑壩西

樂民樓在集賢樓北

輕烟樓在江東門內江關南街

淡粉樓與輕烟樓相對

翠柳樓在江東門內西關北街

梅妍樓與翠柳樓相對自來賓以下十樓皆洪武初建樓每座皆六楹高基重簷棟宇宏敞各顏以大書名扁各在市廛交易地以爲客旅遊樂憇息之所柔遠之道其備至無遺焉今皆廢

昇元閣一名瓦官一名吳興按京師寺記瓦官寺有瓦官閣梁時建高二百四十尺吳順義中改寺爲吳興寺閣因名吳興南唐昇元初改寺爲昇元閣遂名昇元南唐書云閣因山爲基高可十丈平旦閣影半江

開宋崇勝戒壇院近昇元閣故基院中建盧舍那佛閣亦高七丈里俗猶呼為昇元閣龔穎運曆圖云開元九年江寧縣瓦官寺閣西南久傾因風自正亭南野史唐狄仁傑為溧陽主簿羣公休沐宴昇元閣仁傑即席和詩有雲散便凝千里望日斜常占半城陰句坐客皆驚南唐書云昇元閣因山為基高可十丈開寶中王師收復人避難於其上越兵舉火焚之閣基舊有遺碣云抱雞匿寶位走馬出金陵子建居南極安仁秉夜燈東陵驕小女騎虎渡河氷其讖皆應〔李白橫江詞〕人言橫江好我道橫江惡一風三日吹倒山白浪高於瓦官閣〔又登閣詩〕晨登瓦官閣極眺金陵城鍾山對北戶淮水入南極漫漫雨花落嘈嘈天樂鳴兩廊振法鼓四角迎風箏杳出霄漢上仰攀日月行山空霜氣滅地古寒陰生寥廓雲海晚蒼茫宮觀平門餘閶闔字樓識鳳凰名雷作百川動神扶萬象傾靈光何足貴長此鎮吳京英華作李賓詩未知孰是觀南唐因山為基似今鳳遊寺是所以有下瓦官之名也

勞勞亭在舊縣治西南八里勞勞山上古送別之所輿地志云新亭壟上有望遠樓宋元嘉中改曰臨滄觀郎勞勞亭故基〔李白詩〕天下傷心處勞勞送客亭春風知別苦不遣柳條青〔又〕金陵勞勞送客堂蔓草離離生道傍古情不盡東流水此地悲風愁白楊我乘靑舸同康樂朗詠晴川飛夜霜昔聞牛渚吟五章今來何謝袁家郎苦竹寒聲動秋月獨宿空簾歸夢長

新亭一名中興亭去城南十五里近江渚丹陽記京師舊有三亭俱廢隆安中丹陽尹司馬恢之徙創今地宋孝武入討至新亭修建營壘即位後王僧達始改爲中興亭趙宋乾道五年留守史正志即故基重建爲記世說過江諸人每暇日輒相邀出新亭藉卉飲宴周顗中坐歎曰風景不殊舉目有江河之異皆相視流涕惟丞相導愀然變色曰當共戮力王室尅復神州何至作楚囚相對泣邪孝武寧康元年桓

溫來朝王坦之謝安迎於新亭笑評移日〔梁簡文詩〕神襟愍行邁岐路愴徘徊遥瞻十里陌傍望九城臺鳳管流虛谷龍騎藉春荄曉光逢野映昕烟承日回沙文浪中積春陰江上來柳葉帶風轉桃花含雨開聖情蘊朱紱禮命表英才顧慚碔砆質何以麗瓊瑰〔陰鏗詩〕大江一浩蕩離悲足幾重潮落猶如蓋雲昏不作峯遠戍惟聞鼓寒山但見松九十方成半歸途詎有蹤〔張栻詩〕風景自今古新亭誰是非絶憐江水去還有故山圖得失同千慮成虧共一機所思惟謝傅不但勝淮淝

臺城寺水亭幽菁開敞騷人墨客多游詠其中昔傳在鳳臺山南傍秦淮者非彼即陸機故宅王處士水亭也〔杜荀鶴詩〕江亭當故國和景倍蕭騷夕照明殘壘寒潮漲古濠

賞心亭在下水門城上下臨秦淮盡觀覽之勝丁謂建景定元年亭燬馬光祖復立爲金陵第一景〔曾[illegible]洲[illegible]

錄丁晉公鎮金陵以周昉所畫袁安臥雪圖張于亭屏郡守十四人雖極愛不敢輒取後爲一守以厖籤蘆雁竟易去又續志丁謂始典金陵陛辭眞宗出八幅袁安臥雪圖付謂曰卿到金陵可選一絕景處張此謂張于賞心亭二說不同恐後爲優也

折柳亭在賞心亭下忠定公張詠建爲祖餞之所久廢景定元年馬光祖重建

練光亭在宋保寧寺蘇魏公頌有遊保寧寺練光亭詩寺本梁苑官地臨吳建業何人結虛亭勝槩壓危堞

風亭在折柳亭東葉清臣建蘇州從事張伯玉爲記咸淳乙丑馬光祖守郡有以故基告者乃累石爲岸創堂三間前後軒如之廚舍諸屋挾翼其旁繚以花竹

亦艤舟勝處云

王處士水亭在齊南苑中即陸機故宅基〔李白詩〕王子耽元言賢豪多在門好鵞尋道士愛竹嘯名園樹色秀荒苑池光蕩華軒北堂見明月更憶陸平原閒拭青玉簟爲余置金罇醉後欲歸去花枝宿鳥喧何時復來此更乃洗囂煩

白鷺亭在賞心亭西下瞰白鷺洲景定元年馬光祖重建〔蘇文忠公軾嘗題其柱王勝之龍圖守金陵一日而移南郡東坡居士作長短句以贈之千古龍蟠并虎踞從公一弔興亡處渺渺斜風吹細雨芳草渡江南父老留公住公駕飛車凌綵霧紅鸞驂乘青鸞馭却訝此洲名白鷺非吾侶翩然欲下還飛去〔王安石詩〕柱上題名客姓蘇江山清絕冠吳都六花飛憑欄處一本天生臥雪圖〔任希夷詩〕江水悠悠逝流臺城寂寂石城留淒涼白鷺洲頭月曾照前朝樹秋

二水亭在下水門城上下臨秦淮西面大江北與賞心亭相對乾道五年留守史正志因修築城壁重建李白詩云二水中分白鷺洲亭名取於此

木牛亭舊志在移忠禪院路西去城七十里在江寧鎮舊傳有香木浮至土人迎之爲亭又號木龍亭〔徐亨麒木龍亭詩〕攜酒出南郭登臨殊豁然桃夭深竹裏石鏽木亭邊江暮弄殘日山春移少年醉歸過小苑老眼看花憐

覽輝亭在宋保寧寺後鳳凰臺舊基側寺有覽輝亭碑刓缺不可讀莫詳其人唯歲月可考蓋熙寧三年夏四月也觀此則保寧寺在今驍騎右衛倉無疑且古井可據縣志以保寧爲建初謂南軒讀書保

寧者非按宋陸游金陵記云亭牓本朱希眞隸書法堂後片石瑩潤如黑玉乃朱子書詩題云鳳臺山亭予昇元三年奉勑刻石也

淸水亭去城南三十里建炎四年岳飛敗敵人于此

三山亭在石城西對三山〔宋劉無黨偕諸友登三山亭詩〕半濠淸淺芰荷彫落日登臨未寂寥山色逼秋渾在市海聲迎暮欲吞潮沙頭白鳥疑相熟木末靑旗苦見招不似常時對官府可無閒話及漁樵 以上江寧

竹里城在東陽鎭東齊承元二年崔慧景叛向建康遣驍騎將軍張佛護直閤將軍徐元稱等六將據竹里爲數城以拒之今廢

仁威壘在白羊門內按南史周弘讓梁承聖初爲仁威

將軍城句容以居命曰仁威壘又故老相傳達奚將軍屯兵於此又名甲城

義臺在縣西南隅唐孝子張常洧旌表之所令李哲有記

梧園宮吳王別館有梧楸成林在縣西古樂府云梧宮秋吳王愁

昜并堂在縣治中堂後淳祐間令張渠毀建水玉軒時趙保爲令嘗請於朝均民賦稅渠其所也因記曰昔人評云婦公冰清女婿玉潤非敢自謂玉潤繼冰清也將以遠挹前言近瞻往行耳以上句容

平陵城在縣西三十五里在平陵山下周二里高一丈城有四門門外有濠闊六七尺滕公廟記云固城吳時瀨渚縣楚靈王與

吴戰吴軍不利遂陷此城吴乃移瀨渚於溧陽南十里改爲陵平縣平王立使蘇廻爲將戰敗吴軍以吴陵平縣改平陵縣按史記伍子胥橐載而出昭關夜行晝伏至於陵水膝行蒲伏稽首肉袒鼓腹吹篪乞食於吴市陵水即平陵也孟東野貞元中爲溧陽尉縣南五里有投金瀨瀨南八里有故平陵城周十餘步基址才高三四尺而草木甚盛率多大櫟叢篠蒙翳如塢如洞其地窪下積水沮洳深處可活魚鱉幽邃可喜東野得之忘歸趙子昂題孟東野平陵圖詩騎驢耿耿入荒城積水空林坐自清政使不容投劾去也勝塵土貿平生

永世城在縣南十五里周三百步遺址高一二尺

趙城在縣治東五里周一百步漢趙王禹屯軍之所

舊縣城在縣西北四十五里今名舊縣村戚氏云戚邑地歟未寨後小坡上有城隍廟廟前有村將日用試初武德三年於此置縣及是已踰百年至唐末

五年移治今所後三年唐亡則此城爲溧陽治與唐終始首尾葢三百年云

義城縣西南五十里有義城山下有村

溧城在縣西五十里周二百步

黨城在縣東十五里周一百五十步

射鴨堂在平陵城去縣治三十五里元和初縣尉孟郊建（郊嘗遊詠於此詩云短籬不怕雨白鷺相爭飛短檝畫菰蒲鬬作豪横歸笑伊水健兒浪戰無光輝不如竹枝弓射鴨無是非）

晚香堂在縣南趙丞相之別館也堂前植菊故名晚香

理宗御書額賜之

風月堂在縣治北乾道初知縣王季羔建張孝祥有記

清閒堂在縣治後陸子遹建取李白碑琴心清閒百里大化之語

小山池亭在平陵城小山側去縣西北三十里孟東野嘗宿此亭賦詩巉巉尖翠岫即小山也

寒光亭在縣西七十里三塔寺下瞰梁湖宋乾道中張孝祥於此賦詩亭依三塔占清幽松竹環除翠欲流曉色晴開千丈月波光冷浸一天秋瓊瑤影裏詩僧屋雲錦香中釣客舟風送不知何處笛雁聲驚起荻花洲

廣生亭在縣東南負城面溪知縣鄧埏建陸子遹脩亭後有放生池亭廢池尚存以上溧陽

杜城在杜城山下即杜伏威屯軍處

溧水古城在縣西南一里

舊縣治在秦淮河北

舊社壇在縣西南二里 以上溧水

古固城春秋時吳築在縣南十五里高一丈五尺周七里餘今廢 伍員奔吳闔閭用爲將舉兵破楚固城城遂廢見勝公廟記及考宋紹興中溧水縣尉喻居中在固城湖得東漢溧陽長潘乾校官碑以爲其地即漢之溧陽也今按前漢地理志并溧陽縣志則固城在秦漢時爲溧陽地至唐初析溧陽溧水爲二縣而溧陽徙于永陽江北固城之地遂屬溧水今又析屬高淳云

開化城南五十里今廢 寰宇記云開化城在固城東即溧水舊地

竹城東南六十里今廢 周美成詩竹城何槎櫱層層分雉堞王封畫四塹同有固窮節

湖以竹名

皇姥城在太山南今廢以上高淳

東葛城在西三十五里梁臨淮郡治東葛城即此

西葛城在西北四十里

黃龍城在西南六十里和陽舊志云在烏江山如伏龍
因城此以斷其脈

飲馬池在西華山北相傳項羽飲馬處以上江浦

吳王城在姜家渡西吳主權嘗屯此宋宣和中闢四門
今址存

瓜步城在瓜步山側齊建元初太守劉懷慰築梁失江

北高齊武平四年幷胡墅降陳後稱瓜步洚

胡墅城臨楊子江梁襲齊運輸陳與隋請平俱此

瓦梁城在瓦梁堰上陳大建中伐齊取之元有壘

晉王城在宣化鎮隋晉王廣伐陳築對石頭城宋紹興

中城宣化不果

盤城近盤城山下臨圩田宋有步軍司寨及兵寨

點將臺在西高岡上即今城隍廟基

將臺在東北三里兩臺相連舊傳古將王陶王鈸築

魏行宮在瓜步山上太平眞君十一年建

隋行宮大業元年帝幸江都置六宮于上沛在方橫二

山間

大軍忠勇軍土軍諸寨俱宋建在北城竹鎮陳李港

如歸館在東門街北唐建學于其故址

士林館在竹鎮唐郝滂有懷古詩陳霸先敗郭元建處

六峰驛在北門內上沛武德元梁湯村盤城宣化六驛

俱在郭外宋廢

郭墅在東五里近沈湖上有巨礎宋嘉熙中土人立寨

於此

讀書堂在橫山前世傳梁昭明讀書其中唐僧神[illegible]

堂爲太子院

六峰亭在縣南臨滁和遠對定山六峰寒發

遠略亭在西高岡上宋郭振展西隅城寧宗嘉定功有遠略扞城語乃名亭以上六合

墳墓

吳大帝陵在鍾山陽今孫陵岡上吳志赤烏元年追拜夫人步氏爲皇后合葬蔣陵有步夫人墩墩側即塚地〔梁何遜詩〕昔在零陵厭神器若無依逐兎爭先健犄鹿競因機呼噏開霸道叱咤掩江畿豹變分奇畧虎視肅戎威長蛇衂巴漢驥馬絕淮淝交戰無內禦重門豈外扉成功舉已棄功德愎而違水龍忽東騖青蓋乃西歸蝸來已永久年代曖靈徽若石疑文字荆墳失是非山鶯空曙響隴月自秋輝銀海終無浪金鳧會不飛闃寂今如此望望沾人衣

晉元帝建平明帝武平成帝興平哀帝安平四陵在鷄

籠山皆不起墳

穆帝永平陵在幕府山西俗傳穆天子墳卽其地

康帝崇平簡文帝高平孝武帝隆平安帝休平恭帝冲平五陵並在鍾山

宋武帝初寧陵在鍾山政和間有人於蔣廟側得一石題柱云初寧陵西北隅

文帝長寧陵與初寧近

明帝高寧陵在幕府山陽

陳高祖萬安陵在城東三十五里舊名陵里又曰天子林石獸尚存今呼石馬衝

文帝永慶陵在陵山南鴈門山北

明太祖孝陵在鍾山之陽與馬皇后合葬懿文太子捎
葬於左寶城明樓御橋孝陵殿廊臺墀道戟門文武
方門大殿門左右方門御河橋櫺星門華表多同大
内制有成祖御製碑沿山周圍繚垣四十五里王門
西紅門後紅門東西黑門神宫監孝陵衞環之嘉靖
十年更名鍾山爲神烈山
國朝定鼎順治三年十一月初七日接戶部固山額眞
公英清字筆帖　多羅得愛習喇喇額勒吉親王
分付洪武墳塋着兩個太監四十個漢子與他地一
百日教他燒香供養此外剩的地剩的漢子俱入官

又鳳陽泗州的糞堂俱不用着了郎中哈方高射斗

原日交與他　豫王爺回京今查前地并漢子若與

豫王爺分付的一樣就罷若有差錯就照今當子行

順治五年正月內分守江寧道布政使司右參議張

憲牌奉總督部堂馬　㕑憲行前事委太監二員施文政

許進赴陵到任焚修布政使司撥給原陵司香田地

五百畝徵收米麥以供焚修江安督糧道撥給漢子

四十名專供陵役

順治八年七月內布政使司備祭品　弘文院侍讀

學士白主祭祭文維順治八年歲次辛卯四月丁未

朔越七日癸丑

皇帝謹遣內翰林弘文院侍讀學士白胤謙致祭於

明太祖曰自古帝王受天明命繼道統而新治統聖

賢代起先後一揆功德載籍炳如日星朕誕膺

天眷繼纘丕基景慕前徽圖近芳躅明禋大典亟宜肇

隆敬遣專官代將牲帛爰修禋薦之誠用展儀型之

志伏惟格歆尚其　鑒享

順治十八年二月二十日布政使司奉　撫按憲行准禮

部咨開順治十七年九月二十五日恭接

上諭諭禮部歷代帝王陵寢原有祀典禮宜虔肅舉行

以昭追崇之意聞明朝陵向所給守護內員人戶地畝數少以致各陵祭品備辦不敷止於大紅門總祭殊于朕懷未愜嗣後除萬曆陵不行致祭外每年應春秋二次太常寺差官致祭金朝陵亦每年春秋二次太常寺差官致祭其元朝陵未知定所應行望祭遠者着該地方官春秋二次致祭爾部俱詳察議奏特諭欽此欽遵恭接到部查會典明太祖在江南江寧府等因每年春秋二次上元縣詣陵致祭順治九年奉

總督部院馬批委太監張以成頂補施文正員缺康熙四年奉

總督部院郎批委太監院祥頂補許進員缺在殿供奉香火併督漢子四十名巡緝陵內地方諸務

康熙七年四月内布政司備祭品　鴻臚寺正卿加一級周　主祭祭文云維康熙七年歲次戊申四月丁巳朔越廿一日巳丑

皇帝謹遣鴻臚寺正卿加一級周之桂致祭于

明太祖曰自古歷代　帝王繼天立極功德並隆治統道統昭垂奕世朕受

天眷命紹纘丕基庶政方親前徽是景明禋大典亟宜肇修敬遣耑官代將牲帛爰昭殷薦之忱聿備欽崇之禮伏惟　格歆尚其鑒享

（李東陽孝陵詩）龍虎諸山會車書萬國同星躔環斗極王氣繞江東日月無私照乾坤仰聖功十年瞻望地雲樹鬱葱葱

（徐渭詩）二百年來一老生白頭

落魄到西京瘦驢狹路愁官長破帽青衫拜孝陵亭長一坏終馬上橋山萬歲始龍迎當時事業難身遇憑伏中官說與聽張如蘭詩山色連雲暗松風半夜寒虛墀人語細巍殿斗文蟠香篆浮仙掌燈光影翠微千官瞻拜後花露濕峩冠

齊明宣陵明帝尊生母沈氏爲太后葬幕府山俗呼國婆墳

齊明欽皇后陵在淳化鎮北南史明欽劉皇后葬江乘縣張山

齊文惠太子陵葬夾石

齊海陵王墓沈括筆談云慶曆中在金陵有農人以方石鎮肉視之若有鐫刻取石洗濯乃海陵王墓謝朓撰并書字畫如鍾繇

齊巴東公墓在棲霞寺側有丞相巴東獻武公碑

昭明太子安寧陵在東北四十五里冒山前

安成王墓在清風鄉南史夏侯亶王僧孺劉[illegible]撰碑可辨者一乃劉孝[illegible]

始興王墓南史梁始興王蕭憺墓在清風鄉黃城村有神道碑

臨川王墓在北城鄉碑題梁故假黃鉞侍中大將軍揚州牧臨川靖王碑王名蕭宏

梁南康簡王墓在神泉鄉二石獸高三丈地名石獅子石柱一題開府儀同三司南康簡王碑王名蕭績

梁吳平忠侯墓在清風鄉花林村柱題梁故侍中中撫軍將軍開府儀同三司吳平忠侯蕭公碑名景

梁建安侯墓在淳化鎮西柱題梁故侍中左衛將軍建安敏侯墓名正

宋元懿太子攢宮在鐵塔寺法堂

西漢甄邯墓在後湖側南史宋張永嘗開元武湖遇古冢得銅斗一有柄文帝詢之著作郎何承天曰此亡新威斗王莽時三公亡皆賜之一在冢外一在冢内斗爲天之喉舌皆取象焉時三台居江左者惟甄邯爲大司徒必邯之墓又啓冢内更得一斗復有一石銘云大司徒甄邯墓

吳甘寧墓在直瀆山下舊傳墓有王氣孫皓惡之鑿其處爲直瀆

晉山簡墓在樂遊苑内覆舟山之陰

溫嶠墓初葬豫章朝廷追思之乃爲造大墓還葬幕府山陽

郭璞墓在元武湖中湖中有一天語亭韓國藩詠郭璞墓結句云莫因葬法知龍角天上而今在上頭世傳郭墓在金山下未知孰是

卞壼墓在今朝天宮西晉蘇峻之亂右將軍壼戰死二子眕盱同死難並葬冶城

間盜發塚壺面如生兩手悉拳爪甲穿背詔修治世
武中明太祖微行至朝天宮西見一婦人素服行
已而大笑太祖問曰夫人何笑哭之頻對曰吾夫子
皆死是以哭然吾夫爲忠臣子爲孝子是以笑太祖
問墓所在指之曰去此數十步明日使人覘之乃卞
壺墓也乃爲立廟曾拯詩握手顏公拳透爪歸元先
軫面如生晉陵伐掘今
無主獨有忠魂占冶城

王導墓在幕府山西與宋明帝陵相近

顏含墓在崗安里曾孫延之銘十四代孫眞卿重書立石

謝濤墓在上元縣土山

陸玩墓在雞籠山玩爲太尉卒給兵千人守塚者七十
家子尚書令納亦葬此山

冥漠君墓彭城王義康修東府城得古塚改葬東岡命謝惠連爲文祭之不知其名假爲此號

謝惠連墓在宣義鄉與本業寺相近

謝靈運墓在上元縣本業寺〔張晉孫詩〕幾年夢草句難成一日春風艸自生來謁荒墳空展轉小塘幸有謝公名

柳世隆墓在倪塘世隆曉術數于倪塘創墓與賓客踐履每往常坐一處及卒墓正其坐處

劉瓛墓在青龍山虞炎〔詩〕下帷聞昔儒窺園信且逸聚學叢嶸郊棲遯事環華識景謝歸年稅駕空悠日庭露已沾衣松門向蕭瑟惆悵神念周依依惠言密〔謝朓詩〕嘉樹因枝條琢玉良可寶若焉陵曲臺垂帷茂淵道善誘宗學原鳴鐘霽幽抱仁人徂宛洛清巖夜何早歲晚松陰結平原亂秋草不有至言楊終滯西山老〔竟陵王蕭子良詩〕漢陵淹鉛蕪晉殄洙風軼五都聲論空三河文義絕典禮邁前英談元踰往哲明情日夜深微音歲時滅垣井總已烟雲從容齊爾欲牛山悲我悼驚川逝〔蕭子隆詩〕堂子不謬問道寻未窮如何舜白日千載隔音遺門一已絕長夜緬難終初松切暮鳥新楊摧曉風

闕向蕪齋泉途轉銷空（柳惲詩）西河叙高業北[illegible]
清塵曾徽誰與寄尚德在伊人遺文重昭晰絕緒[illegible]
紛淪露華向朝日蘭生無久春芳猷動淵思撫獻[illegible]
亦辰山風起寒木野雀亂秋椿壟草時易宿素[illegible]
難遵沈約詩表闕欽逸軌式墓禮貞魂化途終渺[illegible]
神理曖猶存塵駕未輟軌高衡已委門日蕪子雲舍
徒望董生園華陰無遺市楚席有
靈樽幽泉倘能慰長夜且勿論

裴邃墓 邃子之禮梁黃門侍郎邃有廟在光宅寺西松柏鬱茂范雲廟在三橋蓬蒿不翦武帝南郊道經二廟顧而嘆曰范爲已死裴爲更生大同初都下旱蝗四籬門外桐柏凋盡唯邃墓舊蔥自若當時異之

司馬子產墓 司馬暠梁正員郎丁父子產艱哀毀甚廬墓側日進薄麥粥一升墓在上元縣新林連接山阜舊多猛獸暠結廬數載豺狼絕跡常有兩鳩栖宿廬所馴狎異常承聖中除太子庶子

王僧辯墓 在方山僧辯爲陳霸先所害父子七人同瘞一穴宣帝天嘉中故吏衛卿許亨抗表請以家財造

書

墓葬之

唐顏尚書墓在縣東蘇鄉後顏邨舊謂魯公非也考之魯公上世多葬金陵延之子峻等皆歷尚書

張懿公墓在金陵鄉石頭城東北有墓碑南唐張佖詠也

宋王安石墓在半山寺范成大詩百歲誰人巧拙一丘底處戲成半世青苗法意當年雪竹詩情

李邈墓在青龍山邈臨江人知真定府金兵破城不屈而死贈昭化軍節度使

楊宗閔墓在鍾山鄉宗閔代州崞縣人建炎初金兵永康衆勸避去閔曰吾結髮受恩今老矣惟有死耳城陷血戰而死贈太師魏國公謚忠介子存中收葬鍾山

節度王瑋墓在鍾山鄉

葉祖洽墓在上元縣鴈門山

張孝祥墓在上元縣清果寺

明中山王墓在鍾山之陰王姓徐名達鳳陽人年二十二從明高帝起兵滁陽授鎮撫時諸將崛起無適主王首先翼戴衆心乃服丙申從定建康下京口毘陵寧國宜興諸郡丁未克蘇州縛張士誠以歸洪武元年加中書右丞相信國公兼太子太傅克樂安遡河入汴洛崤函郡縣望風降附遂入元都二年征臨洮李思齊不戰降西征平涼獲張良臣斬之陝西悉平拓境極於西北始還進魏國公食祿五千石十七年鎮燕召還明年二月卒年五十四贈中山王謚武寧賜葬高帝親爲神道碑文

開平王墓在鍾山之陰王姓常名遇春懷遠人初歸明高帝從攻采石舟距岸三丈許莫敢先登帝麾王前即挺戈大呼一躍而登敵披靡潰去遂拔采石取太平丙申敗蠻子海牙江中攻建康先登從徐達克鎮江再攻常州戰牛塘擒僞吳健將張德援南昌過彭蠡湖射中敵梟將張定邊友諒喪

魄退保鞋山旬五月友諒食乏求戰帝及遇春舟皆膠沙力戰得脫竟殲友諒又敗張士信于舊館明年擒士誠封鄂國公副大將軍北伐破元都定中原皆先登所過輙下師還次柳河川卒年四十上震悼親爲文以祭賜葬詔宋濂撰神道碑

岐陽王墓在鍾山之陰 王姓李名文忠盱眙人明高帝甥初賜姓朱統兵援池州攻下太平取嚴州授帳前總制親兵都指揮使守嚴州出奇破苗獠仍置鐵筏上順流下以礮擊賊苗將蔣英劉鎮降遂拔紹興諸暨馳擊李明道謝再興等皆破擒之遂築新城五指巖下李伯昇寇新城兵勢甚銳文忠馳槊犯其鋒敵披靡奮擊大破之丙午總水軍下江浙復姓李洪武元年平閩賊詔爲大將西援慶陽三年復總兵北伐出野狐嶺遂克應昌班師封曹國公十六年兼領國子監事明年卒年四十六追封岐陽王謚武靖詔董倫撰碑文

東甌王墓在鍾山之陰 王姓湯名和鳳陽人高帝居滁時隸王麾下時諸將驕蹇不用命

獨和恭謹受約束帝委任焉授管軍總管陳也先冦
太平矢中左臂益奮擊卒擒也先方谷珍據温台諭
降之乘勝下福州獲陳有定平大同宣府封中山侯
四年破蜀十年加封信國公討平五開山猺賜第鳳
陽尋諭築海上城起登萊抵江浙凡五十九處二十
一年歸鳳陽明年卒年七十贈東甌王謚襄武賜葬

蘄國公墓在幕府山公姓康名茂才蘄人元末結義兵爲都元帥明太祖渡江茂才以麾

下降拜水軍翼元帥陳友諒將犯建康高祖寄諭茂
才曰汝素善友諒可誘之速至茂才家有老閽者嘗
事諒乃爲書諭納款意友諒得書喜問康公何在曰
守江東橋橋問何橋對曰木橋歸告余其日至江東
橋呼老康必余應也茂才以書上太祖命易橋以石
友諒至見橋驚知茂才紿已復連呼老康亡應者兵
遂潰又從征下齊魯關隴鎮河中節制太原
諸城再征漢中卒追封蘄國公謚武毅賜葬

東丘郡侯墓在縣南五十里水橋侯姓花名雲懷遠人明初守大平陳友諒

人陷城陷不屈死妻郜氏赴水死侍兒孫氏挾郜氏
抱子煒匿水中七日不死遇老父與之偕行達金陵

明太祖冥兒于滕因此將種也授水軍左衛指揮僉事洪武七年偕孫氏至太平奉母郜夫人骸歸乃束草像父加以衣冠合葬於此宋太史濂爲墓碑

江國公墓在鍾山之陰 公姓吳名良定遠人與弟禎俱渡江取太平定建康克鎮江常州功居多張士誠據姑蘇跨有淮東浙西江陰當其衝士誠又多變詐良金帛啗將士良繕城池嚴步伍敵不敢犯洪武三年封江陰侯卒贈江國公謚襄烈賜葬

海國公墓在鍾山之陰 公姓吳名禎良之弟郭子興鎮和陽孫德崖來就食與子興有[illegible]達言兵鬭城中太祖急呼禎整兵以入得不亂太石破方山寨爲總管洪武三年封靖海侯大軍[illegible]禎由登州轉餉兵食充足海上有警領兵至琉球大洋俘倭賊以歸卒贈海國公謚襄毅賜葬

滕國公墓在鍾山之陰 公姓顧名時濠人從渡江屢戰功授同知天策衛事從大軍北定燕薊洪武三年封濟寧侯擒蜀明昇後鎮北平十二年卒贈滕國公謚襄靖賜葬

安陸侯墓在鍾山之陰侯姓吳名復合肥人甲午從滁州授千戶累立功陞僉督府事封安陸侯十六年卒諡威毅賜葬

許國公墓在鍾山之陰公姓王名志濠人從克和州定金陵圍常州先登陞右副元帥從征高郵下黃梅蹙友諒於彭蠡征武昌廬州安豐有功授親軍指揮使守六安北伐中原從馮將軍取懷慶澤潞留守平陽移漢中洪武三年封六安侯卒贈許國公諡襄簡賜葬

靜誠先生陳遇墓在鍾山之陰賜葬有傳

太常寺卿呂本墓在鍾山之陰本壽州人來歸丙午爲中書掾史歷吏部尚書除太常卿十四年卒賜葬

知府高復墓在縣境復字再興山東臨邑人洪武初知常州府事爲政有惠愛旱禱于城隍夜夢神告曰雨至矣天明果大洽歲登民頌其德改吉安同知復知常州以老疾辭賜半祿贍之卒敕

葬

都御史丁璿墓在崇禮鄉有傳

尚書王敞墓在土山賜葬有傳

右都御史金澤墓在惠化鄉鍾山岡有傳

太子太保梁材墓在白山賜葬有傳

刑部尚書顧璘墓在彭城山賜葬有傳〔顧璘卜得彭城樂丘漫賦〕買山初費賣文錢預卜新丘古澗前舊日高人招隱地此生逆旅待終年烟霞寄傲深成癖去住忘情澹入禪白髮光陰知幾許紫泉州谿足夤緣

少司馬李喬墓在太平門外黃練岡恭人舒氏葬其右

太子少傅莊節公張可大墓在麒麟門外侯家塘賜葬有傳

坦然先生周文燁墓在麒麟門鎖石邨

太僕卿方大美墓併元配王淑人合葬於上元縣秣陵關之邵邨公子方拱乾戊辰進士館選第一廬墓三年艸衣木食翰墨爲一時推重

南京國子監監丞黃居中墓在挿花廟官山有傳

以上上元

宋孝武帝景寧陵在巖山見六朝事跡

宋少帝陵在南郊壇

前後廢帝陵皆在郊壇西太宗踐祚遷前廢帝何皇后合葬龍山北龍山即巖山也

梁孝元帝陵在縣未詳所在陳天嘉元年詔梁孝元遭罹多難靈櫬播越朕昔經

北面有異常倫遣使迎接已欽近路江寧既是舊塋
宜即安卜車旗禮章悉用梁典依魏葬漢獻帝故事

宋孝武路太后陵在孝武陵東南

殷淑妃墓在龍山

齊豫章王嶷墓在金牛山南

竟陵王子良墓在金牛山

梁文宣阮太后陵在通望山

陳張麗華墓在賞心亭天井中〔曹景建詩〕伴侶聲沉王
氣銷香魂血漬有誰招
蓬科三尺光塵在猶作臺城花柳妖〔蔣主忠詩〕城外
甲兵已合庭中玉樹猶歌三尺孤墳何處斷雲殘雨
一蓬科

南唐昭惠后懿陵未詳所在〔後主詩〕又見桐花發舊枝
一樓烟雨暮淒淒憑欄惆

悵人難會不覺潸然淚眼低

明張賢妃墓在牛首東高帝妃謚恭靖順妃荆憲王之母

李順妃墓在吉山東北亦高帝妃謚悼熙麗妃

安王妃墓在石子岡南

韓憲王墓在安德鄉與灣塘相近里俗呼爲韓府山

駙馬都尉梅殷墓在牛首 殷汝南侯思祖從子尚寧國公主恭謹有謀勤學問能騎射常命提督山東學校帝稱殷精通經史堪爲儒宗後成祖兵起公主移書阻之王不答兵至淮北與公主書言與兵不得已故令遷居太平門外勿罹兵禍公主亦不答殷既爲譚深等所害有瓦剌輝者尸外人久屬殷幕下憤深等害殷請於上剮二人手足剖其心祭殷畢即自經死葬殷墓側

臨安公主墓在祝禧寺西南明太祖長女駙馬李祺合
　葬祺永樂初不朝賜死于江浦

福清公主駙馬張麟墓在七里鋪東

南康公主駙馬胡觀靖難戰死事見表忠記葬牛首山
下將軍山公主葬馴象門外賽工橋裔孫承廕官粤
死之

含山公主駙馬尹清墓在雨花臺南

汝陽公主駙馬謝達墓在安德鄉

常寧公主駙馬沐昕墓在泰北鄉

伍婆塚在丹陽西溪上即古江寧境相傳伍子胥祖父墓至元溪上有突然一墩上[illegible]

徑丈高倍之林木陰翳爲居人遊觀之所

吳諸葛恪墓在石子岡 恪爲孫峻所殺投之石子岡今不知葬處

張悌墓在板橋西

晉王祥墓在縣西南八十里何湖側有斷碑 戚氏許云近始就

衛玠墓去城十里在新亭東 玠以天下亂扶母西建康姿容之盛觀者如堵卒年二十七人謂被人看殺

阮籍墓在鳳臺下 周亮工讀鳳凰臺募疏有曰萬曆壬辰李公昭于鳳凰臺傍掘地得石碑爲半段曰籍之墓已又得半段曰晉賢阮始知此地爲籍墓後有人窮之多得殉物甫田姚旅曰楊朗陵鳳臺晚眺詩云秋徽朋儕杖具游鳳凰無跡剩雲流臺縫古佛遲千月酒鄉高賢叫一丘正指籍墓也近秋浦劉廷鑾金陵問墓詩阮籍墓有幾時到金陵惝怳存一丘之句皆明驗也又云亮幼時聞之家大人云

今任氏文園小土阜者籍墓也

謝安墓在城南梅岡墓前有無字碑漢晉紀事云安墓前無字碑爲其功德難述按南史郡吏南陽樂藹與沈約書請爲碑文荅曰安石素族之白輔時無麗藻迄乃有碑無文葢謂此也南唐書云梅嶺岡相接處即謝安墓

河内山玩墓在瓦官寺

王濛墓在高亭湖側

宋劉穆之墓元嘉二十五年車駕幸江寧經穆之墓詔致祭

梁吉翰墓在吉山

朱异墓在巖山前

南唐韓熙載墓在梅岡有碑

宋楊忠襄公邦乂墓在聚寶門外〔游九言墓道碑畧云其有恥心也孰不好生而惡死寧死弗顧者爲其無以自立乎天地間有重于生故也如其不恥則大丈夫不足爲難而名義不重矣宋楊萬里三月三日上忠襄墳詩草藉輪蹄翠織成花圍巷陌錦幃屏早來指點遊人處今在遊人行處行淮山脚下大江横御柳梢頭絳闕明覽盡山川更城郭雨花臺上大奇生遊人不是上墳回便是清明禊事來最苦相逢無處避天禧寺及雨花臺女唱兒歌去踏青阿婆笑語伴渠行只戲郎罷優輕殺檷了雙擔挈酒擁紛搜孩兒活逼真象生果子更時新輸贏一擲渾閑事空手入城羞殺人

李琮墓在板橋西龍尸山

李耕墓在江寧鎮王家莊

李回墓在江寧鎮西官山

贈少師平海軍節度使王福墓在新亭鄉

戚方墓在城南高座寺後高宗時武將

秦鉅墓在處真鄉移忠寺側

尹起莘墓在新亭鄉印塘村

秦檜墓在江寧鎮南至今翁仲尚存行道過者無不唾詈其年倖被掘發去石數車有水池浮巨段木其中少動輒橫撞有巨聲竟被盜發夫賊檜垂死爲計深遠如此其愛妻塚在墓側亦爲盜發就中得金寶甚多〔宋楊萬里宿牧牛亭詩〕函關只有一穰侯嬴館寧無再帝丘天極八重心未死台星三點坼方休只看壁後新亭策恐作移中屬國羞今日牛羊上丘壟不知丞相更嗔否

劉叔亮墓在雨花臺側〔趙孟頫登雨花臺弔故人劉叔亮墓〕雨花臺上看晴空萬里圖

烟入望中人物車書南北混江山襟帶古今同魚龍未蟄霜先殞鳳鳥不鳴江自東綠髮劉伶曾醉死往日荒塚醉西風

明寧河王墓在城南西山之原 王姓鄧名愈虹人年十六率衆來歸充管軍總管從定金陵歷元帥已亥略浙西臨安移鎮饒州僞漢數遣舟師攻城王輒殲之辛丑率衆襲浮梁取樂平饒境悉定攻鄧克明撫州平鎮襄陽時郡縣新附綏輯得宜洪武元年以御史大夫充征戎將軍封衛國公五年爲征南將軍討土番烏思藏窮追至崑崙山召還至壽春卒年四十一贈寧河王謚武順賜葬

黔寧王墓在長泰北鄉 王姓沐名英定遠人八歲喪母明高祖憐之撫爲子賜姓朱年十八授帳前都督守京口元年取鉛山崇安遂從大將軍克延平擒陳友定復姓沐伐蕃部川藏抵崑崙山俘獲還封西平侯討雲南平之十五年烏撒東川叛率兵往下之是年諸將班師留鎮雲南撫綏南服二十一年平緬寇定遠縱兵大戰敗之在鎮近十年卒年四十八追封黔寧王謚昭靖賜葬

虢國公墓在城南聚寶山公姓俞名通海巢人父廷玉弟通源通淵結寨巢湖自守及聞明太祖駐和陽走歸款時方規取金陵得水軍甚喜率師至巢湖拔出寨蠻子海牙陳兆先之戰皆火攻敗其衆攻鎮江常州宜城敗呂珍與吳戰中流矢右目失明從征友諒大戰鄱陽湖以七舟深入敵寨鏖戰飄颻遂出敵舟傍軍中歡呼氣益奮遂殪友諒班師守廬州繕城池與農田從征西至滅渡橋中流矢卒贈虢國公謚忠烈賜葬

越國公墓在城南十五里公姓胡名大海虹人甲午謁明太祖爲前鋒從入和州攻采石定金陵皆先登取徽嚴攻下蘭溪收諸暨衢處賓信皆全軍獨克授江南行省守婺州壬寅苗軍元帥蔣英叛刺殺大海降上誠後杭州下縛英至京師命懸像刺英血以祭贈越國公謚武莊賜葬

梁國公墓在烏石岡公姓趙名德勝鳳陽人馬上運槊如飛人呼爲趙黑賜今名爲帳前先鋒從下和州渡江下金陵取廣德常州陳友龍江虎口城龍江第一關德勝守之從朱文正取

呂守宮步三門敵攻門禦之坐門樓指麾士卒中流矢卒追封梁國公謚武桓賜葬

郢國公墓在鳳西鄉 公姓馮名國用兵亂里人推爲義長甲午謁明太祖於妙山言先撥金陵令上意從克和州渡江下采石典親兵擒陳兆先選其驍勇五百人置之麾下令入宿衞屏舊卒于外獨留國用侍卧榻及攻建康國用率五百人先登遂平之遷大元帥帳前都指揮使已亥攻紹興卒追封郢國公賜葬

陝國公墓在聚寶山 公姓郭名子興濠人從明太祖渡金陵授管軍總管陞統軍元帥圖常州晝夜力戰衣甲生蟣蝨彭蠡之戰賈勇先登斬獲數多陞僉事督府佐大將軍守潼關潼關三秦門戶也厲兵秣馬愼防險要洪武三年封侯伐蜀巡北邊還十六年卒贈陝國公謚宣武

營國公墓在聚寶山 公姓郭名英濠人年十八從渡江克采石定金陵下鎭江廣德寧國江陰皆有功大戰鄱陽英裹瘡奮擊射友諒中目陳同僉者敵之梟將也善運槊馳入中軍明太祖方坐

撫床呼曰郭四爲吾殺賊持鎗躍馬應手而斃解赤戰袍衣之曰尉遲敬德不汝過也洪武十九年封武定侯充靖海將軍靖難後罷歸第永樂元年卒贈營國公謚武襄

沂國公墓在太平門外 公姓金名朝興巢人洪武十二年封宣德侯征雲南卒賜葬

芮國公墓在鍾山之陰 公姓楊名璟合肥人洪武三年封侯從大將軍鎮北平卒賜葬

當塗縣男王愷墓在雨花臺側 愷同越國死金華之難

汝南侯墓在鍾山之陰 侯姓梅名思祖夏邑人徐達攻淮安時以張士誠中書省右丞降從平浙西復從取山東北平河陝破王保保洪武三年封汝南侯平雲南署布政司事民皆安之十五年卒賜葬

夏國公墓在安德門外普化寺北 公姓顧名成湘潭人從江都丙申來歸右帳前親兵常執蓋侍出入從伐平蜀征雲南皆有功由征五開六洞苗除遷右都督靖難兵起從盛庸戰真

定破執圳成祖解其縛遣至北平後以功封鎮遠侯卒贈夏國公謚武毅

蔡國公墓在城南十五里公姓徐名忠永樂中賜葬大學士楊士奇撰神道碑

鄖國公墓在聚寶門外公姓宋名晟永樂中賜葬

平江侯墓在大山之原侯姓陳名瑄合肥人父聞謫戍遼陽侯請代原戍從征累功陞督府僉事靖難兵至以舟降封平江伯永樂初督舟師海運歲米百萬石置倉直沽尹兒灣城天津衞耕兵戍守又起高丘嘉定爲運表識名寶山旣開會通河罷海運建議造淺艖二千艘歲運二百萬石後增至五百萬石疏清江浦引水由管家湖入鴨陳口達淮就湖傍築堤十里以便引舟浚儀眞瓜洲通潮鑿呂梁百步二洪石平水勢開泰州白河通大江築高郵湖堤堤內鑿渠四十里濱淮作常盈倉五十區貯江南輸稅徐臨淸德州皆置倉以便轉輸又濱河置舍五百六十八所舍置淺夫膠處俾導舟緣河堤鑿井樹木以便行人明代言漕運者皆莫及卒贈侯謚恭襄

安遠侯墓在安德鄉侯姓柳名升

隆平侯墓在朱門山侯姓張名信

忻城伯墓在鳳臺門東伯姓趙名彝

懷遠侯墓在板橋侯開平王孫嘉靖中續封

瑞安侯墓在聚寶門外鳳臺街侯姓王名源

豐城侯墓在吉山東南侯姓李名彬

武靖伯墓在雨花臺伯姓趙名

南寧伯墓在安德門外伯姓毛名

太子少保唐鐸墓在南十五里鐸鳳陽人賜葬

丹陽男孫炎墓在聚寶山不詳其處有傳

太常卿杜安道墓安德街東

韓成墓在吉山成死鄱陽之戰康郎山祠功臣以成爲首

文學博士方孝孺墓在聚寶山側公寧海人受知明高帝建文時爲文學博士靖難後文皇命草詔不屈磔死夷其族門人王稌輩收遺骸葬聚寶山或曰土人以甕籠葬萬曆十九年祠部汪應蛟湯顯祖爲文立石表其墓宗伯王弘誨趙用賢監坊祠祀之而經營其費者徐鯨也按吾學編收孝孺骸者都督廖鏞〈葉向高方正學先生祠墓詩〉燕歌一夜滿都城大內呆恩火徹明無復看書延侍講仍傳天語勞先生兩朝事往君恩在十族烟銷詔草成爲問精靈何處是雨花臺畔子規聲〈徐頻正學先生墓〉赤鳳焚巢尚覆雛一坏封樹王恩殊冶城無鐵鑄肝胆石髮何人藏髮膚信史直須求草野鴟夷幸不殉江湖空憐粉壁多生氣難繪當年負扆圖

浡泥國王墓在石子岡永樂中來朝卒賜葬於此

太常卿康爵墓在新亭南

學士張益墓在鳳西鄉西庫村（公正統十四年卒于土木之變成化乙巳季子太僕寺丞翔始具公衣冠葬此震澤紀聞翔以官之上木設祭夢其父素紅沙馬巳天明廄內紅沙馬暴死歸詢之父老父老云此即其父死地死時所乘乃紅沙馬也）

太子少保周瑄墓在安德鄉（賜葬有傳子布政紘墓在烏府山）

太醫院院使蔣用文墓在鳳西鄉塘下山（有傳）

太子少保童軒墓在鳳臺岡（賜葬有傳）

禮部尚書倪謙墓在新亭鄉（賜葬有傳）

少保倪岳墓在新亭鄉堤墓村（賜葬有傳）

南京刑部尚書張瑄墓在唐家山（賜葬有傳）

南京右都御史張琮墓在鳳西鄉賜葬有傳
太保王以旂墓在白山賜葬有傳今縣東南與幽棲山近非上元白山也
太學處士賀確墓在鳳西鄉有傳
兵部侍郎俞綱墓在聚寶門外雨山南
南安知府金潤墓在長泰鄉子刑部侍郎金紳祔葬墓側有傳
刑部尚書翟瑄墓在新亭鄉有傳
太常卿翟瑛墓在新亭鄉有傳
參議王徽墓在長泰鄉祖堂原有傳
戶部尚書吳文度墓在石子岡有傳

參議朱貞墓在鷄子山有傳

右布政倪阜墓在小邵村有傳

參議凌文墓在安德鄉子知州雲翰祔葬有傳

參議李昊墓在鳳西鄉李家庫有傳

參議羅麟墓在鳳西鄉磨店村

都御史陳鎬墓在鳳西鄉弟廣東提學副使欽並葬有傳

太僕卿陳沂墓在安德門外岔山口有傳

給事中魯昂墓在夾岡門耿澗村

知府姚昺墓在安德鄉

金冕墓在安德門外冕字彥端有學行孫琮字元玉爲南畿名士

贈監察御史羅富墓在賈家山富少負才氣累舉不第遂絕意仕進以子鳳貴贈官孝友尚義羅圯訓其爲陳郭之儔云

副使顧璵墓在石子岡有傳

僉事陳鳳墓在安德鄉有傳

吏部郎中王鑾墓在石子岡有傳

太僕少卿王韋墓在吉山有傳

僉事徐完墓在小酉山有傳

僉事李旻墓在新亭鄉鷄子山

布政使吳彥華墓在新亭鄉

贈監察御史邵信墓在鳳臺門外西庫村

中都副留守梅純墓在安德鄉有傳

監察御史蔣達墓在夾岡門

工部主事何遵墓在安德鄉有傳

孝子景華墓在鳳西鄉有傳

學憲姚履素墓在安德鄉有傳

禮部侍郎殷邁墓在湖堰村白家湖之陰賜葬有傳

監察御史沈越墓在石子岡祔葬贈監察御史𡈼墓側

琪世爲江寧人有隱德著有瞻雲樓詩集

刑部侍郎吳自新墓在江寧鎮之銅山鄉賜葬有傳

副使顧國輔墓在女山有傳

太常卿許穀墓在安德門外有傳

文端公焦竑墓在仙鶴門外皮家庫有傳

會元顧起元墓在雲臺山有傳

狀元朱之蕃墓在牛首山前大山有傳

贈太子少傅張如蘭夫人李氏墓在城南太白鄉

相國程國祥墓在安德門外北山

大學士文端何如寵同夫人方氏墓在江寧之歸善鄉

大中丞余大成墓在白宕山有傳

文烈公汪偉墓在射烏山石佛菴王潢華山會葬汪文烈公暨耿夫人詩使節人臣事同心婦烈彰幽宫蹲虎豹高塚卧鴛鴦微日沉青鏡悲風起白楊夜深環珮響攜手共翱翔松檟鬱蒼蒼泉臺影梵堂雪翻層石浪華滿衆山香執紼荒阡外懸碑古道旁墓門三尺土千載濕椒漿

學憲王芝瑞墓在仙鶴觀側王潢詩門人王馮徒跣走嶺南扶其尊人學憲公旅櫬因載潘瀍于詩御柩同歸賦贈素旐單縗嶺表來驚聞狂喜不勝哀丹心臣自留生氣白骨人誰問死灰十一年間孤子淚八千里外兩棺同因親及奔[illegible]難事見爾悲哉實壯哉煢煢誰卿彥升兒行路人[illegible]感孝思瘴癘直驅山海氣精誠全仗鬼神知李譚[illegible]節終何濟力挽頹綱定不移北面爾曾稱弟子東[illegible]今日是[illegible]吾師

郎中李逢暘墓在安德門內城闉有傳

楊希淳墓在牛首山之陰有傳

白雲先生陳昂在口口口

大清太子少保總督浙江部院趙公廷臣母高太夫人

墓在豐山口公性至孝事太夫人有曾閔之行迨時太夫人卒于金陵痛不及視含殮康熙五年奉疏請解任歸葬蒙

命旨權厝此地

萬曆丙辰科進士山東登萊道佟公卜年元配陳氏以

子大中丞國器貴誥贈太淑人墓在鳳臺門象鼻山

大中丞林公天擎元配劉淑人墓在牛首山之陽

贈朝議大夫劉應詔恭人鄒氏墓在鳳臺岡子于思敬整飭左江參議丁亥進士思問瑞州府同知壬午舉人

附曾肅墓相傳在上新河南岸圩田中今去江不遠土人耕田戒不敢犯云

梁棣墓在鳳臺門見金陵新志中

宋程偃孫墓在清涼寺後山偃孫伊川先生後裔也嘉靖初地陷視其墓知爲程墓云　以上江寧

周越王墓在大横山下　王名翳安王時葬

晉葛洪墓在縣西一里　有傳

紀瞻墓在東南二十五里　有傳

梁陶弘景墓在雷平山　有傳〔顧璘隱居墓詩〕薄俗無上善高賢蓀清眞圖牛憚爲儀古墓今猶珍松風有餘聽草露無長春徒使輕轝士依稀慕芳塵

唐顏眞卿墓在縣東後顏村

明吏部尚書曹義墓在箭塘山　賜葬有傳

太僕寺卿張諫墓在福祚鄉賜葬有傳以上句容

漢史崇墓在埭頭里有晉永和唐貞觀二碑

陶謙墓在縣西南陶岕有傳

萬彧墓在銀方山下

宋錢時敏墓在上墟村以上溧陽

周左伯桃羊角哀墓在南儀鳳鄉孔家鎮伯桃哀戰國時燕人二人為友聞楚王好士乃同去燕入楚值雨雪糧少伯桃并糧與哀令往事楚自入空樹中餓死哀至楚為上大夫言於王備禮葬之伯桃一日見夢曰君為荊將軍所苦我持兵冢上以助我哀泣曰吾持兵冢上安知汝之勝負乃開塚死從伯桃遂並葬焉

荆將軍墓在縣南四十五里

宋俞臯墓在縣西琛山有傳

明兵部尚書齊泰墓在縣南青緑洞有傳

以上溧水

南唐慶王墓在縣南十里王名弘茂元宗第二子幼穎異不喜武事每晏遊以詩賦爲樂

宋魏良臣墓縣南十里地名南塘有傳

卞文宣公勔墓在相國圩西埂

以上高淳

楚項羽墓在烏江

宋袁孝祥墓在黃悅嶺東七犯山有傳

明南京吏部郎中文節公雅杲墓在定山有傳

以上江浦

唐陳融墓在棠邑鄉元中呂溫表其謚曰貞晦先生

唐汾陽王郭子儀墓在盤城

宋文士徐彥伯墓在馬鞍山

彭武伯楊洪墓在竹鎮有傳

贈太常少卿忠節黃宏墓在靈巖山之陽有傳嘉靖間禮部請勑南京工部勘銀六十兩修墓

兵部副使王弘墓在巴山有傳

贈刑部左侍郎李雲鵠墓在竹墩之北崇祀鄉賢

刑部左侍郎李徽墓在龍山傍賜葬　以上六合

宅第

宋明帝舊宅在青溪中橋北即位後改爲湘宮寺

齊武帝舊宅宋舊志今城東一里青溪上　齊書帝諱賾太祖長子生於建康青溪宅永明三年幸青溪宅

梁武帝宅在城東十五里同夏浦後爲光宅寺　宋大明八年生於秣陵縣同夏里三橋宅後即位置同夏縣

吳張昭宅在秦淮南今聚寶門外

張悌宅在城南板橋

是儀宅在臺城吳志儀性儉門甚陋帝幸其宅求食無所增加孫權見大屋人謂儀門必非

諸葛恪宅在元風觀前

陶璜宅在石頭塢其地名陶家渚

晉陸機宅在越城西北舊志云臨淮有二陸讀書堂帶秦淮屏鍾山最爲幽邃後機入洛作懷舊居賦即此

王導宅在烏衣巷南臨驃騎航今當在武定橋東晉記江左初立瑯琊諸王居烏衣巷導嘗使郭璞筮之卦成璞云吉無不利淮水竭王氏滅劉禹錫詩朱雀橋邊野草花烏衣巷口夕陽斜舊時王謝堂前燕飛入尋常百姓家

謝安宅在烏衣巷驃騎航側桓靈寶之亂欲以安宅爲營謝混曰召伯之仁猶惠

及甘棠文靖之德更不保五畝宅耶靈寶慙而止（蔡宗旦金陵賦）前予立乎淮渚思驃騎之古航慕文靖其既遠宅五畝其已荒念憇茇猶勿剪歌詩人之甘棠（李白詩）青山日將暝寂寞謝公宅竹裏無人聲池中有虛白荒庭衰草遍廢井蒼苔積惟有清風聞時時起泉石

謝尚宅在竹溪渡今下水門內永和四年尚捨宅造莊嚴寺宋改名謝鎮西寺

謝萬宅在長樂橋東

紀瞻宅在烏衣巷瞻爲□東長史乞歸進驃騎將軍宅側浮航遂名驃騎航

謝元宅在土山其地名康樂坊旁有謝元走馬路

郗鑒宅在青溪上

杜姥宅在冶城側地理志在端門外直蘭臺路西帝后杜氏母裴乃杜弘治之妻

吳隱之宅在古都城南五里今雙橋門內所居內外茅堂六間籬垣仄陋妻子不免寒露女嫁謝安務厨助之使人至日高蕭然乃令婢牽一犬入市賣之其清操如此

劉勔宅在蔣廟東北名東山園

宋何尚之宅舊志在南澗寺側尚之廬江人爲丹陽尹立私宅於南澗置社學聚生徒東海徐秀廬江何曇並慕道來學

顧愷之宅在瓦官寺東北愷於宅內建層樓爲畫所風雨寒暑不下筆必天氣明朗時乃登樓染毫即去梯妻子罕見

沈慶之宅在古城東南十里今上方橋左右 南史傳云慶之居清明門外有宅四區室宇甚麗又有園在婁湖慶之一夕攜子孫徙居之以宅還官柳元景造之鳴笳列卒滿道慶之插杖而耘嘗賦詩云老朽筋力盡徒步還南岡

謝幾卿宅在城東南十八里 幾卿免官居白楊石井朝中交好者載[illegible]座

建平王劉宏宅在雞籠山 宏年少篤好文籍太祖愛之立第盡山水之美

齊竟陵王子良宅在蔣山 子良行宅詩訪宅北山阿卜居西野外幼嘗悅禽魚畢佳美蓬蓽

蕭坦之宅在秦淮上

劉瓛宅在青龍山陽 南史瓛居檀橋瓦屋數間上漏學徒敬慕不敢指斥呼爲竟陵王子良表武帝爲立館以檀橋地給之

周顒草堂在鍾山北顒隱居之所後出爲海鹽令捨宅爲草堂寺孔稚圭作北山移文以譏之宋（王安石詩）周顒宅作阿蘭若婁約身歸寧堵坡今日隱侯身亦老偶尋陳迹到烟蘿

梁沈約宅在鍾山麓名東田南史約遷尚書令名譽雖隆重而居處儉素立宅東田矚望郊阜嘗爲郊居賦以敘其事又嘗賦東園詩有槿籬疎復密荆扉新且故之句雜跖集云約宅成劉杳贊之約報云惠以二贊詞采妍富便覺此地佳勝十倍

范雲宅在城東南七里臨秦淮（何遜經范僕射宅詩）旅葵應蔓井荒藤已上扉寂寂空郊野無復車馬歸歔欷故池水蒼茫落日暉遺愛終何極行路獨沾衣

伏曼容宅在府治西南三里

伏挺宅在古潮溝西北挺於宅中講論語時士大夫往

聽者爲之傾聊生徒常數百人

朱异宅在府城東北异及諸子自潮溝列宅至青溪臺池玩好歲時與賓客遊讌

到溉宅在縣東臨秦淮

謝靈運宅即康樂坊故居〔靈運還故園詩〕浮舟千仞壑總轡萬尋巔流沫不足險石林豈爲閒夫子昭情素探懷授往編〔李白遊謝氏山亭詩〕淪老臥江海再歡天地清病閒久寂寞歲物徒芬榮借君西池游聊以散我情掃雪松下去捫蘿石道行謝公池上草春光颯已生花枝拂人來山鳥向我鳴田家有美酒落日與之傾醉罷弄歸月遙欣稚子迎

王僧綽宅在縣治南古大社西周顗司馬秀蘇峻皆居此禍敗目爲凶地僧綽曰大丈夫當以正道自居何宅之有凶吉

檀道濟宅在清溪

江總宅在清溪金陵故事南朝鼎族多夾青溪江令宅尤占勝地至宋段約居之總歲暮還之

詩悒然想泉石驅駕出城臺徑竹新前筍鷩花雪後
梅青山殊可對黄卷復時開長繩豈繫日濁酒傾一
杯唐許渾詩身沒南朝宅已荒邑人猶賞舊風光芹
根生葉石池淺桐樹落花丹井香帶暖山蜂巢畫閣
欲陰溪燕入書堂閒愁此地更南望湖滿臺城春草
長宋徐照清溪閣本梁江總故宅詩葉脫林梢處處
秋壯懷易感更登樓日斜鍾阜煙凝碧霜落秦淮水
漫流人似仲宣思故國詩如杜老到夔州十年前作
金陵夢重撫
闌干說舊遊

孫陽宅即對江總宅

陳章載宅在白山下江乘縣之北屏絶、事不入籬門者幾十載事見陳史

唐王昌齡宅近清溪常建詩青溪深不測隱處唯孤雲松際露微月淸光猶爲君茅屋宿

花影藥院滋苔文余亦謝時去西山鸛鶴羣

冷朝陽宅在白下門外（韓翃送朝陽還宅詩）落日澄江烏榜外秋風疎柳白門前橋通小市家林近山帶平湖野寺連

南唐李建勲宅在青溪上（李建勲青溪草堂閒興詩）窗外階連水松杉欲作林自憐趨競地獨有愛閑心素壁堪題遍危冠醉不簪江僧暮相訪簾捲見秋岑

徐鉉宅在亭子橋園池甚盛鉉宅有來賢亭宋裴廸詩結亭意在來賢者誰慕清風爲詩留

張洎宅在秦淮北岸洎爲南唐參政時賜第

韓熙載宅在城南戚家山

孫晟宅在鳳臺山西岡韓熙載見門巷卑陋謂曰秘監若此豈稱爲相第耶明年甲升

相

宋王安石宅在半山王安石後捨爲寺賜額報寧〔後過故居詩〕沂漲開新屋扶輿繞故園事遺心獨寄路翳目空存案漲字字書并無或爲泧字之悞泧水流貌

楊德逢宅在蔣山近後湖自號湖陰先生王直方詩話丹陽陳輔毋清明上冢至蔣山過德逢居清談終日歲爲常後頻歲訪不遇題一絕於門云北山松粉未飄花白下風輕麥脚斜身似舊時王謝燕一年一度到君家〔王安石詩〕水護田將綠遶兩山排闥送青來

蔡寬夫宅在青溪南宋貢院基是其地南窗紀談云蔡寬夫侍郎治第青溪南穴地爲池數尺見有瓦礫甓甖又深尺餘有釜鐵瓦錫器多破碎交錯仆壓於下竈下葦灰猶存又窮其傍大抵昔人居也然後知其下前代爲平地經六朝喪亂瓦礫積而至此高岸爲谷深谷爲陵信哉

王鎰宅在東山

汪膠宅在笪橋

秦鉅宅在江寧鎮南

明陳遇宅高帝嘗三幸焉今莫知所在

文僖張益宅在南門內正統初賜第

倪文僖謙宅在鐵作坊巷不甚廣夾街皆鐵工刈肆公輿從出入肆工皆爲起列公語之曰汝吾鄉人也毋爲我出入妨汝正業第坐爲之後復起再語之始坐公稱長者類如此

倪宫保岳宅在崇禮街舊有宅在古鷺洲坊今宅有世翰堂以公父子相繼爲學士故云

金都憲澤宅在儀鳳門四望山宅後近山有翠雲亭公

讀書處

李參議昊宅在新橋臨秦淮

王襄敏以旂宅在馴象門內有樂壽堂搆以終養者公爲南都御史毋還宅值春秋遊人勝時恒迂道避之

論曰自孫郎創業于石城晉帝纘服于江乘宋齊而下代有締造載在史册由今追昔豈獨搜名勝紀故實而已哉往迹未湮皆有關于民生治術焉葢城名范蠡霸業可尋墩號謝公遺勳爲烈秦淮不竭乃著烏衣烽火彌天猶傳白馬當其治也雖徙武昌之材瓦不礙甲宮及其亂也暫開東第之山池終非樂土

故茅茨可剪何須入漢之樓豪濮會心無事横江之館臨春結綺君臣相謔昔之所以亡也大本延賢遠邇來歸昔之所以興也至若誦北山而謝逋客過西州而慟哲人徘徊南橌還弔尚之指點東籬未忘何點跡邀遂之步如聆遺音訪麈扇之津有懷芳躅豈徒渡江弄楫桃葉擅其風流澄湖瀾波莫愁誇其豔冶已哉嗟乎有成必毁無平不陂苟其可傳即之壠足以千秋如其不然雖瓊室璇題千門萬戶與斷烟荒草同增感慨耳思古之士宜何擇焉

江寧府志卷之二十八終

江寧府志卷之二十九

災祥

日月重輪星雲復旦理有常吉萬民衎衎水旱蝗[illegible]

聖世不無敬天之怒敢不特書作災祥志

周孝王十三年大雹江凍

漢惠帝五年夏大旱江水少

呂后三年夏江水溢

八年夏江溢

永平十二年堂邑旱

延光二年七月丹陽山崩四十七所

建和元年揚州饑遣府掾分行賑

建安元年江淮饑民相食

建興二年江東地震

九年五月建業有野蠶成繭大如卵

十二年九月隕霜傷穀

十四年自去年不雨至於夏

十五年五月江東地震八月白麟見建業有赤烏於

集吳前殿吳主權遂改明年元

延熙二年正月江東地再震

四年正月大雪平地三尺

八年夏震吴宫門柱又擊南津大橋楹
十一年江東地震
十二年四月有兩鳥啣雀墮吴東館將軍朱據領丞
相爆雀以祭
十三年八月丹陽句容諸山崩鴻水溢吴主權原逋
責給貸種食
十四年五月吴主權遣中書郎李崇齎印綬迎羅陽
王表表至建業爲立第于蒼龍門外遂用其語改
年立后八月朔大風江海湧溢平地深八尺吴高
陵松栢皆拔郡城南門飛落

十七年七月江溢
十九年二月建業火
景耀元年有風四轉五復蒙霧連日
四年五月大雨水泉湧溢
五年二月白虎門北樓災八月大風震電水泉涌溢
炎興元年石頭小城火燒西南百八十丈
吳建衡元年二月天火燒萬餘家死者七百餘人
三年正月西苑言鳳皇集遂改明年元嗣是遂大疫
逮三年
天紀三年建業有鬼目菜生工人黄耇家依緣棗樹

又有費菜生工人吳平家如枇杷形兩邊生葉綠色東觀案圖名鬼目作芝草買菜作平慮草遂以耆爲侍芝郎平爲平慮郎皆銀印青綬

晉太康二年二月丹陽地震

四年冬揚州大水

五年八月丹陽地震

九年正月丹陽地震四月江南地震

十年十二月丹陽地震

元康五年六月揚州大水詔遣御史巡行賑貸十二月丹陽建鄴雨雹壽大雪

六年五月揚州大水

九年正月丹陽地震

太安元年有石浮來建鄴入秦淮夏架湖登岸二百餘步百姓咸驚譁相告曰石來明年石冰入揚州

永嘉三年夏大旱江竭

建興四年十二月白玉麒麟神璽出於江寧其文曰長壽萬年

大興元年六月旱帝親雩十二月江東三郡饑賑之

三年四月江東大饑詔百官言事丹陽地震

四年八月黃霧四塞

永昌元年八月暴風壞屋拔御道柳樹百餘株其風縱橫無常若自八方來者十月京師大霧黑氣貫天日月無光閏十一月京都大旱川谷並竭

太寧元年正月癸巳黄霧四塞京師大火五月丹陽大水七月丙子朔震太極殿柱

二年四月庚子京都大雨雹燕雀死

咸和二年五月京師火又大水

四年二月大霖雨城中大饑米斗萬錢七月丹陽大水

水

五年無麥禾大饑

六年正月會州郡孝秀于集賢堂有麞見獲之

咸康元年二月揚州諸郡饑遣使賑給

二年七月揚州饑開倉賑給

八年正月乙未朔京都大雨

永和七年七月濤水入石頭溺死者數百人

九年八月京都地震有聲如雷

興寧元年四月揚州地震

太和六年六月京師大水平地數尺浸及太廟朱雀

大航纜斷三艘流入大江丹陽諸縣稻稼蕩沒

十二月濤水入石頭

寧康元年三月京都大風火大起

三年十二月神獸門災

太元五年六月震含章殿四柱

六年六月揚州大水江東大饑

八年二月黃霧四塞

十三年四月祠太廟畢有兔行廟堂上十二月戊子

濤水入石頭毀大桁殺人乙未大風晝晦延賢堂

災

十四年七月宣陽門四柱災十二月雨木冰

十五年八月京師地震

十六年五月飛蝗從南來集堂邑縣界害苗稼六月
鸛巢太極殿東鴟尾
十七年六月癸卯地震甲寅濤水入石頭毁大桁漂
船舫有死者冬旱
二十一年十月大雪
元興元年十月黄霧昏濁不雨
二年京都大饑人相食
三年二月庚寅夜濤水入石頭商旅方舟萬計漂敗
流斷骸胔相望讙譁震天
義熙元年十二月濤水入石頭明年亦然

五年五月溧陽雨雹六月震太廟
六年震太廟鴟尾宫城及御道左右皆生蔟𦮽
九年五月京都大火燒數千家
十年五月西明門地穿水湧出
十一年七月京師大水壞太廟所在火起
宋元嘉四年五月建康疾疫遣使存問給醫藥無家者
賜以棺器
五年正月戊子丹陽火遣使巡慰賑賜六月復大水
遣使巡行賑贍丙寅震太廟破東鴟尾徹壁柱
七年建康火延燒大社北墻

八年揚州諸郡旱

九年春丹陽雨雹溧陽尤甚傷人畜

十一年五月建康大水

十二年四月建康地震六月丹陽諸郡大水邑里乘船

十四年三月丙申大鳥二集秣陵民王顗園中李樹上狀如孔雀揚州刺史彭城王義康以聞改鳥所集永昌里曰鳳凰

十九年閏五月丹陽雨水遣使巡行賑卹

二十一年六月建康連雨百餘日大水

二十四年六月丹陽大水疫癘遣使行郡縣給以醫藥

二十五年四月元武湖青龍見五月黑龍又見

二十八年三月乙酉建康大旱民多疾疫

二十九年二月雷雨雪三月大風拔樹五月丹陽霖雨傷禾稼十二月黃霧四塞

大明元年正月建康雨水遣使檢行賜以樵米四月丹陽疾疫遣使按行賜給醫藥死而無收者官爲斂埋五月紫氣出景陽樓廻薄久之改爲慶雲樓

五年七月丙辰丹陽雨水遣使巡行窮弊之家賜以

薪槱

七年四月大風折和寧度華表鍾山通天臺一夕飛

倒散落山澗中

八年冬建康饑米升百餘錢死者十六七相枕于道

命建康秣陵二縣爲薄粥賑之

秦始二年六月建康雨水九月建康大風

三年正月庚午建康大雨雪遣使巡行賑賜各有差

泰豫元年六月建康雨水詔賑䘏二縣貧民

元徽元年八月建康旱

三年正月丹陽大火三月丙寅建康大水遣使檢[illegible]

賑賜戊辰火延燒數千家五月雨雹

昇明三年二月地震建陽門十二月朱雀航華表

生枝葉

齊永明五年六月建康秣陵水遣官長隨宜賑賜

六年四月石子岡栢木化爲石

八年八月建康霖雨遣中書舍人及長吏賑恤

十年十一月霖雨遣使賑賜建康秣陵居民蘭陵民

齊伯生於六合山獲金璽一紐文曰年予主

十一年三月震東齊棟崩六月建康霖雨遣使賑之

建武二年二月地震

永元元年七月建康大風十圍樹及官舍居民屋皆偃拔丁亥大水詔賜死者材器并賑恤

中興二年江東大旱米斗五千民多饑死

梁天監三年建康疫

五年十一月建康地震

六年三月有三象入建康八月建康大水

七年五月建康大水

十二年四月建康大水

普通元年七月江溢

二年五月琉璃殿火延燒後宮三千餘間

三年正月建康地震

六年十二月建康地震

中大通元年建康秣陵疫以身禱於重雲殿九月辛

己朱雀航華表災

五年正月戊申建康地震五月建康大水御道通船

大同二年十一月建康秣陵地震

三年正月辛丑朱雀門災壬寅天無雲雨灰黃色十

月建康秣陵地震民饑

七年二月建康秣陵地震

中大同元年四月丙戌浮圖災梁主曰此魔也更宜

廣爲法事遂起十二層浮圖將成値侯景亂乃止

太清三年四月己丑建康地再震

大寶元年自春迄夏大饑人相食建康秣陵爲甚

太平二年十二月庚辰建康大火

陳永定三年正月夜大雪及旦太極殿前有龍跡見閏

四月久不雨如鍾山祭蔣帝廟是日雨至於月晦

天嘉六年七月有大風自西南至廣百餘步激壞靈

候樓甲申儀賢堂自壞

大建七年九月臨樂遊苑採甘露立甘露亭于覆舟

山

九年七月己卯大雨震萬安陵華表
十年三月震武庫六月大雨震電
十二年六月大風壞陳臯門中闉八月大雨霖
十三年九月夜大風至自西北發屋拔樹大雨雹
十四年四月自建康至荆州江水赤
禎明元年臨平湖開造太皇寺起浮圖未畢火從中
起焚之江自方州東至海赤如血
二年四月有群鼠自蔡洲岸入石頭渡淮至於青塘
兩岸數日死五月東冶鑄鐵有物赤色大如甕自
天墜鎔所有聲隆隆如雷鐵飛出墻外燒民居六

月大風拔朱雀門濤水激入石頭淮渚暴溢漂没

舟乘又府城自壞青龍出建陽門井中湧赤霧

隋開皇九年正月巳丑朔陳主朝會群臣大霧四塞

大業十三年自淮及江東西數百里絶水無魚

唐貞觀八年七月江淮大水

總章元年江淮旱饑

嗣聖九年五月禁屠殺採捕時江淮旱饑民不得捕

魚蝦餓死甚衆

十八年地震

開元十四年秋大風自東北來海濤没瓜步

上元二年江淮大饑
寶應元年江東大疫人民死者過半
貞元二年魚鱉蔽江而下皆無首六月江溢
八年七月江淮大水害稼溺死人漂没城郭廬舍
月遣官宣撫
元和三年江南旱
長慶二年江淮饑
三年三月江南旱遣使宣撫
太和四年江南大水害稼
八年夏江淮大旱

開成四年夏江溢大水害稼

會昌元年七月江南大水

咸通二年江淮旱

七年江淮大水

九年江淮旱蝗

中和四年江南大旱饑人相食

光啓元年正月江水赤凡數日

吳太和六年二月甲申金陵大火乙酉又大火

南唐昇元六年十一月溧水縣天興寺桑樹生木人

保大十一年七月大旱井泉涸民饑疫死者過半

十二年江寧災焚古營署踰月乃止
宋太平興國八年七月江水溢
雍熙二年三月江南民饑許渡江自占四月遣使賑之
淳化四年二月江南饑遣使巡撫
五年江南疫
至道三年昇州旱除今年秋税
咸平三年江南旱賑之
景德元年閏九月江南旱遣使决獄訪民疾苦祠境內山川

大中祥符元年春昇州黄雀羣飛蔽日有從空墜者

二年四月昇州大旱火遣御史訪民疾苦蠲被火屋

稅

五年五月江淮旱給占城稻種教民種之

天禧元年六月江淮南蝗并言自死

四年江淮稔

天聖四年六月江淮南大水肆赦蠲租撫流民

六年七月江寧府六合江水溢壞官民廬舍遣使安

撫賑䘏

明道元年三月江東淮南旱饑

大曆八年正月江寧府火宮室焚燬殆盡惟南唐五

燭殿僅存

皇祐三年八月江南淮南饑遣使安撫

五年江寧府蝗

嘉祐元年五月江溢

熙寧元年江寧府飛蝗自江北來

六年溧陽大旱十月賑江淮饑

元豐四年七月大風潮漂蕩沿江廬舍損田稼

建中靖國元年江淮旱

大觀三年江淮大旱守臣曾孝序上言獻將常平司

見在諸色錢諸司封樁錢趂時收糴稻種候將來
春種出糶與力田之人
政和三年江東旱
五年六月江寧府水災
重和元年江淮水詔監司督責州縣還集流民
建炎二年十月霖雨
三年六月大霖雨詔郎官以上言闕政十一月江南
大旱
紹興七年十二月中書門下省檢校正官張宗元寓
建康檠氷有文如畫佳卉茂木華葉相敷日易以

水變態奇出至春暄乃止是年六合旱建康疫
十一年九月建康大火延燒府治自外門至堂宅皆
燬惟軍資庫及大軍庫無損是年大旱
十七年建康火
十八年夏江東淮南旱
隆興元年江東大水悉蠲其租
二年七月建康大水浸城郭壞廬舍操舟行市者累
日人溺死甚衆詔賑之并各官陳闕失
乾道二年十二月六合武鋒軍壘火
三年江東蝗賑之

四年七月建康水

六年五月建康水城市有深丈餘者人多流徙詔被

水縣分人戶今年身丁錢並與放免

七年三月江東旱賑之

九年旱

淳熙二年建康大旱饑知府事劉珙賑濟之六合饑

詔賑以常平米

四年建康雨雹民饑

五年閏六月雨雹者再

八年建康饑知府事范成大請賑從之

九年七月六合蝗
十年建康旱
十一年建康雨水七月禁諸州遏糴詔賑䘏之
十五年五月六合大水
紹熙三年江東水
四年八月賑江東旱傷貧民
五年建康大水賑之仍蠲其賦
慶元四年建康饑軍乏食
六年建康旱賑之
嘉泰元年江東淮南旱賑之仍蠲其賦

嘉定二年建康蝗旱大饑斗米數千錢人食草木詔

收養遺棄小兒

八年四月六合蝗六月詔江淮諭民雜種粟麥麻豆

有司毋收其賦田主毋責其租七月建康旱甚發

米賑之運使眞德秀又合本道義倉及轉般米

十萬斛賑贍仍開東門外新河因役力以食饑民

十四年建康大水

寶慶三年秋溧水澇

嘉熙元年四月建康旱

淳祐六年六月江淮飛蝗蔽空集食禾豆

景定四年溧陽饑知府事姚希得賑之

咸淳二年五月大雨水遣濟饑民

四年三月建康疫放免夏稅市利錢

六年江南大旱

七年江南饑

德祐元年江東饑疫

元至元十九年六合水

二十七年江南大水發粟以賑流民

二十八年溧陽路饑賑之

元貞元年五月建康水

二年六月建康蝗發粟賑之

大德二年正月建康溧陽水賑之仍弛澤梁之禁

三年溧陽大旱

五年七月暴風起東北江溢六合民被災發米以賑

六年七月建康民饑以米二萬石賑之

十一年建康大饑總管岳天禎勸賑

至大元年建康民饑疫死者相枕於道給米賑之

二年六月江寧上元溧水句容蝗

延祐元年八月建康大水發廩減價賑糶

泰定元年六月六合旱江東水傷田

三年建康路饑賑之溧陽六合大水

四年四月建康屬縣并六合饑賑糧鈔有差

天曆二年旱饑勸率富民賑糧一月

至順元年三月集慶路饑七月江南水

四年五月句容大水五棊山崩六月以江淮饑減今

年夏稅秋江寧不雨

元統二年秋江寧旱

至正元年揚子江一夕忽竭舟楫皆閣於塗中露錢

貨無數蓋累年覆舟遺物也人爭取之潮至輒走

潮退復然累日江始安識者曰此江笑也後果

先失江南

九年七月大霖雨江溢漂沒民居禾稼

十三年秋六合旱

十七年五月上元瑞麥一莖二穗者一

吳元年五月句容麥生一莖二穗

明洪武二年十月壬戌朔甘露降於鍾山

三年六月旱

五年六月句容民獻嘉瓜一實一蔕

八年八月大旱

九年五月水溢

十年正月雨水如墨汁十月有虎白日入漢西門
人
二十年溧陽大旱
二十六年四月大旱求直言錄囚徒
二十九年溧陽大旱禾槁
建文元年三月地震
四年溧陽地震蝗遍野
永樂二年地震
六年府學災
十三年九月溧水大水

十六年江寧縣治火

洪熙元年四月地屢震六月地震十二月又震

宣德二年二月地震

四年正月地震

五年六合饑遣官勸賑

六年溧陽饑

九年溧水大旱

正統八年溧陽旱秋澇

十二年五月六合蝗

十三年龍潭江水奔潰

十四年六月震雹風雨交作火詔赦賑恤
景泰元年溧水大水平地三尺
六年江水泛漲溧陽夏秋大旱民饑疫
天順元年溧陽縣治火延民居殆盡
五年五月江南北大水
七年冬溧陽學災
八年溧水水
成化元年七月應天水災
二年四月上元等縣饑民相食命户部議賑之
四年夏溧陽溧水大旱

六年四月句容溧陽溧水江浦六合大水免稅
七年民饑遣官巡視府學災
八年七月大風雨江溢議恤之
九年七月以水旱災免上元等縣去年秋糧
十一年六合火延燒千餘家
十二年正月辛亥地震有聲
十七年二月地震猛虎近城殺人行守臣優恤
　春夏大旱七月大雨水溢
十九年正月溧陽大雪七日樹氷如花
二十一年秋溧水大旱

二十二年九月民饑

弘治元年溧水大旱

五年冬六合大雪

七年夏溧水大水九月大風屋瓦俱落

八年十月地震

十四年十月溧陽地震

十六年江潮入望京門浦口城圮遣官祭告江神六合大饑發粟賑之

十八年六月霖雨七月大風拔木九月溧陽地震

正德三年溧陽溧水高淳旱

四年六月空中有聲自北來如數萬甲兵都民震恐

踰月方止冬大雪樹皆枯死

五年溧陽溧水高淳大水傷稼蠲租

七年高淳學火災

十二年夏六合霖雨滁水泛溢街衢乘船筏往來漂

沒廬舍甚衆

十四年六月溧陽大水

十五年溧陽水六合大風潮沒民田廬

嘉靖元年七月大風自江北來屋瓦皆飛樹木盡偃

以府屬水災減田塲租稅

二年大旱米價騰湧人相食遣侍郎席書賑之價埒馬價

三年自春至夏疫癘大作死者相枕於道

七年溧陽大旱

八年六合蝗飛蔽天

十年江溢没江浦六合田夏溧水大水没民居

十一年夏秋六合溧水蝗

十四年溧陽江浦六合蝗旱賑之

十五年句容蝻生溧陽雨雹

十六年夏六合水

十七年句容大水溧水東廬馬鞍等山蛟出蕩邑城溺人

十八年七月大風捲水貫真州漂失鹽場數十處人民死者無算其日揚子江水涸數十丈

二十三年夏秋大旱民饑

二十四年夏大旱

二十八年溧陽大水

二十九年七月六合蝗

三十一年夏六合疫

三十三年六合旱

三十四年六合麥大稔六月水沒田禾十二月地震

三十五年二月六合地震

三十八年四月雨雹七月地震溧陽大旱

三十九年七月江水漲至三山門秦淮民居有深數尺者至九月始退漫及六合高淳冬大雪禽鳥戢翼凍死木冰如花十二月夜震

四十年溧陽大水平地深及丈瀰望成川七月地震

四十一年溧陽大疫六月六合大風拔木水溢

四十二年二月震大報恩寺火作一夕俱燼

四十五年六月六合大雨水傷禾十二月大雪二十

餘日民有凍死者

隆慶三年閏六月潮没瓜埠壞民田廬

四年正月火一夕數發踰月方止冬六合饑奏准府

屬變賣種馬之半免蘆洲逋課

萬曆四年三月雨雹十月雷

五年春不雨井泉多竭河可涉

十四年五月大雨自初三至十七日城中水高數尺

江東門至三山門可行舟

十六年夏旱疫死者無算聚寶門軍以豆記棺日以

升計

十九年三山民家牛產一黃犢七足腹下四足[illegible][illegible]

三足皆輭前後竅各二

三十三年十月鍾山有白氣如疋練濶丈許從東至

亥先白色日入即黑當獲妖賊劉天緒等正法

三十四年八月城內大火延燒共十七處空中烟頭

交結三山街延燒至貢院棘墻下

三十五年正月雪後府學前泮池內氷結爲花水紋

成匡匡內大花一朶枝梗四出如嘉興錫欽天監

占主水兆

三十六年五月初三日秦淮河乾見底至十三日潮

水忽漲二日夜即平岸夏至後大雨半月餘平地皆水自學宫泛舟直至大殿前江南圩田盡沒江中滃沒浮屍相續

三十七年有鼠從湖廣涉洞庭至揚子江晝伏夜行尾尾相啣渡水如履平土至岸即入人家在野即傷田禾

三十九年八月秣陵城内磨坊豬產一物其形豬也頂上生一目鼻長二寸許

四十六年二月清明日夜一鼓時東北有星大如卞赤色向南行有聲若雷雞犬皆驚其光燭地纖毫

畢見墜於西聲聞者三

四十七年鼠渡江如前

天啓元年　月白氣起於翼軫之野初如彗久之漸大自東北亘天至西北如蚩尤旗占三度半至十月方沒

崇禎七年□月有大風起吹落皇城門內扁二字於地跌碎僅存木匡在檐下

八年□月己午二時白虹貫日虹如連環者二東西二虹如背日在連環交處無光作白色又有大白氣一道貫日與虹中

九年旱自四月至七月不雨遍野如燔

十年冬木介先是大霧晦冥霧歛著樹氷雪有若旗

槍稜脊森然

十三年旱蝗大饑斗米千錢

十四年五月大疫死者數萬人至有闔門盡斃無人

收殮者

十六年十一月火藥庫災震驚遠邇傷三十餘人藥

之所激空棺飛過數十家庫梁飛入錦衣衛堂上

國朝順治二年元旦大雪雷電交作

六年十月初一辛卯日食既晝晦恒星皆見從午至

申市肆皆舉火

七年冬除夕大雪雷電交作

康熙二年九月大水船行市上較戊申年僅小九寸

月彗星見東南凡五十餘日明年二月復見奉

旨修省

三年三月雨雹

四年十一月溧水崇賢鄉古泰淮河水涸鄉民顧起龍等掘地取土得玉璽一方蟠螭紐色蒼碧高二寸許圍一尺六寸上鐫人心惟危道心惟微惟精惟一允執厥中一十六字知縣馮泰運具文報府

知府陳開虞轉報督撫獻入

京師

六年六合蝗

論曰君子遭其常災祥之異以志警也若夫鏡微圖淵斯能明江都仁愛之理劭文靖四方水旱之陳考雜出徵未始非祥知以日食之見傳會成說則文之再蝕再辰宋仁之裂地雨雹與趙蜀之鳳羽餘覽靡牽駕車徒滋矯誣矣

江寧府志卷之二十九終

江寧府志卷之三十

祠祀志

國之大典所重在祀功德及民廟食無替沐俗月

左道荒惑崇正黜邪以遵

王制作祠祀志

本府

社稷壇在府治北金川門外舊在城西南與江寧縣社稷同處明正統間專建于此

山川壇在府治東南雙橋門內

泰厲壇在府治西北神策門外神策門今改得勝門

中國國家圖書館藏

都城隍廟在雞鳴欽天山之陽明洪武建英靈坊于廟
城隍其一焉本府縣祈晴禱雨禦寇治獄咸禱于此
洪武二十年勅學士劉三吾撰碑
大清康熙甲辰里中紳士因順治己亥寇逼郡城感神
之祐重修建坊分守道胡昇猷為之記
府城隍廟在府治前本府朔望行香祈禱俱集于此萬
曆戊子府尹姚思仁建今康熙丁未知府陳開虞修
古城隍廟在石城門大街康熙四年重修歷代至今八
有靈應于民
漢壽亭侯廟宋慶元建于城東隅明洪武中遷于雞籠

欽天山學士劉三吾碑記

本朝順治七年庚寅督府馬國柱馬鳴珮分守江寧道

林天擎重修有碑記改置大門設鐘鼓樓拜殿兩廡

府關帝廟順治二年知府李正茂建感神夢移西門

神像於此本府朔望行香與大利治大獄有司集焉

李正茂爲之碑記

觀音門關帝廟在燕子磯撫江亭之前江山環拱如畫

國朝順治七年督府馬國柱捐俸重修勒石爲記

小營關帝廟順治巳亥樹督管效忠伐覆舟山木起建

規制宏壯塑像威嚴立有碑記省城內外帝廟不一雉淸橋鐵獅子衙兩

花臺□皆

晉□烈廟祀漢秣陵尉蔣子文子文逐盜至鍾山死死有靈異吳大帝初立廟孫陵岡封爲中都侯改鍾山曰蔣山晉加相國重爲立廟南宋初廢後修復封蔣王齊進號蔣帝南唐謚曰莊武徐鉉撰廟碑宋賜號惠烈明洪武二十年建于雞鳴欽天山之陽劉三吾爲之記崇禎加號威靈易今額今康熙癸卯里人丁修太平門外鍾山蔣廟今廢

卞忠貞公廟祀晉尚書令卞壼蘇峻亂壼爲將軍死二子昣盱皆赴敵死葬冶城立廟謚忠貞南齊□□

仍建忠貞亭宋慶曆中葉清臣改曰忠孝紹興廟
忠烈中祀壺右列二子侍中稽紹配享明洪武中建
忠貞廟于雞鳴欽天山學士劉三吾奉敕撰記冶城
廢如故又即廟側建歷代忠臣祠祀南唐中書侍郎
陳喬宋通判楊邦乂御前統領姚興王珙雞鳴山廟
廢冶城廟存

劉忠肅王廟祀南唐清淮節度使劉仁贍周師壓境仁
贍鎮壽州力戰固守援絕其子欲降仁贍立斬之城
陷不屈而死廟舊在上元縣西明洪武二十年建于
雞鳴山黃子澄撰碑今廢

曹武惠王廟祀宋樞密使曹彬彬平江南不妄殺一人宋人立祠祀之舊祠在江寧社壇前明洪武二十年建于雞鳴欽天山賜額武惠學士劉三吾奉勑撰碑記今廢記畧曰按王姓曹名彬字國華眞定靈壽人也少而氣質淳厚及長器識遠大當五代之亂慨然有澄淸天下志宋太祖受禪遂爲其將凡遇出師諸將莫不屠城殺衆以逞其欲王獨申令戢下秋毫無犯所至民皆德之其受命伐南唐也圍其城三月將居人困甚王稱疾不視事諸將皆來問疾王曰予疾非藥石所能愈惟須諸公誠心自誓以克城日不妄殺一人則余疾自愈諸將許諾共焚香爲誓日城陷煜與其臣詣軍門請罪王釋而禮之衆皆[illegible]全兵無血刃者此王之豐功盛德見于史傳然之

衛國忠肅公廟祀元江南行臺御史大夫福壽至正丙申明兵下集慶路福壽死之明祖詔立廟旌其

城南土門岡洪武改建于雞鳴欽天山宋訥記略公原

幼知讀書慷慨有大志入備環衛兩京巡幸從

績累官至江南行臺御史大夫時高郵廬和相繼

守公獨保孤城日益危急大兵壓境屢戰不利城

之日公據胡床坐伏龜樓前指揮左右或勸之遯公

日我台憲重臣與城存亡頭可斷朝廷不可負叱之

去兵至竟死其地都達魯花赤達尼達思與俱焉上

嘉其忠殮葬以禮順帝知其死加贈左

承相上柱國追封衛國公謚忠肅今廢

祠山廣惠王廟在雞鳴山陽明洪武二十年建宋訥記

大清順治年制府馬鳴珮重修宋訥記略曰神爲龍陽人姓張名渤發跡于吳

興宅靈于廣德西漢以來蓋已有之或謂即張湯之

子安世而顏真卿所記則在于新室建武之閒以時

考之不無牴牾至于錫封加號則始于唐之天寶益

于宋之咸淳旱澇疵癘禱之必應民懷信慕義時走

拜犧告虔祠下陰功所

至鴻化以熙不其盛歟

眞武廟在雞鳴山陽十廟之中石磴三層俱百級一望都城如畫人呼曰高廟明洪武二十年建宋訥撰文大清順治十三年制府馬公鳴珮重修勒石爲記

五顯靈順廟廟刻欽大山者皆有功德于民典在太常五顯靈順亦居一焉以其効靈于國也前明國子祭酒宋訥有碑記記略曰五顯靈順之神發祥婺源[illegible]威並靈丕著一時土人爲之立祠[illegible]暘疾癘隨禱而應遠近翕然罔不嚮慕考之傳記五神降精特顯於唐稽其時世或謂在唐貞觀之初或謂在光啓之際然其害盈福謙彰信兆民者固昭昭可憑也逮至于宋益顯厥靈累朝加封五神同被顯聰曰顯明曰顯正曰顯直曰顯德以昭其德也故謂之五顯

歷代帝王廟在欽天山之陽明洪武建今廢別祀伏羲

神農黃帝于其地爲三皇祠以其爲醫師之祖故[illegible]六年八月監察御史荅祿與權等言伏羲神農黃帝[illegible]舜禹湯文武繼天立極爲帝王之所宗宜于春秋[illegible]行祀事庶成一代之典上納其言命禮官參攷歷代帝王開基創業有功生民者立廟祀之敕宋訥爲記

歲仲春遣祭

太昊伏羲氏	炎帝神農氏	黃帝軒轅氏
帝金天氏	帝高陽氏	帝高辛氏
帝陶唐氏	帝有虞氏	夏禹王
商湯王	周武王	漢高祖皇帝
漢光武皇帝	唐太宗皇帝	宋太祖皇帝
元世祖皇帝	分五室室太牢一禮三獻樂七奏舞八佾	

從祀名臣

風后　力牧　皐陶　夔　龍　伯夷　伯益　伊尹

傅說　周公旦　召公奭　太公望　召穆公虎

方叔　張良　蕭何　曹參　陳平　周勃　鄧禹

馮異　諸葛亮　房玄齡　杜如晦　李靖　郭子儀

李晟　曹彬　潘美　韓世忠　岳飛　張浚

木華黎　博爾术　博爾忽　赤老溫

凡三十五人列兩廡　廟初成明高帝臨祭禮畢特至漢高祖神前笑謂曰劉君今日廟中諸君當時皆存予懸籍以有天下惟我與汝不階尺寸手提三尺以致大位比諸君尤爲難事可共多飮二爵

明功臣廟洪武二年正月立功臣廟于雞鳴山六月丁酉

成上諭功列祀二十一人廟宇今廢

殿中祀六王

中山武寧王徐達　開平忠武王常遇春

岐陽武靖王李文忠　寧河武順王鄧愈

東甌襄武王湯和　黔寧昭靖王沐英

配享十五人　東序西向

郢國公馮國用　泗國武莊公耿再成

濟國公丁德興　蔡國忠毅公張德勝

海國襄毅公吳禎　蘄國武毅公康茂才

東海郡公茅成

西序東向

越國武莊公胡大海　梁國公趙得勝

虢國忠烈公俞通海　巢國武莊公華高

江國襄烈公吳良　安國忠烈公曹良臣

黔國威毅公吳復　燕山忠愍侯孫興祖

洪武三年增戰沒功臣五年增百二十四人七年令

都督祭堂上都指揮以下兩廡各設牌一書故功臣

都督指揮千百戶衛所鎮撫

三聖廟在府治西北按金陵新志神即史皇蒼頡所在

臺治西偏御街之祥所始然其來必自六朝[illegible]

祠

禹王廟在保寧坊磨盤街口其地有溝名建業溝

吳大帝廟唐建按金陵新志在清涼寺之西相傳即吳故宮

晉元帝廟唐天祐二年置在卞將軍廟西宋嘉定五年黃度作新廟于石頭兩廡列當時名臣三十六人附享葉適爲記

武成王廟唐開元中立南唐改建于御街之西

吳伍相廟在上元縣長寧鄉景定志子胥解劍渡處曰胥浦西有伍相林竹篠溝有伍相白馬廟

周江乘廟在攝山上相傳吳時人葢賢令也

梅將軍廟晉梅賾嘗屯營于雨花臺東岡後即其地立

廟祀晉豫章內史梅公賾也始公居其地或云常屯明王以旂廟碑略云留都聚寶山麓有廟一楹葢

營焉至今人稱爲梅岡廟圮不治弘治中有僧感夢葺于永寧寺側凡禱輒應同郡張寅瞻拜廟下遡徵

言鑱石

侯將軍廟祀侯瑱瑱與王琳戰于烈山下大捷士人以

瑱功烈甚盛故名山曰烈山建祠祀之

武烈帝廟在治城西祀陳仁杲唐書隋末越人寇長州

柴克宏帥師往救仁果見夢曰吾遣陰兵助汝及戰

大勝克宏奏封武烈帝唐贈忠烈公宋加封賜額復

[illegible]先宏靈翊將軍壁有董羽畫世傳名筆

[illegible]廟在江東門外上新河北岸祀張巡許遠

[illegible]忠廟祀宋建康府通判楊邦乂在城南門外報恩寺南宋建炎三年嘗卽邦乂死所立廟以褒其忠紹興七年詔守臣修之知府事葉夢得爲之記端平初更建祠于學魏了翁記之尋廢明萬曆四年復建于墓前

旌忠廟南城鐵索寺之東南祀宋統制姚興紹興中與金人戰死樞密葉義問立祠賜額

忠節廟祀宋忠臣王珙在城東三里張浚督軍江淮時

拱戰歿贈閬州觀察使立廟賜額忠節

忠烈廟在竹街祀宋靜江軍節度使牛富富霍丘人以統制守樊城元兵陷城赴火死詔贈官謚忠烈

東平忠靖王廟在江寧鎮元至正二年建

荊南王祠在聚寶街祀元阿剌罕至正元年建中書左丞許有壬撰碑

徐將軍廟在獅子山明洪武初建學士宋濂記

謝將軍廟祀晉康樂公謝幼度在鳳皇臺東宋乾道間建明正德太常羅玘記

董將軍廟在上元門外將軍名成隨曹武惠王下江保全民命祀之

[illegible]惠廟在城東南二十五里紹興元年賜額慶元志元
相沈該政和中作邑上元禱雨應刻詩于祠

李王廟在城東南十里南唐李主也里俗呼曰李帝廟

軍師廟在鎮淮橋東北祠諸葛武侯

白馬廟在崇福鄉宋顧琛爲朝請晚至方山下商船數
十泊東岸見有朱衣介幘乘白馬執鞭者屏諸船曰
顧吳郡將至後琛果爲吳郡乃即所見處立廟

先賢祠舊在青溪之東宋開慶元年制使馬光祖建所
祀諸賢皆生長金陵與遊宦往來于斯者共四十一
人各有記贊閩士陳宗上書言蘇文忠亦嘗往來題

咏金陵山水間宜入祀未果後祠毀明太史焦竑言于大學士李廷機葉向高二公乃屬祠祭郎葛寅亮于普德後山建祠設位爲文以記補入蘇文忠公春秋祀之

至德遜王吳泰伯 初遊句曲山中

越相國范少伯蠡 築越城在長干里

漢嚴先生子陵 名光結廬溧水縣

漢丞相忠武侯諸葛孔明 名亮往來說吳又勸孫權定都

吳輔吳將軍婁文侯張子布 名昭宅在長干道北有張侯橋

吳將軍南郡太守周公瑾 名瑜周郎橋在句容縣

吳侍中尚書僕射是子羽名儀宅在西明門

晉太保睢陵元公王休徵名祥墓在江寧化成寺北

晉平西將軍孝陵侯周子隱名處子隱臺在鹿苑寺

晉太傅丞相始興文獻公王茂弘名導宅在烏衣巷

晉太尉大司馬長沙桓公陶士行名侃事見石頭城

晉侍中驃騎將軍忠貞公卞望之名壼廟在冶城北

晉太傅廬陵文靖公謝安石名安宅在烏衣巷口

晉車騎將軍獻武公謝幼度名元別墅在土山下

晉右將軍會稽內史王逸少名羲之事見冶城樓

晉中領軍光祿大夫吳處默名隱之茅屋故基在城東

宋徵君雷仲論 名次宗開館雞鳴山號北學

齊貞簡先生劉子珪 名瓛居檀橋

齊諸王侍讀陶通明 名弘景居茅山

梁昭明太子蕭德施 名統書臺在定林寺

唐太師刑部尚書魯公顏清臣 名真卿昇州刺史

唐翰林供奉李太白 名白往來金陵具載本集

唐山南西道節度參謀孟東野 名郊溧陽尉

南唐司徒李致堯 名建勳號鍾山翁

南唐內史舍人潘 名佑見江南錄

宋樞密使濟陽武惠王曹國華 名彬開寶昇州行營號北學

宋尚書忠定公張復之 名詠祥符知昇州再任

宋中丞恭惠公李幼幾 名及淳化昇州觀察推官

宋樞密孝肅公包希仁 名拯天聖知江寧府

宋丞相忠宣公范堯夫 名純仁治平中江東運判

宋宗正寺丞純公程伯淳 名顥嘉祐上元主簿

宋監安上門鄭介夫 名俠清涼寺有祠

宋少師龍圖學士文靖公楊中立 名時嘗家溧陽

宋參政莊簡公李泰發 名光紹興宣撫使

宋太師丞相魏國忠獻公張德遠 名浚紹興留守都督

宋秘閣忠襄公楊希稷 名邦乂建炎知溧陽縣遷通判

宋太師丞相雍國忠肅公虞彬父名允文紹興督府參謀

宋太師徽國文公朱元晦名熹

宋安撫殿撰宣公張敬夫名栻督府機宜文字

宋太師正肅公吳勝之名柔勝生於金陵

宋太師參政文忠公眞希元名德秀嘉定江東運使

宋端明學士蘇文忠公子瞻名軾常遊覽題詠于金陵之賞心亭崇因寺淸涼寺

程明道先生祠在上元縣治中紹興中主簿趙師秀即廳事西偏繪像祠先生嘉定乙亥主簿危和在簿廳一東偏得鈐轄廨舊基改建明道祠中嚴繪像外[illegible]一門未幾鞠爲軍儲賓寓之所明景泰初知縣姜德改

於縣治東南隅建祠宇南向塑像於中祀之國子祭酒吳節撰記翰林陳沂爲祠堂記陳沂記曰明道程子在宋嘉祐中嘗爲上元縣簿故有書院久廢明景泰間縣令姜德政始建祠于縣治而未有祀嘉靖乙酉劉簿應熙載請下臺始崇祀之癸巳令石淵之以將于土地祠遷之堂左明年甲午丞何儒謂近堂解吏所聚非所以使神也復祠于舊宇而廣其制別土地祠于左告成丞簿二君請余記之沂考之宋史所載程子爲簿惟捕蝗禁捕雀二事祭酒吳公節記又有均田租與水利聚營食三事焉夫程子聖賢之徒也發于其心見于其政莫非聖人之道爲簿之政如孔子會計之當牛羊之茁壯豈足以盡其道哉然迹其事而論之捕龍以去之不智禁捕雀以去不仁田租水利營食又聚民之所欲者道亦盡于是矣或謂天下崇祀孔廟必俎豆程子亦何俟于一邑之祠祀哉於乎上元過化之地也吏之所師民之所思寔係之丞簿二君之舉又焉能已乎且國朝百七十年于茲而舉其事者纔兩見焉則其賢不肖者何如哉應天在宋爲江寧府仁

宗昇邸後踐位爲大府置尹以上元江寧爲赤縣南唐改爲建康置留守無其位役今爲本朝定鼎之都[illegible]遷都于北而宮闕臺都諸司在焉其軍儲饋廩旅[illegible]供億百費之煩皆取之二縣上元尤重者其弊所議無田之征無溉之田無食之民日益告病其祝嘉[illegible]則有甚焉者矣二君之受侑於祠祀者豈不重有所感而思所效治哉然則何如夫因訟以別其弊則征無不田矣因時以治其防則田無不溉矣因豐以獲其賑則民無不食矣即其切於民者而行之見於政可以得其心發於心可以得其理不徒祠祀之[illegible]已也若惟襲取其美以要其名而實無所效慕焉則非上元之民所望於二君者也余聞二君之賢[illegible]稱之然復以此告者董新舉也何君寧都人劉君永新人其諸僚同事者姓名列于左方

明道書院在鎮淮橋東北宋淳熙初留守劉珙始建[illegible]生學宮朱熹爲之記紹熙間即縣西偏祀之[illegible]改建新祠前護重門中顯祠像扁曰春風堂其[illegible]

撰記未幾堂毀淳熙己酉郡守吳淵更建聘名儒爲山長依倣白鹿洞規理宗爲書明道書院額寶祐中馬光祖據院中立祠堂景定四年姚希得重修至元遂廢明弘治己酉提學御史司馬垔於府學東偏祠祀之榜其門曰明道先生祠自爲記嘉靖初御史盧煥始即今址爲書院祠祀焉有綽楔題曰明道書院萬曆壬子督學御史熊廷弼重修增記太史焦竑有記

朱熹碑記云資政殿大學士建安劉公珙居守建康之明年夏四月始立明道先生之祠於學而以書走新安之婺源抵熹曰吾少讀程氏書則已知先生之道學德行實繼孔孟不傳之統願學之雖不能至而心鄉往之及來此邦屬邑有上元者先生少日宦遊處也考之舊記均田塞隄及民之政爲多膅龍

[illegible]等教民之意亦備然問諸故老以稽其實則兵革變故之餘風聲氣俗蓋已無復有傳者矣始至慨然有欲奉祠以致吾敬使此邦之爲士者有以興於其學爲吏者有以法於其治爲民者有以不忘於其德不幸歲適大侵救儀之事方急於今乃克遂其志以吾子之嘗誦其詩而讀其書也故願請文以記之既而府學教授孫君裔沈君宗說亦以書來申致公意且具道公始之所以焦勞而未及與今之所以暇豫而得爲者其語詳焉熹竊書喟然仰而嘆曰尊賢尚德公之志則美矣既富而教公之政則得矣屬筆於我公之意則勤矣雖然先生之學自其大者而言之則其所謂考諸前聖而不謬百世以俟聖人而不惑者蓋不待言而喻自其小者而言之則上元之政於先生之遠者大者又懼其未足以稱揚也吾何言哉於是伏而思之先生之學固高且遠矣然其教人之法循循有序而嘗病世之學者舍近求遠處下窺高所以輕自大而卒無得焉則世之徒悅其大者有所不察也上元之政誠若狹而近矣然其言有曰一命之士苟存心於愛物於人必有所濟則其中之所存者又烏得以大小而議之哉區區不敏竊願以是承

公之命庶幾於公之志先生之學兩有補焉又惟公之忠言大慮既已効於朝廷今雖在外而其所以[illegible]謀而弭患者又如此其汲汲也則於先生之所[illegible][illegible]有深感而默契於中者矣其祠之也豈獨以致[illegible][illegible]賢尚德之意使民不忘而已哉若夫推公之志而以先生之所以教者教其人使之從事於為己愛人之實而無空言躐等之敝是則孫沈二君之任也與二君勉旃熹於是其有望焉爾矣淳熙三年夏四年內中新安朱熹記

真德秀明道祠記云先生之生鍾乎元氣之會學之所至純乎天理故其生也盎然若春陽之溫其吐辭也泛然若醴酒之醇同設教於家而士之願從者衆同爭新法於朝而天子亮其忠用事者感其忱一時忤意者皆貶而先生獨畀憲節力辭不就去之久而猶見思及其歿也士大夫知與不知皆為流涕以為時使見用必將有綏來動物之效而重哀生人之不遇不得與於先生佐與王道之澤也非夫先生之心學純乎天理其孰能與於斯乎先生之仕也嘗主江寧之上元簿攷其設施若均田賦與水利息邪說正人心等事皆天理之流行著見者也中更變故鄉之人士畢有能言之者乾道中資

政殿大學士劉公珙知府事始祠先生於學宮而侍講文公先生實爲之記則既較然昭著而足以風厲學者矣其後主簿趙君師秀復即廨舍之前爲屋數楹以寓尊事之意而庫監弗稱嘉定甲戌危君和嗣居其職始請於帥守莆田劉公集增而大之德秀時將漕焉捐金三十萬粟二千斛以助之未幾豫章李公玨繼至咸相其役爲堂三間中嚴像設而扁之曰春風其上爲樓高明潔清內爲齋二東曰主敬西曰行恕後爲小室焉曰讀易外爲齋一曰近思齋之側爲亭曰靜觀又爲兩廡翼之而刻表墓與河南雅言於其壁危君之於斯役勤矣而劉公之經始也嘗屬德秀爲之記危君又重以爲請再三返而不置德秀以固陋力辭而不可得也顧自惟念少知誦習先生之書初蓋茫然不知所嚮而粗若有見者竊謂自有載籍而天理之云僅見於樂記先生首發揮之其後大明學者得以用其力焉所以開千古之秘覺萬世之迷其有功於斯道可謂盛矣而其所以進於此又有二言焉毋不敬以操存於未發之先思無邪戒謹於將發之際涵養省察動靜交飭知天事天者兼盡及其至也中一外融顯微無間則雖人也而

[illegible]淆其天矣若是者其於先生之道有合乎否[illegible][illegible]示自料次第其說以授之危君幸以爲然則刻[illegible]堂上以示來遊於斯者使知先生之道雖高而用[illegible]亦要萬有一可爲興起之助云爾嘉定丙子正月[illegible]日眞德秀記

明太史焦竑重修祠堂記云明道先生爲宋儒理學之宗往主上元簿流風善政藹然被於鍾山淮水之間至今謳思之不忘淳熙劉公珙祀之學宮朱子爲之記久之改築學使者觧西楚耿公定向嘗大修葺之後若干年圮而不治頃萬曆壬子熊公廷弼至觀其敝監弗稱尊賢造士之意謀于同空丁公賓納言吳公達可輩捐資創爲之不三時告成且以學使者孫公鼎至耿公定向九人者祔焉齋祭有所講誦有堂俎豆有庋實位有序皆因耿公之舊而拓之巖巖翼翼壯偉閎麗於是縉紳縫掖來遊來歌歡喜道說以得學其中爲快而熊公乃使余記之余惟學者求復乎天理而已而載籍罕言之獨樂記曰人生而靜天之性也感於物而動性之欲也物至而人化物不能反躬天理滅矣余謂反躬者反乎人生而靜之初也先生獨契於此嘗曰天理二字吾體驗而自得之而推以敎人必曰觀未發之中嗚呼微

矣夫人之四肢百骸人倫庶物皆天也人知人之人而不知人之天故欲肆而理微知人之天斯能知性善知性善斯能誠意正心修其身而天下治非治天下之難動以天之難也先生正己率物惟天之師故所至安其政而樂從之遊即新法之爭舉朝爲忤而天子亮其忠用事者感其誠斯非學之驗歟先生於上元均田賦興水利簡獄訟導良拒淫爲惠澤甚渥余嘗行湖熟大湊蒞然而獨稱程子圩者亘數十里無少鏟食土之毛者益六百年而若新君子之盡心民事如此豈自待者厚而所垂者遠歟抑誠之所爲不自知其然者歟不可及已九先生之爲人不必同其修己敎人無媿於先生可知也熊公慕伯子之風而襲九先生之遺跡其志之所存抑又可知也祠之建置不足爲數公之有無然後之人徘徊企仰有[illegible]焉不可及之歎則於世敎不爲無助九先生行實詳京學志不具論熊公戊戌進士楚之江夏人以功方韶起末艾云

范忠宣公祠在舊轉運司宋嘉定八年眞德秀建

眞文忠公祠寶祐間馬光祖重建于壽恩堂之西

馬莊敏公祠在城隍廟東祀宋制使馬光祖

南軒先生祠在天禧寺公侍父魏公居建康時先生即天禧寺竹間搆屋讀書名南軒淳熙三年杜杲建祠爲之記

記略云四夫信義行於里閈蓋有盜賊斂于市立祠宇以奉之者是孰使之天寔爲之人心之良知也降周訖孔孟而道統不傳天理幾泯人心日淅由漢而下上下之間莫有任此責者至于我宋濂溪二程先生出而發聖賢之秘孟氏始得其傳道統于是乎有寄中興以來文公朱先生以身任道開明之心南軒張先生爲文公所敬二先生相與發明以備周程之學于是道學之傳如日之昇如江河之沛凡講習之地皆有祠宇崇高嚴潔足以起人之敬仰百年之間儒風彬彬豈無自而然獨金陵天禧寺之廣有屋六七楹曰南軒寔先生講習之地想其朝思

文程參前倚衡天地之運化聖賢之傳授父子講求
子尊君救時之策朋友發揮乎垂世立教之序關百
王而不違通萬世而無愧是軒也豈容使之荒蕪而
不治惜乎歲久日就傾圮杲作贊江淮幕心竊念之
自閩事欲因舊而增新之比至始不可舉因于是
工治葺內外整齊繪先生之像于中使承學之士
華瞻祠宇尚想道誼人以道在如將見之興起良知
右躍然而不可已者嗚呼聞有當式者慕有當拜者
此軒之當新庸非守邦者之責尚冀來者之
不忘也淳祐三年七月丙子後學杜杲記

一拂清忠祠在清涼山麓祀宋鄭介公俠公閩人以監安上門上流民圖力言新法之弊去國僅存一拂故人稱一拂先生父江寧監稅先生隨父任讀書清涼寺中嘉定間總領商碩爲祠以祀後圮明萬曆中[illegible]人葉向高修復之又建望祠明靖難間中死事諸[illegible]

葉[illegible]陳彥回陳繼之林英及諸生曾廷瑞伍性亨[illegible]應宗呂賢林珏鄒君默等而以張經周起元祔焉向高為之記

記略曰余惟先生聲名在天壤忠義在簡編魂魄在名山俎豆在郡國千秋無數[illegible]用辭也巳取先生傳及謚議讀之而嘆曰嗟夫世之淺窺乎先生也彼以流民一圖為先生重耳夫先生力拒權相之招至陷以美官而不顧屢觸羣奸之怒至中以危禍而不辭汲汲皇皇為萬姓請命此其人豈僅以慷慨敢言自表見者銀臺之疏一上人主致感歎咨嗟徬徨不寐舉其平日君臣間日夜講求以為振古之事業者一旦而幾于盡格是時元老大臣如富韓諸公力爭而不得而先生以監門小吏乃能得之其精誠力量為何如乎先生一爭于安石而佹勝再爭于惠卿輩而遂不勝人主一中于安石而佹悟再中于惠卿輩而遂不悟新法之行而罷罷而復行先生之竄而歸歸而復竄以卒成元豐紹聖之禍焉此天也非先生之所能為也吾讀先生前後疏語皆忠憤激烈至于用兵之利害羣小之奸欺反覆開

陳無所顧忌千載而下猶足激昂宜其足以感人主之心而動其聽使世之臣人者皆如先生天下豈有不可爲之事哉先生之志雖不售而精忠勁節已足暴于天下萬世無所復憾獨惜元祐彙征之時僅以廣文一秩置先生於遠郡而無能推轂同升以究先生之用則司馬諸賢亦有不得辭其責者後之議先生諡者曰介然特立于衆小人之中猶可及也介然特立于衆君子之中不可及也斯其爲知先生矣先生大節具在宋史其詳在宋景定建康志初建祠者爲總領商公碩以嘉定十四年有上梁文并諡議皆得自焦公家藏而計部爲梓行附以祭文題詠雜作而余爲書此以復焦公且使過祠下者有所考焉祠在清涼山之麓其右爲耿天臺先生講學處時萬曆三十二年癸卯之冬月也

陽明先生祠在西華門大街許眞君廟側今廢太史焦竑有重修陽明先生祠堂記

記云孔孟之學至近而大明如日之中無目者夫人不知而仰之則陽明先生力也先謂其學凡數變蓋從萬死一生中得之是豈可以易

易吉哉今先生之說盛行於世而尸祝之者幾遍宇
內獨金陵京師首善之地先生爲太僕鴻臚卿於
茲且六年都人士沐浴膏澤沾丐芬香者不少今
顧無專祠以祀之非缺事歟頃歲紹興周海門公以
符卿攝京兆士大夫振衣問學者無虛日其所推明
闡繹率先生意也爰念居游無所而瞻嚮靡從非所
以興學乃擇高敞燕閒之處畚壤濬泉而大葺之經
體面勢言言噲噲不大變從而祠適成當是時京兆
若公繼至尤嘉公意而相其所營於是斲削丹臒之
飭煥然完富而士以得學其中爲樂相約而詣余請
記易曰形而上者謂之道形而下者謂之器余觀先
生之始也其爲慮深嘗示人以器而略於道俾守其
矩矱而不爲深微之所眩然使終於此而已學者將
若其無所從入而道隱矣乃遂一二後人時以上焉
者開之如所謂無善無惡者是已至今昧者未隱於
心而大以爲先生病孔子不云乎我則異於是無可
無不可可不可者即善與惡之云也究且舉意必固
我而絕之則空洞之中纖微不立而何善之可言乎
無美者天下之真美也無善者天下之至善也是非
都捐泯絕無寄而發化兆焉此道之竅係而名曰大

本者也不此之求而呶呶然枝葉之辨譬於執糟粕而棄醇醪惡足以與於道哉夫爲學而致道猶掘井而及泉泉之弗及卽九仞何爲也先生起於學絕道廢之餘處困居夷矢志必得以被磨礱鍜鍊如木生嵌巖奇蹇之隈欲透復縮而非千霄摩雲則弗止宜乎明旣晦而續不傳其所成之偉如此也學者有志於先生之爲人不可不求諸學有志於先生之學不可不求諸道苟其以語上爲諱而安於日用不知之民甚非先生之意而亦非

符卿所望於諸君子者矣

廉直何公祠在富民坊西祀工部主事何遵正德時諫南巡杖而死嘉靖初贈尚寳司卿祠祀之堂名表忠

耿天臺先生祠在清涼山之南祀明督學御史耿定向有坊額曰耿天臺先生講學處

表忠祠在全節坊明萬曆三年本府奉詔創立祀建文

[illegible]諸臣建坊于朝天宮之東

文學博士方孝孺　禮部尚書陳迪

兵部尚書齊泰　兵部尚書鐵鉉

刑部尚書暴昭　刑部尚書侯泰

都御史景清　吏部侍郎毛泰

戶部侍郎卓敬　戶部侍郎郭任

戶部侍郎盧迥　禮部侍郎黃觀

禮部侍郎黃魁　兵部侍郎陳植

刑部侍郎胡子昭　副都御史練子寧

副都御史陳性善　副都御史茅大芳

太常寺卿黃子澄
僉都御史周濬
僉都御史司中
大理寺少卿胡潤
太常少卿盧原質
太常寺少卿廖昇
太常寺丞彭與民
太常寺丞劉瑞
太常寺丞王高
太常寺丞鄒瑾
修撰王叔英
修撰王艮
侍講婁漣
衡府紀善周是修
給事中龔太
給事中陳繼之
給事中韓永
給事中黃鉞
左給事戴德彝
監察御史高翔

監察御史鄭　智　　監察御史曾鳳韶
監察御史王　彬　　監察御史王　度
監察御史甘　霖　　監察御史謝　昇
監察御史葉希賢　　監察御史董　鏞
監察御史王　珌　　監察御史魏　冕
戶部主事巨　敬　　兵部主事樊士信
四川按察李文敏　　浙江按察使王艮
河南參政鄭居貞　　江西副使陳本立
陝西僉事林嘉猷　　北平僉事湯　宗
蘇州知府姚　善　　徽州知府葉惠仲

徽州知府陳彥回　徽州知府黃希范
宗人府經歷宋徵　國子博士黃彥清
谷府長史劉璟　遼府長史程通
燕府長史葛誠　漳州教授陳忠賢
魏國公徐輝祖　駙馬梅殷
駙馬耿璿　駙馬胡觀
都督廖鏞　都督同知陳質
都督僉事耿瓛　豹韜指揮俞通淵
指揮張倫　指揮王資
揚州衛指揮崇剛　燕山衛千戶倪諒

副總兵瞿能　都指揮宋忠

都指揮莊德　都指揮孫泰

都指揮楚智　北平都指揮朱鑑

指揮馬宣　指揮彭聚

指揮彭二　指揮謝貴

指揮余琪　舉人劉政

指揮宋瑄　錦衣衞鎮撫余本

錦衣千戶周拱元　松江府同知失名

寶州知州蔡運　蕭縣知縣鄭恕

沛縣知縣顏伯瑋　沛縣主簿唐子清

與史黃謙　睢陽教諭王省
中書何申　燕府伴讀余逢辰
參軍斷事高巍　東平州吏目鄭華
定海人梁良用　齊黃講士盧振
鎮撫曹濬　漳州生員曾廷瑞
生員伍性原　生員陳應宗
生員呂賢　生員林珏
生員鄒君默　守金川門牛景先
燕山衛卒儲福　臨海樵夫失名
巡撫都御史宋儀望爲記知縣林大黼爲祭田祭器

崇禎五年賜諸臣謚府尹詹士龍重修南禮部侍郎
錢士升有記今廢萬曆四年宋儀望記曰皇上御歷
改元崇慶覃恩詔雪靖難諸臣
俾郡邑吏置祠祀之仍卹錄其後詔下之日薄海
內外皆舉手加額以我聖祖神孫其扶世教拔忠魂
之心益萬禩如一日也予既續崇陽汪公所著表忠
錄泫然久之然不能無私臆焉自古人臣不幸當國
家橫決變故出其身抗大誼排大難脫有不濟則繼
之以死若能逢北于巡遠及世傑秀夫天祥諸人是
也建文初纘大統顧命諸臣皆高帝一時簡付務
自兢兢一遵成法敦固懿親以藩屏王室諸王雖處
尊屬列疆藩然親承冊券帶礪在盟誰敢興亂齊黃
諸人膚慮輕謀啓釁階禍湘齊周代岷五國逆節未
萌瑕垢屢摘或徙或廢或焚死或微人之辜又下詔
讓燕文皇神武英明非諸王比靖難師陳請大臣罔
暇卻顧移檄發兵必欲加威以逞而大將持戟動遵
然衄北兵日邇務得齊黃如鼂錯故事建文英斷不
及漢景而諸故臣又以謾焉決事金川既入始以誤
國莫贖爲言天威斯赫誅戮蔓加根連株引至不可

勝數推皇祖之心豈獨以其追抗抵觸罔識天授已哉要以二三故臣首發難端致勤師旅故其時齊黃方練受禍最慘帝之心有餘憾矣方其舉義旗而南也前軍所指所嚮克捷雖鐵鉉諸人竭其螳臂之力以當車轍而天命所屬竟莫能阻夫用命有厚賞不用命有顯戮非湯武誓師之詞乎革除諸人就執之日堅盟初心視死如歸寧負順天應人之舉而不敢忘叩馬之心寧甘鼎鋸塗釁之禍而不敢効檻車之辱一時被難死志多至百數十人自紀載以來信未所見者也嗟乎流言興而周室危未央清而代邸入孟津濟而餓夫亾洛邑營而頑民梗彼度德以救靖與懷故而寘力其歸一也惜也經生學士不能發揚大義謂革除可以表年矣而不知甲子濟師之日[illegible]湯武革命之秋也謂誅黨可以懲姦矣而不知武[illegible]孝慕之舉固聖王下車之度也異日者陳瑛營[illegible][illegible]餘黨矣成祖否之曰彼食其祿固目盡其心爾又[illegible]詔大學士楊榮曰使練子寧等在朕固當用之[illegible][illegible]悲乎此其大公之心含弘之量大矣如天地之[illegible][illegible]覆載也明矣如日月之無不照臨也去今百七十[illegible]紀載忌諱是非晦蝕使主仁臣忠之分無以暴[illegible][illegible]

時此則任事者之罪也萬曆二載夏予承乏來撫畿人乎府推官劉楊言留都爲華除諸人效忠故都疏以爲宜遵明詔建崇祠以彰顯我二祖儲養孫[illegible]之恩億千百年大小臣工往來瞻顧則思諸故臣[illegible]國死綏之烈與當時開國元勳諸人所以翊贊鴻業扶植世教其成功駿烈皆足撼揭宇宙配天無極予覽其言壯之先是巡撫張君佳胤等以修舉祠祀事下有司議之未報予惟留都內地非支郡比尋以嘗所憶說請于政府江陵張公公手報曰褒錄特出上恩建祠增祀以祇遵明詔則守臣事也會今少司徒汪公以光祿卿來尹京兆既得報喜曰華除諸臣或死封疆或死故城予天子之守臣也惟祀典神祇是司明詔赫奕昌其敢廢於是議以晉卹都城咸如例列祀使諸孤憤遺魂猶獲血食茲地豈惟彰顯一時遺際表俗勸忠於是乎在議既定遂委成上元令林大黼江寧簿郭祺擇地飭材工役輳興予與巡按御史鮑君希顏唐君鍊詢謀僉同各發贖金以佐工作提學御史李君輔褚君鈇與觀風教敦勸彌篤未幾京兆公晉官大理卿已又晉今官祠既訖工今大京兆程君嗣功少京兆陸君樹德適來觀成司徒公遣

官來告曰是舉也於國家爲懿章於天下後世爲公議是不可以無紀惟下執事圖之予辭不獲乃推本前說俾林令刻之碑庶幾來者因有攷焉崇禎十三年祠部周鑣疏陳復建文廟號並靖難諸臣謚允請

青溪忠節黃公祠在飛蓋渡祀明禮部侍中黃觀夫人翁氏及二女配焉相傳即妻女死節之處萬曆中重修禮部侍郎趙用賢有碑葉向高有黃公忠烈祠記

趙用賢記云按表忠錄載公始從父贅外公許姓字尚賓舉洪武二十四年會試第一高帝親策士公對稱上旨擢狀元及第授史館修撰累遷禮部右侍郎建文二年知貢舉尋改制以公爲侍中仍賜尚書員掌尚寶司事與方公孝孺齊公泰練公子寧皆被寵用乃奏復黃姓當北兵起時嘗草詔極詆責四年靖難兵既渡淮公徵兵上游諸郡奮不顧家且行[illegible]上兵至安慶聞建文君遜位又得令諭暴左班文[illegible]臣罪狀列觀名第一公痛哭謂其友柯暹曰吾[illegible]死以報君行次李陽河公乃朝服東向再拜過[illegible]

幾湍急處給其舟人奮棹遂躍身自沉是年十[illegible]都御史陳瑛簿錄公與上杖英妻皆給配象奴[illegible]人俱出其金釧令奴市酒餚將供合歡具奴旣[illegible]人手挽二女暨家屬十餘人俱赴淮清橋下死青[illegible]居民時時見冠裳者一人携二三女郎立溪畔心[illegible]其爲公也相與嘆宣德二年土人始就其地搆廟爲三楹旁立二夾室其前逼衙道又屬時禁未解故隘其閎而寘土穀神像以蔽之歲益久故老益彫落過者皆謬指爲土地祠而已予官南宗伯慨然念革除之間忠臣義士其遺髑朽骼唉烏鳶而委草莽湮滅者不可勝數也則稍爲搜抉其遺跡因過青溪求公廟而廟門雜於廛肆久始得之顧瞻遺像爲之欷歔泣下已乃少捐俸貲拓其門而顏之曰青溪忠節祠於是京兆府幕吳君繼茂上元令程君三省江寧令周君詩簿杜君大中將謀更創後寢妥夫人二女之靈而於前堂獨置公像云（葉向高記）

忠烈祠者祀建文中死難黃公及夫人翁氏與二女也據舊志黃公募兵江上聞建文君遜國自沉羅刹磯夫人詔配象奴不辱與二女俱沈淮清橋下青溪之居又憐而祠焉或者曰淮清橋非夫人死所也夫人之

死乃在賽公橋今葬骼其處祠立于賽公不宜青溪[illegible]余曰公夫人神無不在即兩祠何不可者且賽公[illegible]久則沒矣青溪通衢過者式焉是可以風也或又[illegible]青溪故有小姑祠乃蔣子文之妹亦烈女也譌爲翁夫人耳余曰趙宗伯記中稱居民時時見冠裳者攜女郎二三人立溪畔故就其地構祠僅三楹以時禁未解置上設神敬焉又云顧瞻遺像欷歔泣下則公夫人之有祠有像所從來矣并自小姑譌也豈小姑故有祠今失其處耶公夫人祠得宗伯而顯又後數年而少宰晉江李公稍加飭焉然堂迫于門門迫于術淺隘譁囂登降無所余時爲禮官念欲改作而力詘未遑頃自留銓攝曹事屬署中有所摘發得數十緡余與儀曹汪君輩謀因以爲資太常就李丁公從臾甚力復有捐助會太學生汪宗孝者以百三十緡貿祠傍民宅一區輸入祠基址益拓于是鳩工庀材諏日從事以太學生潘廷讓督役祠故背河乃改而面之既寢既堂無不具飭闢其旁爲路樹楔焉鑿水亭于左無使蔽祠甃石爲岸以禦河周以欄楯其前曰一門忠烈廟貌翼如視昔改觀矣已復以宅爲精廬使僧奉香火既落成客有過祠下謁

時事輒咨嗟感嘆於諸臣之死若有難言者爾叩馬事爲解余直語之曰無以爲也高帝肇造[illegible][illegible]德冠千古然而有高帝不可無文皇也何也高[illegible]難開創王業未康繼之者其力難微文皇則明未得爲明也當永樂時建文之故臣以功名顯者之人然而有文皇可無建文之故臣也何也文皇帝護遠略以守代創輔之者其力易卽微故臣而明亦不失爲明也夫天下事視得已與不得已耳高帝不可無文皇則文皇之靖難爲不得已文皇可無建文之故臣則故臣之事文皇爲得已昔管仲事桓夫子仁其功以爲微仲則不成桓耳而子糾未君則仲亦未臣故可以無死夫如黃公輩者死可哉乃婦人女子志節皆與公同斯爲奇矣或曰然則文皇固欲死諸臣否歟余曰此亦文皇之不得已也夫諸臣不事文皇而又不死則固無所置此身矣死之以成其是而使萬世知有君臣是聖人之微權也他日用彼食其祿自盡其心蓋予之矣祠諸臣者從文皇意也諸臣合祠曰表忠而黃公與王學方公各有特祠黃公祠建于萬曆乙巳之仲冬成于次年之仲夏經理其事者爲儀部汪君國楠堵君維垣洪君佐聖祠部葛

吾寅亮鄭君三俊客部施君浚明膳部劉君洪謨司務李君允懋余爲次其事勒之石

馴象門外黃侍中祠賽公橋之東公墓在焉相傳翁夫人與二女投水而死家人亦從之卽此地太史焦竑爲之碑記

青溪夫人祠在金陵閘夫人南朝甚有靈驗宋猶有之今廢　青溪小姑者漢秣陵尉蔣子文妹也嘗遇難妹挾兩女投溪中死青溪小姑祠其來舊矣明萬曆戊戌間有以通紀載黃觀夫人翁氏死節挾兩女投淮清橋下見此像相似以爲當時隱其迹也遂[illegible]作節烈祠祀翁氏母子焦太史竑云秘閣見書載[illegible]氏母子死節在賽公橋三屍倚岸久之有以一木[illegible]狀之者至弘治間始以土掩之賽公橋近馴象街與配象奴說合存之以備考

方正學先生祠在聚寶山之南先是祠面東北堂與[illegible]

山相對垣不盈丈先生幞頭朝服秉笏端坐常向孝陵示不忘也祠以南公墓在焉祠以西木末亭也相傳門人王稌輩拾遺骸葬此萬曆己丑始于其地祠之甲申祠毀其十七代孫方樹節死于墓側今順治十三年民部洪若皐學博朱謨後學白夢鼎謀復其舊守者以山巔不可久棲建今祠易堂而西易亭而南易幞服而冠裳先生之祀則存而先生北向之志則失矣庚子祠成民部洪若皐後學白夢鼎為之碑記其題柱有起懦廉頑一夕秋風生木末成仁取義千年春草在長干之句先是宗伯王公弘誨鄧

公以讚湯公顯祖葛公寅亮俱有記錄其一以存舊

陳公丹衷修祠引附焉（王弘誨記云明文皇帝靖難師入金陵一時抗節死義之臣則正學方先生爲尤烈云始門生王稌輩取遺骸葬聚寶山其事秘不傳越二十年姦黨禁除而先生之事駸以章顯迨今上初下褒祀之詔天下言者益以不諱而先生之名遂炳烺寰宇間矣萬曆己丑冬客部新安汪君禮部臨川湯君聞過聚寶山邱古訪先生墓而封識之於是予與少宗伯常熟趙公爲闢墓道建祠山上一時南中大小九卿及諸縉紳捐俸相工不諆而合祠部蔣君爲之潤飾有加焉於戲是不可以觀人心哉夫以先生天挺之才醇儒之學高皇帝稱爲異人欲老其才須後用稍擢漢中教授建文中召入翰林進大學士日侍宸扆備顧問其遭特遇主爲何如也文皇帝靖難師入所至皆響應乃卽位一詔非得先生草定不可其倚任托重又何如也藉令與時委蛇垂勳竹帛天命人心之際先生豈不籌之熟哉乃衰絰哀號峻詞拒命至赤族不顧與變如飴先生之心也予讀其絕命之詞至忠臣殉君兮

抑又何求感慨唏噓有足傷心流涕者聞嘗律之孤竹叩馬之事則易姓受命視家事慰諭之曰其予嘉孰難首陽全身視萬死不磨之秋其爲情孰苦也以取義成仁可爲後世人臣懷二心者之愧則所謂易地皆然百世以俟聖人而不惑者也乃若孤竹得武王而臣節益彰武王得孤竹而主恩益顯今天下知與不知皆謂先生之節文皇帝成之矣至文皇帝他日有言彼食其祿自盡其心然則文皇帝之度詔自先生啓之奚不可乎予故表而出之俾後之知先生者因此知文皇帝而尚論千古君臣之際我明與成周貫異代北隆云適致仕通判程君心德同其子儒士近光董祠堂之役來告成事聊致數語系之碑陰其死事始末詳本傳祠堂興建則有紀

陳丹衷修祠引云崇往烈無使湮沒所以勸後教忠也事不可立教不舉也古今死國有慘于正學方先生者乎陰霜沍結高山爲平原有懼于天有虞於地以十族之死塞之我知十族九原不懷怨先生也古有及十族者乎先生蓋曰若胥里凫須之言罪至十族未足塞責先生之靈如有傷傷不能存君捄亡故無懟悔引罪也歸藏之殺藏墓也曰聖人以穴丘之故有墓古

皇日無廢祀事國祀弗廢野祀弗廢野祀佐國祀之不及也今夫憤不畏死死矣死十族死止矣死又何求豈計後有祀者虞鄉洪公精劬朱公與孟新白子圖再創往祠於木末亦云惟食袞祭以典明教娶則置予者天下乃知嘗之功敬忠在家爲孝在友爲義在民爲順民何嚮非私私生抗見古節烈忠憤生哀哀生禮禮生義或云先生忠矣語過暴激乎嗟乎嘻誠日星之宜暗青風雷以當藉不可截忠烈之事天有同性性有同心如圖佐助聽斯言如聽變徵之音眼尾擬豎擲金是工不遑安席者矣（張琪過祠詩）

木末横江白苔痕片石青孤忠惟幕雨千載一空亭論世今誰在傷心古未經追人高座語側耳正冥冥（丹衷詩）木末風起兮西日藏寒食近兮春煙黃何人冥椒野祭兮陳漿鳴呼臣罪不當祀而祀兮魂愈傷

御史大夫景公祠在聚寶山方公祠左明靖難兵至一時元勳國老大夫士庶以暨樵牧緇羽匠作傭

死者數十百人御史大夫景公清特著景公後方人

黃公練公死尤奇至今想像中丞公忠魂義魄衣行殿上屍斷鐵索走午門犯駕凛凛如生爲之誅古今未有也萬曆中方公建祠梅岡景公祠與方公鄰明季祠毀　順治庚子解公幾貞來涖民部學博朱謨後學白夢鼎請于解復舊祠仍與方公鄰解幾貞白夢鼎各有記先是太常李公維楨文公翔鳳惠公世揚皆有碑記（維楨碑略曰高帝旌余闕鄙危素以風勸天下忠義故建文將死難諸臣最盛秦得其六秦人仕留京者勉爲祠祀六公又以御史大夫景公事最烈禍最酷乃建專祠與方正學祠並而屬楨爲之記蓋靖難之師所連染芟刈遍薄海視唐宋兩太宗不啻百倍然當時謀國者力不能御於初或以起釁比其發難又不能知人善任致敗則以死殉固當惟景公未嘗失策爲

厲階勤王之師無可復徵諸並死者淳曧若焦人心寒怨莫必其命景公不勝憤挾七首致效荆軻之所爲其計畫無奈之至也抉齒斷舌含血噴御袍肉已就臨寶草之皮猶斷索繫趨乘輿復見夢於文皇爲故主報讐如左伯朱衣冠弓矢射王於鄗者自是白骨爲爐燼其族及其鄉黨無噍類焉俗謂之瓜蔓抄而邑版籍至于絶户仍曰某某以奸惡誅尚沿永樂時傳檄云隆萬以來體文皇帝人各爲主盡心之説褒錄諸死難臣恩禮隆茂有傳方正學後裔者事甚奇秩秩廟貌于國于家於吳於越不一而足若景公修愈甚廟貌曾未有特起者秦之合祠專祠固宜也特祠死事之地尤宜也茲岡之夫子祿祉以爲先冢墓永嘗過而問焉忠如景公二百餘年薦紳章布無論萬數俎豆香火趨事如不及必待子孫然後血食即景公始願寧爲今日計耶以君臣大倫忠義大道同天地不毀故感動人心如是嗟乎爲人臣何不爲忠而墮於辱人賊行使孝子慈孫百世不改乎

忠節周公祠祀衡府紀善周公是修公名德以字行江

西太和人舉明經爲霍丘訓導陛辭高帝問家居何爲對曰教人子弟孝弟力田高帝喜留之命侍東宮講讀尋改周府紀善建文元年王有過盡逮府吏詔獄是修以嘗諫得免改衡府紀善衡王建文母弟也未之國是修留翰林纂修國史數陳國家大計燕兵渡淮與蕭用道上書指斥用事者誤國罪及師入金川門宫中自焚是修留書别友人付以後事具衣冠入應天府學拜先師畢爲贊繫衣帶上自經于尊經閣下故于學宫立祠祀之修撰焦竑爲之記

三忠祠在聚寶門外南岡祀宋楊忠襄公邦乂文忠烈

公天祥最後祀南大司馬李公邦華三公皆吉產而以靖難死事諸臣吉水王公艮王公省永豐鄒公瑾魏公冕鄒公朴廬陵曾公鳳韶顏公瓌泰和周公是修龍泉張公彥方九公祀之忠襄公死事建康父老百世祀之忠烈公過金陵懷忠襄死燕市祀之南大司馬李公死京師賊難江東父老思之不忘合祀之南禮部侍郎孔貞運爲之序巡撫應天宋儀望爲忠襄公墓碑忠襄二十七世孫楊嘉祚爲重修忠襄公祠堂記御史郭維經爲忠烈祠引侍讀學士忠烈公孫文震孟爲新建文丞相祠記兵部尚書李光[illegible]

忠襄忠烈合祠碑記　順治十年吉安俊學□□

生文佩倡議重修爲三忠合祠碑記

公惠澤祠在善世橋隆慶元年邑人顧善繼等建祀

巡撫都御史方公廉巡按御史黃公　宋公纁戶科

給事中郭公　巡江御史艾公　府尹呂公□通判

陶公守訓上元知縣房公璐丞程公珉江寧丞李公

懿苑馬寺卿盧璧記〔記略曰祠生祠也神明之進作之者誰上元江寧之人也二縣

於應天附郭諸司輯焉其賦役之繁坊廂之困固非

一朝邇年以來征派百出迭以日繁存者凜凜然愁

苦呻吟殆不知有生人之樂矣乃郭公以考績入京

則親爲題請悉獲俞旨宋公駐節於茲又虛心博訪

詳定條約俾卽縣亭勒石其詳具於惠政錄中詳其

槩則光祿之柴薪九庫之夫役歲免賠納者各不啻

千金矣各衙門之修理與燕會以及額外之應付新增之工食與諸雜辦其所省又不知其幾矣坊長總坊當頭華而為顧役而取之者阻作奸者消矣徵派有數盈耗有權力差有等什物有紀益之流移當舖三百則兩利而俱存矣府有號簿縣有循環部院有稽查戶科有奏繳其防檢可謂密矣是故昔之費也五六今之費也二三昔之勞也八九今之勞也一二昔之愁苦呻吟者今欣欣然有喜色而相告矣民之感之豈待既去之後哉祠之所以作也報之所以周也隆慶元年夏六月吉日

〔續〕建惠澤祠碑紀云應天為天下首善之地設一府八縣而附于郭者二曰上元曰江寧若縣始為坊百餘民咸隸焉正統間遂於上元併為坊者四十有四江寧併為坊者三十有五厥坊定為十甲坊長一人甲首十人以供勾攝後以里甲告訐始度力徵銀以備邑公費甲分二載有半役輪一季先是戶畜事簡吏咸守官常重名節民不告勞嗣是浸淫徵需無厭民始嗷然不堪命矣既又每坊擇民之少裕者數戶以總徵銀之出納號曰買辦名雖曰總而實則徵浮費之不足者責數戶以足之也夫以十數戶之窮限供數十百人吏之冗費

民安得不瘵且亟邪鄉士趙子心獨傷之乃率同志之陳諸當路時巡撫中丞方公諫議郭公代巡黃公京兆呂公惻然一爲經畫民痛甫少蘇居無何既[illegible]復薦臻矣趙子重悲傷之更欲赴愬適通府陶公署江寧篆輒往陳之相與謀諸僚友告諸京兆徐公方圖維與華會代巡宋公以民瘼質諸文學時趙子所從言之邑人亦往陳之宋公洞燭遂屬陶公綜紀之公乃籌諸旦夕寢食幾廢剔奸蠹遏弊源痛爲裁革創爲定畫一曰審實編櫃銀以去無徵者而公家得實用二曰定額設外櫃銀貯庫以備公費而坊民免浪賠三曰顧募應辦人役以便集事而吏胥公同支取四曰輪人夫以應役使而褒之者敘次撥差至於應用什物之類盼于郡宇屬之吏以候迎送一不煩諸民於凡費之公者節之冗者裁之自此法立省民費者大半而昔之鼠穴狐窟率皆屏息若坊之民買辦借辦者舉皆罷去祭法曰法施於民則祀之非此不在祀典若數公之于民也非所謂法施者與然則尸而祝之于不朽固趙子及二三邑民之念亦人心至公不易之理也朱公諱燫按應天屬郡河南商丘人陶公奇訓任應天通判廣西平樂人趙子善繼爲

郡弟子員上元人滕慶

丁卯十一月十二日記

丁清惠公祠祀南京工部尚書丁公賓公初任句曲令有惠政民尸祝之後歷任南操江大司空行條編法裁革坊廂均賦役里甲坊甲各有定制興學校濬河造橋梁惠民便商與海忠介公先後德澤被于江左紳士庶民感公清惠立祠淮清橋之西南遵旨額曰勞績祠太史焦竑爲之序尚書李長庚爲祠記記曰夫公之茂績在南都輿有誦口有碑薦紳或因觴祝而颺言或因政治而紀述更僕未易殫悉余獨謂公之大有造于留都也殆蒼蒼有意于南天而錫之我公乎雖然當公不阿權相意以下石同儕斯時而留都十年之偉績殊勳實根柢于一念中矣藉令公世稍有希榮邀寵心必且可順風而速化何至二十

隱淪不起假令逆順心逆位高名卑迨冰山消而
之湮滅彼留都一一不可磨滅之勞績天安所御
民亦安所得借公而錫之福也是知策蹇去國指
不顧惟此皭然不滓者挹彼注茲天之道猶酌也
偶然哉庚楚人也不欲爲楚祖而拳拳向往公者
獨羨公之釐弊興衰改觀今日之豐芑匪獨羨公
即飢賑恤常活溝壑之鴻雁匪直羨公之勞思極慮
贊說百萬之蒼赤匪直羨公之披衷殫愫永垂千載
之鴻猷而殷殷注切于公云者正以當時權宰勢焰
炙手可熱而鴻實鵠舉必不肯中人以媚人此其靜
定志慮非平時之學講明有素不能至此此長庚有
所深服也至于公之勞績茂著勒金石而鐫盤盂不
待與公共事時目擊耳聞而聖明鑒知亦有素
上無謳歌更非一日矣崇禎庚午李長庚記

兵部船政倪公祠祀南兵部車駕司郎中倪公湅公字
雨田上虞人轄船政剛方愷悌定運甲編審黃快船
丁永不許運戶妄扳丁戶載在船政新書衞所感之

立祠于朝天宫卞將軍廟之左文正公鴻寶倪元璐其嗣也

大清順治乙未衞弁欲變成法督府馬公國柱紳士公請下道府詳勘會林公天擎王公燧趙公廷臣查照船政新書遵萬曆會典行核實以報馬公具題奉俞旨萬姓感戴奉馬公林公王公趙公生位于倪公祠

馬公疏列于後疏云題爲運丁舊冊堪稽僉勾積弊宜剔仰懇聖明俯賜採擇事臣聞凡事更張即起借端之弊前人有例何難按籍而求如明朝用黃快船以裝貢物設運船以輓漕糧事雖並重然黃快船丁係編審小甲糧船運戶係食糧世軍人實分途先是兩丁皆以正身應役備受監局厰衞之騙害蕩產傾家賣妻鬻子甚至逼勒投河二百餘年有冤無告嗣據南北兵部

堂駁詳議疊疏奏請定爲免役編銀之法快丁
納銀壹萬五千兩黃丁每歲納銀二千三百兩
南京兵部以爲繕船募役之資此萬曆十四十六年
兵部題准刻有船政新書可據兩丁遵此而行非一
日矣至于運軍承祖戶運差凡有事故止于本差一
日內撥補不得將黃快船編丁掣出領運此萬曆一
十一年兵部題准至崇禎四年南京兵部尚書傅振商
案漕運總督李待問因明職掌又題委司官陳鎔盛
將萬曆八年及四十六年老冊與運軍祖冊運餘底
冊逐月支糧冊兌底清查審定運軍一萬八千六百
[illegible]各有現運旗甲有食糧運餘有清出窟丁有空
[illegible]供丁補其開某衛某幫某戶某丁祖宗姓名子孫人
[illegible]刻有運冊新攷可據運軍遵此而行亦非一日矣
[illegible]循我　朝創造紛然舊弊叢生奸甲既思竄戶而
息肩貪弁反借勾查而居奇臣前閱總督漕臣沈題
疏及部臣覆議慎重精詳深恐殷實運軍竄戶逃差
致悞　國家漕務雖然臣謂此輩有敢竄之心無能
竄之法何也兩書在案運自運丁自丁固截然不容
混也臣思我
皇上念念爲民事事除害一切省直錢糧盡照萬曆年

間編派以絕貪官汚吏額外濫加之弊則船政運屬
在萬曆年間臺省兵部幾經參駁而後成書使清[illegible]
照此清查則載冊祖軍誰敢指鹿爲馬僉運照此[illegible]
運則納銀船丁自難以羊代牛斬斷無數葛藤省[illegible]
許多騙詐茲據分守江寧道副使林天擎呈送[illegible]
到臣除另咨送戶部查驗外臣謹繕疏奏
聞伏乞
皇上勅部詳議請
旨施行仍將原書發臣臣惟捐俸重刊頒布各該衛所
使軍丁世守成規永戴
皇仁可也緣係運丁舊冊堪稽僉勾積弊宜剔仰祈
聖明俯賜採擇事理未敢擅便爲此具本謹題請
旨順治九年八月初八日題十月初五日部覆奉
聖旨是

王公祠在雨花臺側祀應天府尹王公爌公爲尹有[illegible]
政民立祠祀之事詳名宦傳

汪公祠在梅岡下祀府尹汪宗伊事詳名宦傳

鄭公祠與汪公祠並祀兵部武選司郎中鄭一麟

黄公祠在秦淮貢院左祀府尹黄公承元郡人顧起元

記事詳名宦傳　順治已亥年燬今重修

張莊節公祠祀太子少保左都督張公可大在雨花臺

松風閣公死事顛末載人物傳　祠南向中爲佛殿右東向爲閣閣之北爲小閣爲看竹軒閣之後爲半閣顔曰蟲天殿之右爲正軒翠室數楹庖湢略具先是公仲子鹿徵購爲讀書之地崇禎壬申公死登州難鹿徵伏闕上書得賜祠祭贈廕祠額旌忠例于里中建特祠遵賜額慮燹難之後力不能舉乃奉主于閣之上以妥時祀乙巳公仲子元徵復奉先代神主于西軒顔曰張氏家祠歲時修祀鹿徵無子乃銘于東壁以示後人曰高閣層軒先靈妥焉一木一石一瓦一椽皆經心血護此几筵灑掃必親享祀必虔勿替引之是在象賢齎及借人雜聚褻慢是日不孝罪通于天神之聽之苟日無

然

汪文毅公祠祀明翰林院檢討汪公偉崇禎甲申三月十九日京師賊陷公與繼室耿氏同日死之今

世祖順治之捌年辛卯十月詔恤崇禎死事諸臣賜謚賜祭賜祠各有差賜翰林院檢討汪偉祭葬謚文毅

命建祠江南賜田七十畝春秋祀之其子孝廉觀受

命擇地于冶城之西古城隍廟之北西園故地而祠祀之後學白夢鼐爲之記其題柱云君死社稷臣妻[illegible]君臣留二百八十年正氣夫殉國家婦殉節夫[illegible]三月十九日同心覲帝以爲實錄云

陰山廟在縣西南十二里晉王導建武中於閶阜間遊約見步騎數十駐立壟上導怪之使人致問俄失所在是夜夢曰我陰山神也昨隨帝渡江寓泊于此卿爲我置祠當福晉祚導以是事聞上爲置廟名曰陰山宋開寶八年平江南曹翰重修因爲記書于堂之西壁今廢

蜀三大神廟清源君梓潼君白崖君皆蜀中神制使姚希得自蜀來建三神廟於青溪之側卽今洞神宮是

二郎廟在西華門大街巷內祈禱靈驗　順治己亥馬公鳴珮建痘神廟于旁

華光廟在上浮橋西

蕭公廟在驍騎營西隅臨城明萬曆中重修學士余孟
麟爲之記

翔鸞廟在武定橋南翔鸞坊明萬曆中重修

五顯靈官廟在聚寶門外來賓橋西南小巷西善橋又
有五顯廟鄉人香火亦盛

劉公廟在三山門外西南

眼香廟在牛首山傍俗傳宋高宗妃避難于此死而爲
神眼疾禱之輒愈

挿花廟在上元縣東清化鄉廟建于元季祀土神明[illegible]

禎中重修閣黃居中有記

宗三廟在三山

李氏女廟在三山詳見山川下

西齊王廟在東流不詳所自俗謂夫人能治目疾並祀焉

白都廟在白都山

句容

社稷壇在縣治西一里明洪武元年立舊在子城北後移青元觀西南（元樊仲式記自天子達于庶人得以通祀者社稷而已社祭土稷祭穀所以重民命也壇而不宇所以霜露風雨之也禮曰王社曰侯社曰置社曰州社曰里社均之祀土也自天

子諸侯而下以大夫家多寡之數而爲之隆殺耳余稽諸經傳有曰民爲貴社稷次之又曰重社稷故愛百姓先王勤禮於社以神地道不曰所重民食乎夫長令民人社稷之所寄也苟不致謹於是不幾慢神病民哉按邑舊志土瘠民窶是宜尤加謹賢邑長以啓以承前後輝映其誠之所要重矣既又繫之詩俾邑人歌以祀神其詞曰我思勾龍繼社之宗亦有田祖曰棄曰農神之來矣說與我里有壝有壇陟降孔邇靈鼓淵淵靈旆有煇以報以祈神其忻忻春有獻禽秋有稻粱曰殺犧羊神其洋洋神既醉止賜我多祉雨暘以時疫癘不起我穀穰穰

樂我壽康以翼以匡邦家之慶

山川壇在縣治東南二里明洪武九年立

邑厲壇在治東北

鄉厲壇一十二所在各鄉

城隍廟在縣治南至元立明景泰三年重建　順治十

三年重修

關帝廟一在東門一在西門一在南門內

宣聖廟一在福祚鄉許巷紹興間四十八代孫孔端隱立祠明永樂間五十八代孫孔禧移于今處五十六代孫孔希潮記萬曆間六十二代孫孔聞敕重修吳文梓爲記　一在縣坊郭東南隅四十八代孫孔端佐爲記裔孫胤祖重修　一在承仙鄉北社村子孫書香蕃衍不絕

名宦祠在縣治東北

鄉賢祠在縣治西南泰定二年建忠臣劉鄴孝子張常洎二祠於講堂之西（胡炳文有記）

祠鄉賢所以善風俗表忠孝所以厚綱常容邑祠非其鬼者甚衆古所謂鄉先生殁而可祭者學未有祠非缺典歟泰定乙丑乃始闢講堂之西爲之按邑志又史書唐張公常洧居喪盡孝廬墓三十六年劉公鄴事主盡義當黃巢之亂不懼賊而死此正李泰伯學記所謂爲子死孝爲臣死忠者也祠之於學見鄉先生之所以可祭者如此見士之所以爲學者當本乎此高山景行之思秋菊寒泉之薦使人親親尊尊之天油然不能自已者

真武廟在縣東北隅宋景定間建今坊民重修

三茅真君廟按舊志漢詔敕郡縣修守丹陽句曲真人廟以茅君分理赤城每年十二月二日駕白鶴會于此

護聖廟在茅山元符宮祀句曲山神歲五月五日有司

廣[illegible]廟在茅山前有龍池相傳陶隱居豢龍于此歲旱禱雨輒應宋紹興敕封敷澤廣濟侯歲令有司驚蟄日祀之

馬神廟在治北

夏禹王廟一在秋千邨一在赤山湖

梁文孝廟在東門內昭明嘗讀書茅山邑人祠之

李衛公廟在縣治東南唐武德四年輔公祏據丹陽反靖討平之民遂祠祀

顏魯公廟在縣東顏家村宛陵太守王遂有記

盧大王廟在縣西北南唐史盧絳任江南昭武節度使入閩以圖興復不果而敗邦人立廟祀之舊以爲盧綰者誤

曹王廟在縣南祀武惠王彬

張王廟在縣南十里福祚鄉有張墓數百里紹興經界時蠲賦禁民佃東有石柱前有陂池相傳王飲馬于此今額正順忠祐靈祭昭烈廟

武烈廟在東門南唐陳杲仁以陰兵助柴克宏取勝追封武烈帝詳見金陵志

劉明府廟在縣東門內祀晉邑宰劉超明天順間爲令有德政民肖像祠中

沈使君廟在縣北七十里仁信鄉祀宋沈慶之

溧陽

社稷壇在縣西門外宋嘉定中陸子遹建縣尉陳嵘有記

山川壇在縣南門外明洪武初建

邑厲壇在縣北門外明洪武初建

鄉厲壇二百里各一

城隍廟在縣治東南明正統初建成化重修祭酒劉俊有記

名宦祠在儒學戟門右明弘治九年立

鄆賢祠在儒學戟門左明成化二十一年立先是宋嘉定中立四先生祠祀周濂溪程明道伊川楊龜山十三年又立楊忠襄祠今皆廢

伍相廟在西南六十里護牙山下員奔吳及破楚道經此地後人廟祀之

顯惠廟在縣北二十里埭頭村祀漢司空溧陽侯史崇宋大觀二年賜額政和二年封靈濟公

貞義女廟在縣北鳳凰橋吳越春秋貞烈傳貞義女黃山里史氏女也吳王僚五年伍子胥去楚自鄭奔吳中道而疾乞食溧陽値女擊絮於瀨筥中有飯子胥跪而乞餐女子飯之子胥行[illegible]已復去謂女子曰掩子壺漿毋令其露女子嘆曰[illegible]乎妾獨與母居三十年自守貞明不願從適何宜[illegible]飯而與丈夫虧越禮儀妾不忍也子行矣子胥行[illegible][illegible]女子已自沉於水其後闔閭十年子胥以吳

郢還過溧陽瀨水之上長嘆息曰吾嘗飢乞食於女子女子飯我自沉而亡欲報以百金而不知其家乃投金水中而去李太白負義女碑銘皇唐葉有六聖再造八極鏡照萬方幽明咸熙天秩有禮自古及今君君臣臣烈士貞女采其名節尤章可激清頹俗者皆掃地而祠之蘭蒸椒漿歲祀罔缺而茲邑負義女光靈翳然埋寘古遠琬琰不刻豈前修闕遺者爲邦之意乎負義女溧陽黄山里史氏之女也歲三十弗移天于人清英潔白事母純孝手柔荑而不龜身繫漂以自業當楚平王時平王虐忠助讒苛虎暴政芟于尚斬于奢血流于朝赤族伍氏怨毒之於人何其慘哉子胥始東奔勾吴月陟星遁或七日不火傷弓于飛遍迫于昭關匍匐于瀨渚舍車而徒告窮此女目色以聽援之壺漿全人自沉形與口滅卓絶千古聲凌浮雲激節必報之誓雪誠無疑之地難乎哉借如曹娥潛波理貫于孝道聶姊殞肆概動於天倫魯姑棄子以却三軍之衆漂母進飯没受千金之恩方之於此彼或易耳卒使伍君開張闔閭傾蕩鄢郢吴師鞭屍於楚國申胥泣血於秦庭我亡爾存亦各壯志張英風於古今挫大憤於天地微此女之力雖云

爲之士亦焉能咆哮垣林施於後世耶望其溺所怜惶低回而不能去每風號吳天月苦荊水響像如在精魂可悲惜其投金有泉而刻石無主哀哉邑宰榮陽鄭公名宴家康成之學世子產之才琴清心閒百里大化有若主簿扶風竇嘉賓縣尉廣平宋陟南朝陳然丹陽李濟清河張昭皆有卿才霸略同事相協緬紀英淑勒銘道周雖陵穀海竭女或不死其詞曰粲粲貞女孤生寒門上無所天下報母恩春風三十花落無言乃如之人擊漂清源碧流素手縈波潺湲求思不可秉節而存伍胥東奔乞食於此女分壺漿滅口而死聲動列國儀形壯士入郢鞭屍還吳雪恥投金瀨沚報德稱美明明千秋如月在水（俁斯詩）

偶因一飯饋將軍滅口沉淵信義存謾說有金堪報德却憐無地可招魂春風瀨沚江蕪綠落日荒祠野樹昏滄海桑田任遷變貞名終古照乾坤（倪岳）

瀨水迢迢清復深穹祠精爽尚陰森壺漿聊慰將軍渴鐵石應憐烈女心慷慨半生輕九死分明一節重千金芳魂不逐東流去貞烈名傳亘古今

溧水

社稷壇在縣西門外明洪武二年建嘉靖四年改今地

山川壇在縣南門外洪武二年建

邑厲壇在大東門外

鄉厲壇每鄉各一

城隍廟在縣治通濟街宋乾道提舉王端朝記云神爲唐縣令下邽白公諱季康元和四爲縣令而終于溧水歸葬下邽溧民尸而祝之數百年不忘即縣治爲祠紹興請于朝賜南額正顯後進封廣惠從子白居易誌略云公爲人溫恭信厚爲言貞白嚴重友于弟兄慈于子侄鄉黨推其行交遊讓其才自尉下邽至宰溧水皆以廉潔通濟見知于郡守流譽于朋僚才不偶時道屈于位而徙于州縣竟不至于青雲命矣夫明嘉靖重修萬曆縣令陳子貞重修建懷白亭有記

國朝順治十年邑民倡義復治之縣令閔派魯有記

關聖廟明萬曆間建在河東岸知縣董懋中有記一在縣南郎村唐垂拱五年建宋孝宗甲辰修明萬曆重修

名宦祠

鄉賢祠

左伯桃羊角哀廟在縣南七十五里廟像伯桃羊角哀居左右祀介子推于中相傳左羊子推墓相近云

禮部侍郎劉公祠在縣北三十五里宋杜子源有記[illegible]溧水縣北七[illegible][illegible][illegible]劉君有祠舊矣禴禜祈禱輒響答

表忠祠在北門外望京街明嘉靖四年邑令王從善建

祀兵部尚書齊公泰扁其堂曰勁草名曰中山書院

萬曆改元詔復建文死難諸臣爵予春秋祀縣令傅

應禎建坊顏曰表忠

徐公祠在北門外望京街明萬曆間邑民建祀嘉興徐

公必達邑人王守素記

高淳

社稷壇在縣治西北明弘治間立

山川壇在縣治東南明弘治間立

邑厲壇在縣治北

鄉厲壇

里社壇每里各一

城隍廟在察院西明嘉靖五年建萬曆五年重修崇禎三年復修

國朝順治十二年再修

關王廟北門內設縣初明府丞冀綺建　順治四年邑人重修

祠山廟縣東六十里祀漢張勃明高帝提兵至此卜之神吉爲詩二章紀之戰於彭蠡神助戰滅敵遂封君春秋致祭

中山聖母廟中山去縣十里縣以是山得名山有聖母

廟按舊志唐昇元六年韋君貞記葢相傳爲后土之
神云元豐間民禱雨輒應　順治癸卯知縣馮奉寧
重修

名宦祠

鄉賢祠二祠在戟門外俱明嘉靖五年立

遺愛祠在府館右明萬曆間知縣項維聰修并祀知縣
劉啓東知縣鄧楚望文祀知縣董艮遂葺其夙有記

江浦

社稷壇在縣治西北明宣德九年建

山川壇在縣治西北三里

邑厲壇在縣治北二里

鄉厲壇二十九在各鄉

城隍廟在縣治西南明洪武二十四年建天順四年修

萬曆四年重修

國朝順治　年再修

各宦祠明弘治間知縣胡昉始建嘉靖間知縣黃昭重

建於儒學戟門左萬曆間知縣佘乾貞改建於櫺星

門右

鄉賢祠在學門內東隅明弘治十三年知縣胡昉始置

祠嘉靖二十九年移今處萬曆間重修祀邑之名賢

霸王廟在烏江去縣西六十里

定山祠在縣治南大街嘉靖十三年知縣劉縉建祀理學名臣莊㫤南京禮部尚書增城湛若水記湛水記八光

生之出處進退未易言也其始也懼之於嬰孳其中也乘之於西涯其終也成之於青谿而又懶於予弟可人之不力焉向使瓊臺而不入相入相而先物故畀先生退居三十年矣未必出出而有知已故調獲之以累薦之賢則必復內翰必不南及南而疾作不知人矣使子弟門人而力焉則必知令法不但一狀而可掛衣長揖以去而必知自奏知自奏以祈允必不羅青谿之忍使青谿而不忍則自十月告去以至另年二月卯彼其久中間一念同鄉之義全其節以謂天下之人望必有以處先生而不至從考察以退也噫雖然昔者柳下惠爲士師三黜而不去猶日直道而事人令尹子文三仕三已而無喜慍色甯武子邦無道則愚古之賢聖人立身遇世其遠意豈常情所可測哉先生之卒江浦尹胡君昉請祀于鄉賢祠

後二十八年爲嘉靖乙酉從子遊者今新尹桂林劉君縉甫蒞江甫吏治民安不勝景行之思乃承前尹陳君文治之志捐俸闢地治祠堂於江浦之涯歲時以祀先生以淑人心治之首務也凡爲堂三楹其前堂如之其爲大門亦如之爲左右廡各三楹劉君又有創樓三間於其後以爲來學者之登眺遊息焉

六合

社稷壇在縣治西門外明洪武間立正德間遷今處

山川壇在南門外明洪武間立

邑厲壇在縣治北明洪武間立

城隍廟在縣治西高岡上按舊志云廟即淮南九江王黥布祠宋景德紹興開禧間靈跡顯異賜廟額曰昭衛明洪武封爲監察司民祐伯歷正統嘉靖萬曆間英靈益著國朝順治間重修康熙丁未邑有虎害民知縣顧高嘉爲文告神以驅之虎三日即遯

關帝廟在東門河干滁治二水合流處

名宦祠在儒學内明正德八年建萬曆間以韓世忠岳飛歐陽得基唐詔何宏茅宰入祀

鄉賢祠在儒學啓聖祠西明正德八年建

忠賢祠在縣治北南京禮部尚書霍韜立祀名宦鄉賢按舊志宋韓世忠岳飛禦金兵往來江上勇烈顯著唐康大尹禱雨投江志切民隱明歐陽得基宰邑惠政爲民哀思皆六合名宦之著者也都督楊能策勳邊塞參議黄宏死節抗逆皆六合鄉宦之賢者也廟食兹土於禮爲宜創爲忠賢祠後續元處士郭淵明

廣東按察使王弘二人又邑人張約人前代以忠見
殺明知縣唐詔首稱循良俱入祀今未修

論曰明有禮樂幽有鬼神鬼神者禮樂之所寄也且
國之大事在祀與戎有功於斯土者祀之有德於斯
民者祀之守土者之責歟抑以志民之不能忘也若
夫祀古賢繼往哲也祀今賢開來學也理學人倫之
宗節義天地之正彰明禮義興起教化其在是乎古
者歲豐則蜡始通歲荒則索有深意焉金陵之俗通
達而好禮淫祠視他郡爲鮮葢狄梁公之在江左[illegible]
明道之在上元遺風猶有存者若夫左道惑衆[illegible]

而民愚是厲吾土也厲吾土者驅而逐之又何祠焉

江寧府志卷之三十終

江寧府志　卷三

江寧府志卷之三十一

寺觀

儒者秉禮正倫崇道二氏闡微亦以立教明性徵心用弘

聖造紺宇珠宮互臻靈奧作寺觀志

寺

靈谷寺在鍾山東南舊於獨龍阜建道林寺梁改開善宋改太平興國後改蔣山明洪武初徙山之東偏改名靈谷自山門入松徑五里乃至寺其中路履之有聲鼓掌則聲若彈絲俗呼琵琶街梵王宮殿不施一

中國綫裝書局藏

木皆壘甓空洞而成其殿廡規制彷彿大內後有浮圖即梁寶誌幻身攺葬于此塔前有石泉回曲僧曇隱所得八功德水也石旁有古松偃蹇明高帝月夜掛衣於上蟲蟻不生方丈扁以青林堂榜明高帝山居詩於上寺左有梅花塢寺有明高帝大靈谷寺記及徐一夔奉勅撰靈谷寺碑寺今廢殿獨存

國朝順治十六年僧羽南住錫重修募種桃花萬樹于此（陳陰鏗開善寺詩）鷲嶺春光遍王城野望通登臨情不極蕭散趣無窮鶯隨入戶樹花逐下山風棟裏歸雲白牕外落暉紅古石何年臥枯樹幾春空淹留昔未及幽桂在芳叢（南唐李建勳開善寺詩）臺雖少景何濟滿地青苔勝布金松影晚留僧共立水聲閒與客同尋清涼會擬歸蓮社沉湎終須棄竹

[illegible][illegible]受寄吟經案上石窗秋霽向千岑〔宋曾極[illegible]
[illegible][illegible]詩〕六帝園林隳刦灰獨餘靈骨葬崔嵬行人[illegible]
[illegible][illegible]同鶴喚得齊梁一夢回〔明林鴻春日蔣山應
[illegible]詩〕鍾山月曉樹蒼蒼鳳輦乘春到上方馴鳥不隨
天使散曇花故落御衣香紫林霽雪明山殿玉澗飛
泉近苑墻自愧才非枚乘匹也陪巡幸沐恩光〔僧
法聚靈谷寺詩〕石磴迢遙入翠微倚空臺殿映斜暉
[illegible]齋春寂花初落萬木雲深鳥自歸靈谷慈風生梵
境寂園佳氣護朱扉未應誌老無長舌古塔鈴音徹
上幾〔顧起元詩〕山門纔入便悠然十里深松上綠
天[illegible]刹啓扉皆疊嶂僧寮汲水盡飛泉玉甃碧草無
人[illegible]石戶蒼苔有鹿眠漫謂山靈謝通客濫巾仍得
[illegible][illegible]緣〔佘孟麟詩〕先皇標傑構一塔隱千峰窈窕
[illegible][illegible]路瓏石上松寶函傳白馬金鼎伏蒼龍劍盡
[illegible][illegible]畫青山不改容〔焦竑梅花塢詩〕山下幾家茅
[illegible][illegible]中千樹梅花藉草持壺坐隔林敲石煎茶又
[illegible][illegible]林東短墻曾開寶地齊梁初春老樹花發深澗
[illegible]人水香〔廖孔悅入靈谷詩〕十年休夏處離別嘆
[illegible]陰歲月總辛苦雲林唯靜深入門破松色繞澗發
鐘音寥廓滿天地如何世外心〔傅汝舟靈谷寺詩〕

舍木灘中放野花開歌李白作生涯我與青山皆過吾心隨明月是歸家石榻豈容眠龍藏松杉依舊着袈裟吞來一掬天池水舌底雲香雨氣春〔陳丹衷雪谷詩〕雲泉山色共平安百遍聞鐘到夜殘是夕遠枕真入夢誰家酒甕最難乾鷗鳧就日惟成睡虎豹今年已畏寒消渴相如坐梅樹白頭老瘦轉相看〔王亦臨梅花詩〕看花如得夢獨語上寒山淺巷野雲滿西鄰濁酒開春風尋草遂鶴影閉谿關各有平生在來窺水石間

棲霞寺在攝山南齊明僧紹故宅永明七年捨為寺陳江總有碑隋造舍利塔於寺後唐改功德寺高宗製明隱君碑南唐改妙因寺徐鉉書額宋改普雲寺仁宗賜金寶方碑明洪武初仍名棲霞寺寺有王世貞記陳文燭重修棲霞寺碑陸光祖天王殿記汪道昆

[illegible][illegible]堂及多寶塔記序焦竑董其昌五百阿羅漢像記按攝山一名繖山中峯屹然卓立左右山環抱如拱陳江總持及唐高宗碑尚完天王大雄法堂諸殿接于中峯之麓隋舍利塔前中峯澗水從石蓮孔中噴出爲品外泉倚山石佛千身爲千佛岩紗帽峯明月臺循中峯而上有白鹿泉珍珠泉疊浪岩再上爲天開岩爲明徵君故宅宅後有白乳泉僧寮倚山架壁各擅其勝白雲菴紫峯閣尤稱幽峻歷朝以來高僧棲息明覺浪禪師開法于此塔在焉笑峯竺菴繼起山門重新今禪堂創建于中峯之下（陳江總入攝山棲霞

寺詩〕淨心抱冰雪暮齒逼桑榆太息波川迅悲哉人世拘蕨華皆採蘐冬晚共嚴枯灌流濟入水開襟入四衢茲山靈妙合當與天地俱不頽乍深淺崖烟遞有無缺碑横古隧盤木卧荒塋行行備履歷步步轉戚紆高僧迹共遠勝地心相符樵隱各有得丹青獨不渝遺風竹芳桂出德喻生條寄言長往客悽然傷鄙夫〔又遊棲霞寺詩〕蕭霖時雨霽清和孟夏肇棲宿綠野中登頓丹霞松敬御高人德抗志塵物表三空豁已悟萬有一何小始終情所寄冥期諒不少荷[illegible]步林泉爽氣涼昏曉乘風面冷冷候月臨皎皎烟崖憩古石雲路排征鳥披逕憐森沈攀條惜杳裊平[illegible]恐是非朽謝豈矜矯五濁自此淨七塵庶無擾〔雷[illegible]皮日休登棲霞寺詩〕不見明居士空山日寂寥白[illegible]吟次欵香靄坐來消泉冷無三伏松枯有六朝何[illegible]石上月相對論逍遙〔皇甫冉送陸鴻漸棲霞[illegible]採茶詩〕千峰待逋客香茗復叢生採摘知深處烟[illegible]羨獨行幽期山寺遠野飯石泉清寂寂然燈夜相[illegible]一磬聲〔綦毋潛題棲霞寺詩〕南山勢迴合靈[illegible]依此住殿轉雲崖陰僧探石泉度龍蛇爭翕習神[illegible]皆密護萬壑奔道場羣峰向雙樹天花飛不着水[illegible]

白戍路今月覲身我歸心復何處〔權德輿〕與沈
八遊宿棲霞詩〕偶來人境外心賞幸隨君古殿煙霞
深山松桂熏岩花點寒潮石磴拂吞雲清淨諸天
近塵下界分名僧康寶月上客沈休文共宿東林
夜猿徹曙聞〔南唐周繇棲霞寺贈月公詩〕明家
六買山錢施作清池種白蓮松檜老依雲外地樓
十深鎖洞中天風聲絶頂迴跡雨石倚危屏挂落泉
羅茅菴伴師住肯饒多少薜蘿烟〔明顧璘宿棲
寺詩〕下馬松門日暮時晩晴先自愜幽期巖深長
年佛寺古猶餘六代碑亂莽風生潛虎穴危峰
涯猿枝明朝臘有游攀與一夜江山惱夢思
〔婁堅宿棲霞寺詩〕太素鳥乎下峯頭客亦還半有
丹雲外月滿翠微間中夜起開戶無人獨對山禪心
正如此暫與境俱閑〔雷學使棲霞寺詩〕雙林不創
代自垂名古塔無全影殘鐘尚舊聲佛頭
地得僧偶卓泉生漫從追興廢忘言在化城

雞鳴寺在雞籠山與覆舟臺城相接晉永康間倚山為
室始創道場明初為普濟禪師廟洪武二十年改創

鷄鳴寺置門三曰秘密關觀由所出塵徑皆賜額也遷靈谷寶誌公法函奉于山麓建浮圖五級山廣數畝規制盤折高下若數里山門之右有施食臺寺中有憑虚閣望湖亭登覽最勝吏部尚書王僎有重修記釋道果有施食臺記刑部郎呂律有憑虚閣記今閣圮

國朝康熙癸卯塔燬重修葺之并易山門而湖山烟景猶見六朝勝槩〔明〕姚廣孝鷄鳴寺詩秘密關虚人少到煮茶亭畔我曾過山禽啼斷暮鐘靜兩兩僧行出薜蘿〔陳沂宿鷄鳴寺詩〕春山臨淨域夜檻出高城萬境烟雲暝諸天象緯明寶燈分塔影金鐸亂松聲定處塵機破喧中道念平感靈僧錫化虚寂佛香生鳥息林初靜龍歸水自清蕭皇遺

世志師竺住山名不到深棲地那能識此僧
表鷄鳴寺詩〕寶地空香散金繩覺路賒樓高凝
軒窗秘青霞綠泫臺城草紅悲辱井花江山今
非獨有恒沙　〔盛時泰鷄鳴寺憑虛閣詩〕香雲如
點鍾陵湖水生波盡解冰幾處春風迴弱柳千廬
色潤垂藤香筵寶座初聞梵塔院蓮龕正試燈閣上
莫辭同醉酒望中原草漸層層　〔黃居中登憑虛閣
因過功臣廟及觀國學詩〕檻外平原古戰場朔風吹
雪曉蒼蒼越王臺廢名空在孫氏陵存跡已荒汗馬
幾時開畫壁橋門此日盛冠裳登臨贍有懷人輿自
倒壺樽閑竹房　〔姚履素憑虛聽雨詩〕高閣四無垠
虛窗萬綠新時聞風習習忽見雨潾潾遠近迷山色
高低濕草茵夜深留客意燒燭酒杯頻　〔廖孔悅鷄
鳴寺仲秋十一夜看月詩〕暑退思探勝蟬聲冷寺傍
秋容真似水樹色忽如霜人意凉初靜山容晚自香
不須參半偈今已萬緣忘

清涼寺在石城門內崇山之阿寺極幽邃登望則城郭樓觀江上諸山一覽而盡吳順義中爲興教寺南唐爲文益禪師道場號法眼宗最盛後主嘗留宿寺中有詩云未能歸去宿龍宮宋太平興國間改清涼廣惠寺蘇軾常捨彌陀像于寺中有詩明洪武初周王重建賜今額左上爲清涼臺俯視大江即南唐翠微亭舊址登覽最勝秋高氣爽游人來其地者多徘徊不能去云宋陸游遊清涼廣惠寺記清涼廣惠寺在城里餘據石頭城下臨大江南直牛頭氣象甚雄然壞于兵火舊有德慶堂在法堂前堂乃南唐後主撮襟書石刻尚存而堂西徙矣又有唐元宗祭悟空禪師文並在石頭西望宣化渡及諸山真形勝之地若異時定都建康則石頭當仍

關要或謂今都城徙而南石頭雖守無益蓋未之思也其城既南徙秦淮乃横貫城中六朝立柵斷航之類緩急不可復施然大江天險都城臨之金湯之勢比六朝爲勝豈必依淮爲固耶

蘇東坡清涼寺阿彌陀佛贊蘇軾之妻王氏名閏之字季章年四十六元祐八年八月一日卒于京師臨終之夕遺言捨所受用使其子邁迨過爲畫阿彌陀佛紹聖元年六月九日像成奉安於金陵清涼寺讚曰佛子在時百憂繞臨行一念何由了口誦南無阿彌陀如日出地萬國曉何況自捨所受用畫此圓滿天日表見聞隨喜悉成佛不擇人天與蟲鳥但當長作平等觀本無憂喜與壽夭丈六金身不爲大方寸千佛夫豈小此心平處是西方閉眼便到無魔嬈

唐温庭筠遊清涼寺詩 黄花紅樹謝芳蹊宮殿參差黛巘西詩閣曉窻藏雪嶺畫堂秋水接藍溪松飄晚吹摐金鐸竹蔭寒苔上石梯妙跡奇名竟何在下方煙暝草萋萋

張祐遊清涼寺詩 山勢抱煙光重門突兀傍連簷金像閣半壁石龕廊碧樹叢高頂清池占下方徒悲宦遊意盡日老僧房

宋林逋清涼寺翠微亭詩 亭在江下寺清涼更翠微秋階響松子雨壁上苔衣絶境

長難得浮生不擬歸放情何計是西峰又斜暉〔明
李東陽登清涼臺詩〕虎踞關高鷲嶺尊四山環遶萬
家村城中一覽無餘地象外空傳不二門人世百年
同俯仰江流今古此乾坤南都勝槩今如許歸向長
安父老論〔王守仁遊清涼寺詩〕春尋載酒本無期
乘興還嫌馬足遲古寺共憐春草沒遠山偏與夕陽
宜雨晴澗竹消蒼粉風煖巖花落紫蕤昏黑更須凌
絕頂高懷想見少陵詩〔陳鐸清涼寺詩〕夕陽峯頂
一攀躋萬里川原望不迷帆影遠來江樹外山形多
在石城西苔荒輦路人稀到花近禪房鳥亂啼直到
翠微亭子上漫吟重續舊時題〔顧璘清涼寺後山
塞山亭詩〕晚上高亭對落暉萬山寒翠濕秋衣江[illegible]
道杯中瀉雲樹千門鳥外微古寺頻來僧盡老[illegible]上
陽欲近蟹爭肥霜楓惡作蕭條色故弄殘紅遠[illegible]
〔帥機清涼寺詩〕木殿清幽歌管餘今朝化作[illegible]
居後庭花謝臙脂冷猶自涼風薄綺疏〔徐渭[illegible]
寺詩〕蕭梁臺殿一灰飛薺麥清明雉兎肥壞榜[illegible]
金刹字饑魂應爛鐵城圍東麥鏡折龍潭水北夫盧
長燕子磯千古興亡眞一夢隔江間數暮鴉歸

鐵塔寺在朝天宮後劉宋泰始中建名延祚寺梁王僧辯討侯景景使其黨宋長貴守延祚寺即此地唐有僧靈智生無目能通曉經論時人稱有天眼爲建塔於寺宋熙寧中賜寺名曰正覺改塔名曰普照王荆公嘗于寺西作書院有軒名簟龍建炎三年以法堂西偏爲元懿太子攢宮明建文中嘗募修今寺廢獨塔存（唐許渾金陵阻風登延祚閣詩）極目皆陳迹披圖問遠公戈鋌三國後冠蓋六朝中葛蔓交殘壘莓花沒後宮水流簫鼓絶山在綺羅叢（宋劉克莊詩）細認莓間字方知鑄塔時不因兵廢壞似有物

扶持古殿人開少深總日上遲僧言明受事相對各攢眉

永慶寺在北門橋之西梁永慶公主建又名白塔寺明洪武中重建賜今額萬曆間修太史顧起元爲記其地深僻林竹蒼翠蕭然野曠出寺數十武卽謝公墩

〔顧璘永慶寺詩〕城郭晴光蕩客車古巖高寺切清虛鶯花不斷人天界龍象常依水竹居雲裏壺觴吞海色山中風物似秦餘靈蹤咫尺常難到莫怪歸遲月滿衢　〔焦竑永慶寺竹院納涼分得蒸字詩〕結夏得名僧高林散鬱蒸茶香透深竹人語隔垂藤勝地疑中散元言失小乘琅玕青可刻聊欲記吾僧

吉祥寺在清涼山之北元時爲天妃廟明永樂初改寺

按金陵志宋有吉祥寺治平二年賜額疑卽此萬曆間焦太史竑讀書于寺建華嚴樓爲重修吉祥寺碑

記後有古梅虬枝鐵榦扶踈十畝新安鮑元澤見[illegible]拜之建拜梅菴明俞彥清明過吉祥寺詩野寺城[illegible]春望餘荒臺草漫徑全遮千峯[illegible]飛流盡萬木風今落照斜撫景況逢將進酒莚前[illegible]有未開花憑君莫問桃根葉已屬當年王令家

金陵寺在馬鞍山唐沙門貫休建明正統中内使金普英重修賜額崇禎中盧山僧融城居此墓塔在山後令其徒隱明嗣法南澗開禪于此山門重新寺後遂有亭晉安董崇相所建太史焦竑爲之記記曰晉安董君崇相爲南計部時所治倉庾在城西北陬地有金陵寺寺後高不三四引而股趾盤礴甚大旁占數壠俗稱馬

鞍山隱蔽松櫪蕭然清絶市喧蔑有至者崇相以職事之隙策杖攜酒徜徉其上往往久而不能去因即其地爲亭以覽觀江山之勝而名之曰逸有以謂地因其舊而亭之自崇相始也亭成而其地益勝放懷高蹈寓目而靡所不適俯瞻鍾阜旁睨谿谷勢雄氣秀若蹲虎豹而翔鸞鳳各效其技於几簟之下而風帆浪舶出入於江濤浩渺煙雲杳靄之間皆不出戶而坐得之何其壯也斯時崇相以會計爲職方嚴簿書課米鹽束背吏日汲汲不暇乃能擇地之善者以寄其耳目之樂非獨志其煩且勞又將有以自抗於埃壒之表其意遠矣都城以遊觀名者不下數十未有及馬鞍者自是屐齒日集觴詠燕作荒榛叢薄之區一旦而發聞於時物之興廢不待其人也哉以此推之嶕巘夐絶車馬罕跡之地爲人所不窺者多矣

弘濟寺在觀音門外燕子磯明洪武初即山建觀音閣正德間因閣建寺賜名弘濟禮部侍郎呂柟記之殿閣皆緣崖構成危石半空嵌絶壁上以鐵繩穿石繫

棟俯臨大江咫尺望磯頭下瞰江水如燕怒飛濺噴激歷歷如画今禪堂新搆金綺交錯而江山益[illegible]之增麗矣（顧璘弘濟觀音閣望江詩）塵服乍辭鞍花臺共倚闌林端憑樹短閣上見江寬地拔（顧千尋險山藏四月寒東流爲誰逝終日浩漫漫源弘濟寺詩）蘭若臨無地山腰架佛堂水花分藻井巖翠拂虹梁海口臨空濶天風動渺茫洗心歸淨[illegible]白首事空王（文徵明觀音閣詩）紺殿影樓凌紫烟危闌飛磴撫蒼淵陰崖直下千尋鐵秋水平吞萬里天身世蒼茫舟楫外乾坤勝槩酒尊前解衾悵不中宵住白鷺洲南月正圓（徐渭觀音閣詩）青山如美[illegible]觀即[illegible][illegible]春無一片鏡妙麗苦不自然石一何幸值此江中央上來[illegible][illegible]寺下集帆與檣朱碧得水鮮皃雁拂波光烟霧不見海神去藕果長我與三友俱兼以僮僕雙日西岀布飯半道謝驄轎歸來之燈燭微雨沾我裳沾酒不成醉頹然倒方床宵夢立閣中遙觀大魚翔（朱奇登觀音閣詩）海湧蓮珠宮飛凌萬木中潮生朝閣迥雲出夜堂空鵰落平沙白鼉

鳴孤蟬風凭闌幾怯步吳艭一帆通〔麥世鄴詩〕石磴朝躋遺市饒潮痕千里瞰嶕嶢魚龍中擁青螺髻天地高容白髮衫裡渚一方堪入夢曉風無數急歸帆蒲團竹杖餘蓬鬢欲向僧寮勸別銜〔陳丹衷詩〕老僧經雨背三衣旅客逢秋算遠歸暮寮祇棲荊棘穩風塵焉得鷓鴣肥柳灣荻港多游泪玉椀金書有是非一片孤雲橫馬首千年湖海未曾飛

通濟院在通濟門內百川橋明洪武間建後廢地湧青蓮掘得銅佛弘光內監施公攺宅復院爲僧

靜海寺在儀鳳門外盧龍山之麓明永樂間命使海外風波無警因建寺賜額靜海寺中有危石下空洞相傳虞允文三宿于此有宋人題字于上是時石臨江滸也潮音閣傑出殿表寺有禮部侍郎楊廉重修[illegible]

[illegible]羽遊靜海寺詩夜宿猶依白鷺洲朝遊忽到古
城頭江聲不爲行人許山色常含往代愁葉下碧欄
[illegible]寺晚馬嘶紅苑北門秋風流細足月涵容看海樓
上一倚樓　黄甲靜海寺夜坐詩落木亂山顛江樓
五夜船山川千里外風雨一燈前白髮翻岐路清尊
共昔年浮生寬妄盡今久故依然　黄紡元詩明河
千尺水江樹此悠悠月影沈無際天光寂不流魚龍
貴石外鷗鷺白蘋頭何處客邊棹芳蓮葉上舟楊
伯祥詩天地已如此江流不覺停檝蘭[illegible]上[illegible]巾
見明星雙槳開蒲路千[illegible]茫茫[illegible]
入荒汀　顧起元三宿岩詩靈[illegible]何碕嶙參差古殿
前閣今標海月岩昔枕江烟窈[illegible]瑶屏[illegible]晶焚玉乳
悲飛疑分竺嶺醒或類平泉作[illegible]襌[illegible]徐堪耕草
祇藤搖[illegible]髮䯿松掩翠連嶂冷[illegible]嵯[illegible]清秋躡屐
穿洞如[illegible]煸日峯似縮壺天比[illegible]
披雲謝[illegible]篇徘徊三宿事莫儗[illegible]桑田

幕府寺在幕府山晉元帝渡江王丞相導嘗建幕府駐軍
於此梁天監中武帝與寶公來遊始建寺因名幕府

明萬曆間重修修撰焦竑爲之記山有達摩洞寺傍有蘆相傳達摩折蘆渡江之餘（明王韋遊幕府寺詩）將軍分幕府昔駐此山限事往遺墟在年深古殿開石林横蔓草巖洞長莓苔遶砌黄蘆遍禁因隻履來（釋醒庵達摩洞題壁詩）絶壁靈岩倚古藤十年前此一來登記得桃花紅洞口石林高卧掃花僧

嘉善寺在鐵石山明正統中僧法通建寺賜今額山椒有石佛閣蒼雲崖一線天奇石綺錯崖壑幽勝焦竑爲之記（記云蒼雲崖奇石綺錯爲都城最顧閣顏於前燬掩其半新安張大晉率同志改建於崖之左方於是陰翳刻露諸巧盡出而閣踞高以臨下林壑分入深秀挺特於恬曠者爲宜先後探金錢一百緡有奇工始萬曆丁未秋明年二月成瑯琊焦竑集諸名勝燕石樂之因著其事刊於樂石（焦竑嘉善寺石壁詩）平生寡所營幽期在林壑及辰詣上非車蓬蘭薄山阻覺徑紆苔滑嫌足弱危嶺骨嶒崇

穿竇下鳥雀崖傾石欲墜澗折泉如約一線喜[illegible][illegible]雙[illegible]鶯啼囀行看巖腹穿坐知谷戶拓朋儕笑相[illegible]文酒時間作風徽結篇翰肅傲寄杯勺謔言賞心遊投老幸可托

崇化寺與嘉善寺相連古高峯院明正統間重建賜額有吏部尚書魏驥碑崖下有泉沸起水面若散花故名梅花水（焦竑梅花水詩）投策長林外浮杯曲水隈影搖頻寫翠香吟不關梅雨脚添新藻雲根驟淺苔頫襟端可憐欲去暫徘徊　又詩尋梅來水上水與流杯轉不惜杯杯行遲秖恐花如霰

草堂寺在鍾山鄉臨大江舊建鍾山西麓本齊周顒捨宅明洪武七年以其地爲開平王墓徙寺於此（梁劉孝先秋夜草堂寺禪房月下詩）幽人住山北月上照山東洞戶臨松徑虛牕隱竹叢山林避炎景步逕逐涼風

平雲斷高岫長河隔淨空數螢流暗草一鳥宿疎樹
興逸煙霄上神閑宇宙中還思城闕下何異處樊籠
（宋王安石草堂寺詩）周顒宅作阿蘭若婁約身歸
窣堵坡蕙帳銅瓶皆夢事翛然陳迹鬱松蘿　偶向
松關覔舊題野人休誦北山移丈夫出處非無意猿
鶴從來自不知　（明王韋遊草堂寺詩）故結鍾峯麓
今開江水濱門猶妨俗駕僧尚誦移文猿鶴何年謫
烟霞別澗分山靈招未得休遣昔賢聞（陳欽詩）江
閣春深特地寒雨聲千點一燈殘歌餘野曲誰同調
開到梅花好自看皆醉獨醒吾豈敢孤忠特立古來
難浮生却笑緣名累不及鷦鷯強自安

佛國寺在太平門外鍾山之西古華嚴菴明景泰間僧
募建賜今額有胡濙記今復重修（明王韋遊佛國寺詩）曈開佳麗[illegible]
對淙寥天幽室濟容膝塵勞喜息肩望窮鴻鵠[illegible]
向菊花前回首重城路鍾聲隔暮煙

三塔寺在神策門外明永樂間建舊有寒光亭今廢〔宋〕張孝祥寒光亭詩〔略〕亭依三塔占清幽松竹環除翠欲流曉色晴開千丈川波光冷浸一天秋瓊瑤影裏詩僧屋雲錦香中釣客舟風送不知何處笛鷗聲驚起荻花洲

興善寺在太平門內明內使建 今康熙五年寺僧重修

普緣寺在城北隅晉名耆闍寺明成化間僧能智重修請今額 今康熙二年寺僧重修〔陳〕張正見陪衡陽王遊耆闍寺詩〔略〕甘泉聽訟罷稱宇試登臨兜率發飛蓋王城列戟騎階荒猶累王地古尚塡金薩橋丹巷懺鷲嶺白雲深秋窻被旅葛夏戶翳山脊清風吹麥隴細雨濯梅林

祈澤寺在高橋門外祈澤山劉宋時建梁即寺置龍堂

龍池在焉世爲祈禱之所明嘉靖間重修寺去城遠遊人之至者亦少其北入山五里有天寧寺在青龍彭城二山之間最幽勝（宋王安石遊祈澤寺詩）鶯言東南遊午飯投僧舘山白梅藹長林黃柳弄短莖箬洲緊來畧約乘間斷春聯一川明雪沭千塹漫魚隨竹影浮鳥悞人聲散玩物豈能留干時吾自懶（明焦竑祈澤寺詩）紺殿銜山古清川帶薄長樹身迷日月碑額見齊梁檐影風前靜曇華刼外香龍堂況幽絕一酌世緣忘

定林寺在方山宋乾道末年建鍾山舊有上定林寺寺廢請其額從此明弘治五年重建有昭明讀書臺石龍池諸勝（宋王安石定林詩）定林青木老參天橫[illegible]東南一道泉六月杖藜尋石路午陰々[illegible]弄潺湲（楊萬里遊定林寺詩）一箇青童一蹇驢[illegible]年來往定林居經綸任破叫公渠相罷歸來始讀[illegible]

興善寺在土山即謝安東山高卧處梁名資福院武帝時寶公說法于此宋元改淨名寺明正統間始改今額

天寧寺在高橋門外宋治平間建明正統重修山林幽逈野泉散落人跡罕到江東顧璘有記（碑畧云）正德丁丑春三月予兄東橋先生赴官台州予出餞于新澤寺酒數行東橋別去予與諸君共宿新澤舊聞隣寺號天寧者境絕幽夐次早邀諸君遊從僧借小童導騎緣寺前逕登山歷墟墓數處即平野曠然兩旁皆童山環抱縱轡行里餘見山盡處如門闕狀闕外諸山濃淡晦明如畫方愛玩未已覺山腹間隱然有樓閣在空際到即寺也衆皆大喜褰馬振衣緣石逕而登逕且半聞波濤下瀉萃中有聲洶洶如雷奔風怒予謂諸君此當有異泉乃遣人蹤跡之徐步入寺寺僧多出乞食獨老僧惠禮者見客至似喜延入室焚香供茗甚

蕭室亦雅潔不類荒山少憩復出寺先所遣人來報山下果得泉但荒翳不可入予奮然先行藤稍竹刺犄絓冠袂輒絕之以去稍下見泉珠零玉散飛落石澗中可十數處不知所從來亦莫能極其所止澗濶尺餘兩旁及底皆山石自然所成玲瓏唅呀清泉如空碧下漬予喜呼酒飲擇泉流平緩處列坐泛觴引滿數觥而出回及山半得泉脉樹間乃平地湧出不甚瀰溢不知何緣流行之廣乃爾既登復觴寺外石上數行乃上馬歸〔明王韋遊天寧寺詩〕問年看井幹結夏閉山門路夾雙峯起泉流百道喧藹翳纏廢棟蛺蝶舞荒園窈窕堪棲隱逢人未可言〔顧璘遊天寧寺詩〕寺古煙霞積山幽草樹香聞鐘尋石逕下馬入松行蘿澗鳴飛瀑花林駐夕陽向來離思在俯仰忽成傷

莊嚴寺在高橋門外按建康實錄謝尚於永和四年捨宅造莊嚴寺宋大明中路太后別建莊嚴寺于西藥園金陵新志又云謝尚莊嚴寺已改興嚴寺考謝尚宅

又在城中竹格渡不知何年徙此明永樂間僧眞[illegible]重建仍前名江總舊有寺碑

龍潭寺在龍潭〔明〕謝少南遊龍潭寺詩〔〕洞壑空虛巳自涼門前綠樹拂雲長尋僧半日心同自卜客經年鬢欲蒼古殿籠紗留藻翰故侯遺廟今冠裳不嫌遲暮淹歸騎落月回

本業寺在麒麟門外按建康實錄梁天監九年建有唐乾德年寺碑尚存〔明〕顧源遊本業寺詩〔〕石壁騰龍象香林踏虎蹤雲中開殿閣煙際織杉松日月三天過乾坤一氣封此心隨物化長嘯倚諸峯

紫竹林在城北耆闍山麓明崇禎間禪師顯愚建師初在南嶽開堂江西青源雲居稱雲居顯愚和尚嘗露坐傘下入定如木石又稱傘居愛城北靜僻結茅茲

山自題曰紫竹林其徒妙明增修

國朝康熙六年太守陳開虞搆一閣一亭於山巔閣曰攬勝亭曰共賞以示與人同樂爰作紫竹林碑記記曰

金陵佛教之盛自梁迄今梵宮峻宇煌煌乎麗日聯雲不啻王侯第宅濟濟盛矣顧千餘年間興廢匪一雖屹如金湯如報恩天界諸刹比比皆是然蕩爲瓦礫鞠爲茂草者蓋亦遑遑有之若乃崛起於荒榛叢篠之間而忽幻現金沙七寶金銀琉璃如紫竹林者何其興之勃也嗚呼豈非以人哉余不佞承乏金陵稱守土吏爲　國家宣揚王化崇進聖學斯固郡守之職然佛氏之懲貪淫弘利濟其於吏治亦有補[illegible]余自公之餘偶過紫竹林見竹林陰翳欝欝蒼蒼[illegible]山門也林迴徑轉有亭翼然者鸚鵡亭也少進則[illegible]勅殿伽藍殿戒堂在焉再進而棟宇霞明寶幢錦[illegible]則寶殿巍巍矣余爲題額曰圓通寶殿云與圓通[illegible]時曰大悲殿大悲後曰多寶殿由圓通殿而左曰[illegible]丈方丈旁曰書記寮由圓通殿而右曰禪堂殿皆[illegible]

山杪則頟師衣鉢爪髮塔在焉麓即普同塔背即觀音洞也其鐘板堂般若堂客堂監院庫司雲水堂香積廚放生所田舍園房浴堂靜室一一咸具各設所供佛菩薩羅漢旃檀金身凡七十餘尊寶塔寶幢一切香花供奉罔不畢備院有竹林尊者慶木爐羅漢橋仙人井龍王田綠柳堤鉢盂池麥浪丘白鶴池善財閣及觀音洞鸜鵒亭共十二景多有題咏通計本院基址爲畝凡三百有奇外小西庄三百畝衲溪戶二百餘畝牛首建業鄉四十餘畝皐廠河一百畝迴計院外田地爲畝凡六百有奇噫盛矣余嘗登山而展頟師之塔盍慨然懷其人而不可見也見妙明如見頟師焉頟師於宗教律三門咸造頂登峰而其於宗也臨濟曹洞尤不泥一轍憨山大師推重之余題曰圓通有以也頟師嘗趺草露處覆以一盍遶遶經旬不起甲申至金陵衆請說戒於淸涼寺師於城西北隅覓靜室暫憩於是陳公旻昭劉公覺岸朱公石者吳公雪巖凌公苍舒共醵資若干買劉氏竹園爲結茅師命名紫竹林金陵之有紫竹林自此始越明年乙酉　王師入金陵　豫王聞師名禮召再三師以疾辭復命大宗伯牧齋錢公詣林敦請師辭

益力王益賢之又明年丙戌夏五趺坐而化門人奉師龕塔于雲居山建瓜髮塔于竹林妙明肯構一新予爲誌諸石俾嗣院事者知所自始云〔凌世韶讀紫竹林集詩〕孤雲漸漸老人間不止題書見一班洗足水寒雙栢樹伸眉月上五臺山桃花落後無錐卓石友年深□蔓閒古□尋梵策眼前詩句未應刪

攬閣今以大慈閣其□亭今改一蓋亭緣地靈梵林錫有四是宜標示云爾甬東馮夢舒識

文昌菴在日塔街舊有昭慶寺其地多荒圃敗池旁迤大陽溝紅花地一帶閒無居人建塔鎮之宋易昭慶爲龍翔而塔附焉至元寺燬不復建而塔獨存祈禱多應里人殷一桂司馬逵等購屋爲菴延僧以居司其香火而奉文昌于菴賈戶部必選爲之記

隆昌寺在府治六十里寶華山梁寶誌公開創故稱寶

華明初久廢嘉靖間僧普照斷臂祭虎梵林建寶公菴萬曆三十六年僧妙峰奉旨供銅殿於巔建聖化隆昌寺崇禎十年三昧律師住錫茲山爲律堂始十五年復奉旨敢向增修

國朝順治二年律師見月恢弘其制建受戒壇四方咸知有寶華山云御史陳丹衷爲之碑記記畧云維華山之靈赫然天隆日護國聖化隆昌寺繇前明聖天子之至孝奉聖太后之深慈捐帑遴材賜名著額始于妙峯大師得三昧大師而盛得今見月大師而他山無不仰資華梵光勃窣大江南會合山川之氣歸諸茲山先是朝命妙師之請治銅爲殿得未曾有窗戶几筵間佛龕湧水異獸异花慈聖太后神宗皇帝各賜大藏一部滲金塔一座衣鉢稱是是謂僧寶遂稱國寶賜紫之典再及三昧三師迺受四衆之歸爰結千華之

社幢蓋鍾鼓盈谷彌山師古心律祖之嗣子也先是毘尼久淹古和尚中興至師益廣昧之入滅獨此衣鉢付見月大師如法躬行古模挺立俎豆斯存師律炎暑躬寒嚴持戒械從不知核被為何物午停熄炊時丁荒歉粥弗克饘且過充瀟者方躡其戶庭獨憤起立去偽適眞缾不吝嗟太息以爲當吾世一人師載修般舟三昧九十日不坐不卧惟此三昧一名佛立以故聞輿傳聞造域勇赴亦如師初年蒲足萬里求大戒時師嘗曰吾與妙老人吾先師爲山始事不敢謂後無人也妙師諱福登晋之蒲州人昧師諱寂光揚之瓜州人見師諱讀體滇之楚雄人

慈應菴在麒麟門外龍潭大道爲寶華山隆昌寺往來下院今康熙六年居士薛必秘建

古林菴在吉祥寺之左明萬曆間律師古心創建祠部沈匡濟爲之碑記今藏林悏弘舊規輪奐一新

華嚴堂在城北紫竹林之南西江頭陀華嚴海[illegible][illegible]

棲賢菴在謝公墩廬山高僧樂子結茅於此石頭[illegible]大成額其亭曰編覆白毫凌世韶又題曰橋巒新[illegible][illegible]壑深秀棲禪勝地凌世韶棲賢菴詩日月紀行人不解紀迎送懷人復懷匡亭亭無仙竹老友結茅屋雙幢挺[illegible][illegible][illegible][illegible][illegible]霜鐘山寒勞木甕一日百茗盌澆渴[illegible][illegible][illegible]石城秋色保海陵雲景翛蕭條易水來石骨清人[illegible]同心借謂希相思一何衆相顧拍手笑[illegible]我[illegible][illegible][illegible]

文昌閣菴卽文昌書院傑閣三層以奉帝像大殿鐵佛羅漢相傳古草堂寺宋像

金剛經塔在天界寺禪堂以經名爲[illegible]門之額棲以全經演爲七級[illegible]折廻旋盤曲而上每層欄楯上皆巧

值佛字景陵鍾伯敬惺所書也人爭搨之惺自記碑末云萬曆庚申惺病自七月至十有一月幾殆夢若有人教持金剛般若波羅密經天啓辛酉六月自書塔經刻石于天界寺禪堂供養夢登金塔光明徧照足之所至塔隨身長

大隱菴在耆闍寺西　國朝順治十七年建一名祇陀嶺

菩提場在鐘鼓樓西北隅明永樂間常侍劉瑞建名普光菴萬曆釋真洪易今名澹園焦竑為之記

濟生菴在石城西隅烏龍潭之南大中丞余大成建

唱經樓在北門橋北明仁孝皇后建

紫竹菴在復成橋之北明崇禎間御史郭維經胡揆輝建後廢　順治十年僧完璞重建規制較前增鉅

古觀音菴在府治前板巷

華嚴菴在武學後里人章如忠施僧達如募化重建

水草菴在通濟門外明萬曆間建爲放生救眾之所

觀音菴在西華之西 明工部侍郎呂天成修

普濟菴在大中橋僧妙峰募建 以上上元

大報恩寺在聚寶門外古長干里吳赤烏間康僧會致舍利吳大帝神其事置建初寺及阿育王塔江南塔寺之始也晉太康間劉薩訶得舍利於長干里復建長干寺晉簡文帝勅長干造三級塔梁武帝詔修宋改天禧寺建聖感塔元改天禧慈恩旌忠寺元末燬

於兵明洪武間黃立恭請修永樂十年勅大建之梵宇悉準宮闕造九級琉璃塔賜額大報恩寺御製碑記宣德再賜御製碑嘉靖間大殿燬惟塔存

國朝康熙三年居士沈豹募建大殿規制宏麗黃國琦有記殿左爲禪堂有三藏殿唐三藏法師石塔在焉禪堂前有修藏社藏南藏板僧松影修藏十年藏成康熙五年太守陳開虞爲之碑記塔後爲無梁殿萬佛閣僧休然建閣後有放生池濠上亭皆與塔前後相映塔高百餘丈五色琉璃合成冠以黃金寶頂懸燿雲日夜篝燈百二十有八數十里風鐸相聞領

大江悉在憑眺中萬曆間塔頂偏僧洪恩修正順治十七年雷火損塔寺僧重修（編修陳沂報恩寺琉浮圖記）都城之南聚寶門之外有大佛字孫吳時云神僧所居南朝始有寺因地長干曰長干寺趙宋改名天禧寺國朝永樂初大建之準宮闕規制而差小焉名大報恩寺故有浮圖放舍利光文皇詔天下畫觀工之能者造五色琉璃備五材百制隨質呈色而附埏爲象品第甲乙鈎心鬬角合而甃之爲大浮圖下周廣四十尋重屋九級高百丈外旋八面内羅四方外之門牖實處其四不施寸木皆埏埴而成連大宮殺疊玉砌數級上爲五色蓮臺座高擁尋丈乃列朱楹八面闢爲四門鑿十有六牖於八隅門綴以曼陀優鉢曇花壁刻以天王金剛四部門大神具頭目手足異相冠簪纓胄衣帶鎧甲異制戈戟輪鐸器飾異執種種不類載以獅象豹尾交結上下又蔽以鏤檻雕楹青瑣繡闥于外各承以棼橑井拱翔起光彩璀璨覆以碧瓦蟠文螭蚪鬭以元朱其花萼旋繞牖戶懸閣之制皆如初級二級至九級不設瑣闥惟檻楹皆朱壁皆黝堊榱拱

窮盡九級之上鑄鐵輪盤盤上輪相疊起數仞冠以黃金寶珠頂維以鐵縆繫以金鈴每級飛檐皆懸鳴鐸琅瓏以蜂蠣海蜃障之青出檐外凡百四十有四[illegible]前金碧照耀雲際夜則百四十有四篝燈如火龍自天而降騰焰數十里風鐸相聞數里響振雨夜舍利如火珠數顆次第出入輪相間有聲浮圖之內懸梯百蹬旋轉而上每層布地以金四壁皆尺方小釋像各具諸佛如來因緣凡百種極致精巧鬚髮悉具市砌周遍井拱疊起皆青碧[illegible]覆如華蓋列繡設篝燈處若蝸殼宛曲一竅穿出門至絕級亦洞敞首不俛縮出欄檻外則心神惶怖不能久佇四顧群山大江關阻傍達無遠不在近觀宮城屏舍阡衢水道民居巷市人物往來動息罔不畢見飛鳥流雲常俯視在下矣盛時泰塔賦出都門以遊行兮經長干之故墟瞻寶塔之崒嵂兮心四顧而踟躕始卜築于孫吳既再興于晉馬獲石內之三珠得函中之半髮光靈爓而亂輝色青紺而騰發惟金粟之自烱出玉毫普現乃寶氣之[illegible][illegible]敷慈光之上燁歷塵劫而[illegible]表人天以自展[illegible][illegible][illegible]之龍興兮振大法于將[illegible]離明之繼照兮洊弘基而建之念櫛沐之久劬

□□之難報證實地以舒虔兮仰提慈而洞照發膚今□淵衷兮沛綸音于天詔遂乃近徵畿甸遠旉荒命□甄工之意巧極目匠之伎奇準宮闈以方枋擬□寢而築基備百制之儲萃煥五色之葳蕤飾嵴材而殊質彩呈體而異施盤屋土以奠方兮浚重泉而斧鑕擁蓮趺以旋規兮列朱楹而作蹬映紺殿以孤蹇兮超纚廊而直踬出本末以高標兮踰臺顛而獨峻故遠而視之則㠌嵫嵣嵘一何高也峥嵘巘崿人何麗也嵲嶢嶕嶢誠可駭也嵂崿嵯峨亦何異也玲瓏烑鄉炫煇燍燍若海藏之涌生焉巍巍嵯嵯紛葩爛熳若空界之幻成焉疎露盤于雲中兮峙金相于天闕開八戶以翕施兮盤九曲而巘業峢風寥參寥參拂其上兮灝氣汩汩旋其根勢嵯峨而直矗俾喬嶽以失尊掩映雲表若隱若彰懸陵旻昊輝輝煌煌心仰瞻而內悸兮目搖搖以喪精魂怪怪以自失兮睫閃罔而若驚于是詳其制度觀乎窮宜崇基詭制巨構殊形高踰三八數遵徑三井尋丈也鉤鬭簷牙坐計于乙非斵削也闢以八維虛實其四順陰陽也列牖設箕婉轉洞徹通明瞻也鶩□□以為固兮盤錯以為堅懸鈴鐸以為振兮胥蚌蠣以為緣列巨靈以

澌化兮飾諸像以感緣冠纓鎧冑悉其飾兮耳目眉髮暨其全虎豹犀兕蹲其下兮蓮曇蔓鉢敷其巔外夜極于弘麗內縝緻于精微上標極于峻迥下盤固于無倪雕欄旋轉而逶迤兮瓊闔軒翥而弘張芬繚積紛以相蓄兮斗栱奮起而翺翔螭頭岉崛以交結兮豹尾負椽而横當懸楝峪岭而撐拄兮綺阿露珮以飄颺鏤鏤煒煌而煊炫兮布置絡繹以縱横飛梁偃蹇以翕翼兮層櫨欒欒而昂藏金除燁燿而赫起兮皓壁瑩液以韜光於是極目而矚則長江渺渺其帶來兮群山隱隱而如垤闤闠遠其稠依兮城闉聳其其容疊塵市迴其千圜兮衡衢委其四列阡陌交其塍偃兮原隰互其明滅趨視若燭龍之下翔佇聽恍火齊之上騰昕暮互其變態兮風霆鬱其聿蒸倏現彩于罔測兮忽幻嬪于虛無既作鎮于神京兮又翹準于皇都極寰海之淨土兮孰兹塔之可如誠生[illegible]之偉觀兮擬真工之所鏤匪近知所可詮兮惜神[illegible]之自符願照迷方于十地兮續慧性于八區庶幾[illegible]智于罔極兮注洪澤以沾濡

太守陳開虞重修[illegible]藏[illegible]藏經殿碑記

世儒讀昌黎之書見其縱横往復[illegible]攻釋氏不遺餘力疑釋氏之教與儒者悖馳若冰炭

及考昌黎生平數與大顛遊又于三平侍者定動[illegible]披闡發宗旨然後知韓公未始不必好釋氏之言[illegible]其大為排斥者要皆汨溺支流失其旨要如所言契頓曉指百十為群解衣散錢自朝至暮此豈釋氏之精微乎流而不止害必中于生民起而闢之詎非為功于釋氏又其高者乃沿鹿苑之塵躡拾祇林之剩諦暨教明宗剎竿相望紅纓白拂踞坐稱尊梅子窠白於捕風金篦翻瀾于弄石固皆沙門之纂竊非禪乘之根宗也然要而論之傷學之害豈至廢真襲孔孟之衣冠者未聞盡符名教而倡狂于緇素至舉微言秘義而并斥之豈持論之平允者乎今釋氏家言具在西方聖人之旨與祖祖相證之詮固已燦若日星羅布函宙惟當寶而藏之以待其人俾燈可為續藉可為傳固不必宗教戈矛性相牴牾而洪鐘之不一大海之不波已有潮音銅響之不可掩發者矣豈非藏經為釋氏之金湯而謀所以護之者宜不啻如人天呵護也哉報恩寺為金陵上剎舊有藏經毀刊刻經板咸貯其中自明永樂庚子繕始後正統萬曆代有增修其所為六百三十七函及四十一函者至今猶巋然具備歲久浸蝕幾于漫滅覺浪和尚囑松

影等補其殘缺易其漶漫工費浩繁乃别立修藏一社經營其事虞山錢宗伯涉江陳待御交相贊助事有成立予以癸卯來守金陵見斯盛舉旣以歡喜無量而堂室就圮榱桷將頹關于斯事興廢非小因集諸善信相與建議圖所以崇起之樂爲捐貲鳩工庀材乃圬乃藨無非所以爲經敎計深遠也退而思之五部千函羣聖之心修綂繫于南北二藏而近惟南藏尤較通流北至幽燕南窮閩粵西峨眉而東日出一切敬信皈依仰龍函而踴躍者咸于一綫乎是賴而風雨之所飄淋蝸蜓之所蠹蝕凡有齒髮安可不思所以扞蔽之俾梵笈傳于永久則夫絕續相關後先共濟者又豈獨余之責也夫夫聖言宣朗翼贊

皇圖佛事振興係乎

鴻運寺火于嘉靖末年殿廡蕩然存惟敗壁越百數十載而再建于我

昭代輪奐翬飛輝煌奪目經社適於是乎并新茲固有數存焉而非予所得居以爲功也今虞山涉江與[illegible]公均已幻爲飄風而是經得歸然永之奕禩益信維斯事豈不重賴乎其人也哉六經之書昔人莫[illegible]石上不棟宇而固藏而佛乘浩繁不可以計鐫功[illegible]

能謹守三藏之函俾百千年勿壞則數椽數卷即有
金石之堅矣雖然予更有進焉者世經葉易諸子百
家之書漸滅何限虞山宗伯所藏既已付之劫灰而
金陵藏書如焦弱侯顧太初兩太史家至今僅存十
一盛衰倚伏而圖史亦隨以聚散感慨係之矣廿八
閱曹能始先生欲效釋氏之例薈四部之書作爲儒
藏其意甚善惜未果行今將修葺郡志搜討藝文安
得二三君子共肩斯責盡考金陵之篇目加以購求
入之學宮亦儒林之所共快而余因得樂觀成事焉
因予修修藏社志也因記其顛末而并及之
太守陳開虞撰胡半庵書經碑略云今
上癸卯余自滇海來守秣陵秣陵事佛惟謹閱歲士大
夫以半菴居士所書内典藏余藏報恩寺中余異其
本末誌曰半庵歙人胡氏名文柱故天啓朝内翰檢
左忠毅于廷杖間得盡杖不死能竟收左骸者順治
乙酉冬兩膝痛楚堅于石七刺弗瘳再冬筋肉潰墮
漸成人面有耳有目有口有鼻左者上有鳳冠面在
骭骨日煮豚汁二三升飲創仰臥哀號凡七年所辛
卯蜡日創口喻張有氣騰出言曰我梁時盧昭容也
子害我雒陽宮今報子醫何爲半庵昏瞑夜夢念哀

黽舊事有水懺在忍死強起矢書十二部書竣禮供玉山復書華嚴經至四十卷恚平餘四十一卷左忠毅令子國林致諭眞州同年令尹文龍延半庵書竟且書涅槃經金光明經心地觀經報恩經法華經又書大悲懺金剛經仁王護國經楞嚴經地藏經孔雀經藥師經彌陀觀音經集右軍金剛經又書萬佛千佛懺梁皇懺華嚴懺大悲懺水懺報恩經華嚴經共成一千二十卷明秋海門剖玉人定見瞽女手雙繼跪泣曰半菴書經踳勤然予若未解時半庵項復病疽深潰剖公領十僧爲持大悲咒疽痊再踰年夏返眞州坐次有人逕進丐食取几上筆解腰帶懸筆垂梁叩齒者三走筆二偈不可句讀細繹知爲半庵書經異人忽不見還所布一金於佛座下始非人也半菴亦作偈云病從孽根生孽從法頓滅點畫具佛性妙處不可說千卷剖微塵慈雲覆一切若作文字觀拄杖有時撤我願上智人虛空當下撤金陵王司李仕雲知半菴深爲半菴書藏經處所書經除分送之[illegible]山現存五百四十卷僉議藏修藏禪院誠王藏[illegible]護甚毋散逸於是磨石勒誌昭示來茲半菴受[illegible]戒稱居士一號古月

（宋王安石遊天禧寺詩）札[illegible]

清淵側布金小塘回曲翠文深柳條不動千絲冉
草色依萬蓋陰漠漠岑雲相上下翩翩沙鳥白浮
野人樂此忘歸志忍向西風學越吟〔宋〕蘇頌
古迹凡劫半依山經營昔甚艱周遭嚴佛宇直上
天關登陟緣梯險淹畱布坐憑椽檻亦塗附欄檻
朱般白日分明到青雲咫尺攀龍津斜影落鳥翼低
飛還基址從吳晉聲名動蕭梁燈然時照耀梵唱每
循環往事稠重問前朝指顧間誰知息心處香火老
僧閒〔明〕李東陽遊報恩寺詩古磴穿雲到石窗樓
臺四面隱旌幢北臨廣路斜通郭西隔平原俯見江
萬里乾坤蹤跡寄百年風雨鬢毛雙向來作賦軀全懶
漫消凌雲意未降〔明〕顧璘報恩寺詩避塵騎凌晨散
躡屐帝城南下有香臺雲陰古木千章合石鑿靈泉
一道開瑞塔迥臨丹闕上銀題高倚絳河隈身從淨
界窺人世始覺浮生日月催〔明〕王世貞報恩寺塔歌
壯哉窣堵波直上三百尺金輪擢高空欲鬬曉日赤
浮雲過不度穿泉下無極鍾山顛頭一片紫餘嶺參
差萬重碧高帝定鼎東南陲文孫借啓燕王師燕師
百萬斬關入廟社不改天樞移六軍大酺萬姓悲欲
向罔極酬恩私阿育王家佛舍利散入支那有深意

中夜牟尼吐光怪清晝琉璃映纖碎帝令攝之寘塔中寶鈿嚴供蜀錦蒙諸天悉護龍象擁千佛趺坐蓮華同匠師琢石細於纏自云得法忉利宮亦知秋毫盡民力竊謂斤斧皆神工波旬氣雄佛緣盡紺宇雕闌銷一瞬烏翎鐵爛走不得韋馱心折甘同燼海東賈客莫浪傳此塔至今猶巋然老僧向誇護法力永寧同泰能幾年

（錢謙益長干塔燈詩）空門至日拜空王蕭穆爐烟玉几旁是夜然燈多寶塔此心祈見白毫光鐘鳴圍繞高低級梵罷低廻左右廂良久下方仍暗黑少焉東壁破昏黄科頭老衲驚呼急禿袖中官指顧詳晃曜乍看銀色涌晶熒諦視玉毫長一望闌楯明初地半壁琉璃映十方鉤鎖金鋪連白道瀰漫碧落隱紅墻水晶宮闕遙分影天漢星文暗効芒共說丹鑪呈變幻又言火樹漾低昂似懸荔子銀青色欲奪蒲萄紫翠斸交絡倩誰排帝網鋪舒那得截雲肪露槩螢燭如移級彫角搓挪欲差行所樹不愁傷玉斧雨花還喜見金床紅樓夜靜香爲界白[illegible]僧歸月在廊舍利寘心觀掌果燈輪彈指斂毫芒昱依慧火消灰劫但倚光嚴入道場歡極身雲都湧畢歸來毛孔亦清涼帝心鴻朗開三寶佛日弘明長

陽大地何曾亡玉鏡普天還欲理珠囊慈恩盛事人
傳記乙夜齋宮每降香〔黃若中報恩塔詩〕玉座浮
圖插漢京先皇曾此散花行空中不礙金毫現雨裏
時聽舍利鳴塵世何須論劫火人天且自託蓬瀛休
將同泰輕相比梁
武原非聖主情

天界寺在聚寶門外善世橋南舊在城中大市橋北元
名龍翔集慶寺學士虞集有記明初改天界寺洪武
戊辰寺災徙建今所榜寺門曰善世法門僧錄司在
焉永樂間增置毘盧閣旃檀林三十六菴少師姚廣
孝有記天順間重建觀音輪藏諸殿成化中益廊廡
規制宏敞僧廬悠邃尚書林瀚記寺中萬松菴半峰
亭最勝菴有王問題額陳文燭有半峰記崇禎間博

山巘禪師開法于此大振宗風其後覺浪盛禪師繼之樸菴倪嘉慶耆舒凌世韶涉江陳丹衷俱有詩記今康熙六年嗣法石潮重修禪堂廣其規制〔元傅若金龍翔集寺詩〕楚王宮殿倚青冥先帝旌幢擁百靈寶網白空裏樂琅函時出賜來經近山鳳去花仍碧遙海人歸樹獨青玉輦宸遊竟寥廓行人揮淚讀新銘〔明高啓寓天界寺詩〕雨過帝城頭香凝佛界幽果園春乳雀花殿午鳴鳩萬履隨鐘集千燈入鏡流禪居客旅跡不覺久淹留〔又登天界寺鐘樓詩〕朝飛登樓賞晚晴三山二水總分明人間地湧黃金界天上雲開白玉城宮樹遠連江樹色寺鐘微荅禁鐘聲憑高空此觀形勝深愧無才賦帝京〔蘇正詩〕躋閣攀星入化城上方闌檻寄登臨雲開霄漢乾坤潤春滿栴檀草木深御苑日華連王氣香臺花雨散輕陰從來此地堪乘輿何處能忘世外心〔王問宿天界寺詩〕山山遙右萬峰西歸路亭亭江日低散吏自堪攜伴閒心猶得任招提經壇露淨天花落塔院風清谷鳥

帝長習跏趺入禪寂亦知虛幻此生迷〔顧璘〕同人

南天界方丈對雨〔詩〕與子避俗祇園深高閣雨冷

洗心芳草杜門無馬跡墨雲纏樹有龍吟堪憐把

臨池水況復啣杯對竹林終歲驅馳城郭裏幸於

遁此開襟〔殷邁〕天界寺〔詩〕春來抱病混行色每到

山中興便長雲護石牀僧在定月明臺殿草飛香烟

霞甃題別三千里萍水俄驚二十霜欲了無生齊出處

願從淮老問眞常〔金大輿〕天界寺〔詩〕老去厭紛華

來尋靜者家午香飄石鼎中飯出胡麻古樹秋生耳

疎枝晚綴花蒲團對支許終日共趺跏〔陳丹衷〕天

界寺〔詩〕此間側月限谿關夢坐松風不肯還遠道莫

携機昨石浮生眞老畫中山深泥有路安辭步大藥

無功始破顏畢竟難消終古意黃花孤鴈水雲間

〔凌世韶〕天界別萬松菴〔詩〕林豐鳥夢重幾劫老書儲

去病看流水逢渠是別峯長干新霽月高座曉霜鐘

不聳金剛慧還憐負萬松〔杜濬〕遊天界寺同周櫟

園語次憶博山大師〔詩〕招提暇日踏晴暉邀客長廊

野豆肥麋鹿有時窺半座海棠何意傍閑扉經分白

馬臺邊字禪悟青藤杖下機閣後

籜龍森萬箇諸天儼繞昔人非

弘覺寺在牛首山梁天監間司空徐度建名佛窟寺唐大曆元年代宗因感夢勅修浮圖七級相峙東西峰頂宋大平興國二年更名崇教寺明正統間改賜今額茲山爲唐法融禪師開教處入門有白雲梯石磴百級銀杏一株蔭蔽天日緣石徑而上爲觀音閣爲兜率崖又上爲文殊洞洞旁有閣明羅洪先題曰含虛閣臨且圮康熙丙午太守陳開虞拓而新之巒壑萬狀踞牛首之勝勒石爲記先是明有御製牛山塔記姚廣孝有佛窟佛殿記太史焦竑顧起元朱之蕃有華嚴閣彌勒閣禪堂義田記盛時泰有辟支方塔

記按新志舊傳牛首山下有辟支佛窟宋大明中秣郊壇于山之東峰執事者導從百餘人遊西峯石窟見一僧趺坐問之忽無所有但遺錫杖香爐瓶盂而已至徐度建寺因名佛窟舍利塔在文殊洞下影入禪堂隙中倒掛佛几陰晴不改西峰又有方塔在文殊洞前寺據雙峰之間俯臨衆壑紺殿雲浮丹樓霞起巒容樹色高低隱見陰晴異狀四序皆宜圖畫莫能及也明陳鐸宿牛嶺寺詩到寺萬緣絕蕭然宿峯頂蒼莽野色新蕪漠秋烟暝相期話三生夜坐石根冷微涼入虛欄老鶴語桐井支郎翻經處松于落古鼎白露下高空濕雲壓幽境披衣問姮娥霓裳曲應聽望極巔崖前寒籬眇村逕待久明月來照我天地靜半生繫虛名江山負真景自汲石泉水同

僧淪佳茗天風在林末空翠散復整一乘演微機開豁自惝省疎行何蕭蕭雲房亂燈影〔陳沂〕經牛頭山寺詩　落日牛頭寺攀緣嶺七盤鳥聲林葉暗山影石溪寒清梵空中聽丹樓畫裏看到門僧不見松桂滿秋壇　〔許陞〕雨中至牛首詩　羊腸路轉石梯危丈室門開傍翠微風定松頭花墜彩雲來洞口石生衣山僧留客烹茶坐野鳥驚人度閣飛我亦雨中曾到此詩成醉寫竹間扉〔王韋〕詩　香臺懸百磴飛觀俯千峯徑遶雲巖樹門栽雪嶺松山光開霽景風氣灑秋容古塔留題處今看第幾重〔周暉〕桃花磵詩　一牛首山邊磵桃花遶磵前石橫流水折樹老古藤懸一鳥窠雲去孤猿對月眠客來幽徑迥疑是武陵川〔施閏章〕宿牛首一燈樓詩　日暮惜登臨丹樓爛翠岑江城疎雨過石榻亂雲深翠岫分燈影秋河落掛林夜涼聞蟋蟀何事促歸心〔道湛〕中秋宿牛首寺詩　明月滿滄州相思淮水頭可憐十五夜獨坐萬峯巔樓閣天中直星河檻外浮栖栖蕭寺者悵望大江流

幽棲寺在牛首花巖之陽劉宋孝武時建寺在幽棲山

故名唐貞觀初法融禪師居此更名祖堂明嘉靖修
建太史焦竑顧起元中丞余大成禮部沈匡濟各有
記茲山自融祖開山代不乏人前明如海天天竺雪
浪覺浪後先掩映今石谿住錫山中
國朝康熙六年大中丞林公天擎捐貲修廨勒石垂禁
爲之記記略云祖堂爲懶融修證地巖谷幽靚林木
畏隹與牛首花巖並稱三山當日供獻天人
花斷百鳥靈異之蹟梵莢黯然尼嗣祖席咸春斯堂
故金陵一大選佛場也旁有廢廨一區厠於經閣齋
堂之間遊履往來僧徒延納多擕葷血蕩佚祖規予
惕焉傷之夜宿呈劍堂中夢若有人緣衣其領招予
而言曰吾有弘願護此法壇肅清滌垢予必勉之予
夢中唯唯曉起告之石大師惠吉逆凶如響斯答予
受神命敢不肅將爰捐百金修葺廨宇以供耆德易
其堂曰大歇非獨使赤髭白足之侶望岫息心亦欲

令素衣黜首之徒聞風歸善自今伊始來遊茲山者其加護持無觸葷酒甘一日之淡泊亦利身心護三寳之清規尤資慧命凡在僧徒爾當恪守爰勒貞石垂示方來云

〔明〕顧源詩　步入招提境雲蘿隱法堂蓮峰低寳座檀樹拂經牀深壁燈烟細孤龕柏子香坐來毛骨冷空翠濕衣裳

〔明〕楊顯祖幽栖寺詩　百日齋初過三春綠已齊披雲眠佛龕殘展到幽栖

〔明〕盛時泰詩　落日深林逢遠公銅瓶錫杖得相從層欄遠接諸峰外丈室平臨萬壑中鍾阜斷雲連古戍秣陵殘葉下西風陶潛不爲鐘聲去月夜相邀溪水東

〔明〕于徵詩　策杖披榛秔稻香蒼黃天色傍重陽斜暉倒影暮峰紫殘葉空填來道長披宿僧歸當晚月勤參人起立巖霜鐘聲梵唄寒燈下何日灰心舊祖堂

花巖寺在幽棲山陰卽古獻花巖唐高僧懶融居此有百鳥獻花因名自唐迄元爲僧舍明成化間始建寺賜今額寺中巖洞臺閣最盛寺在芙蓉峰之半上有

芙蓉閣翠微房澄江臺大觀堂極佳今中丞林公天擎闢地建菴名滴翠軒踞花巖之勝〔尚書喬宇遊獻花巖記〕從牛首南綠山徑紆曲經數峯約五里至西風嶺東行有花窟如屋題曰獻花巖云唐法融禪定於此有百鳥獻花之異因名巖內復有巖東出一亭曰歸雲亭崖之下有一徑至大觀堂堂制極弘敞前緣以短垣憑之則牛首山如障京城宮闕歷歷可見入華巖寺有芙蓉閣在石間懸出閣之右有亭六角曰大觀亭亭之右有脩廊臨虛曰翠微房之後登山徑至拱北峯峯之上復有亭曰聳翠亭亭之上又數百級乃至頂頂極平曠東下有澄江臺亦法融禪定補衣處也〔明陳沂宿花巖寺詩〕古臺秋晚客閒凭渺渺寒原思不勝巖日乍沉鳴遠磬野烟初暝出疎燈山分僻路惟聞鳥寺轉空廊不見僧入境已離人世界此身還宿翠微層〔又宿達公房詩〕舊地人重宿勞生夢一醒亂峯明積雪虛殿納疎星僧髮老逾白佛燈寒更青翛然生道念對坐說金經〔又登芙蓉閣詩〕丹閣懸青磴浮雲宿處低俯窺寒鴈度欲聽曉猿啼瀑水侵珊

檻飛蘿護絳題香臺在深處即此是曹溪〔王韋澄江臺詩〕混合開天塹蒼茫壯帝畿帆檣移夕景樓殿動朝暉落日波濤隱浮烟島嶼微登臺歌古詠長憶謝元暉〔晉鐸遊獻花巖詩〕清塵曉雨作霏微落絮遊絲總不飛絶巘路通行委曲大江帆遠見依稀雲中絳闕初疑畫洞口青苔欲上衣擬借巖房留信宿隔林啼鳥謾催歸〔湯顯祖芙蓉閣詩〕本末芙蓉出花岩草樹齊陵高諸象北江白數峯西

能仁寺在聚寶門外天竺山舊在古城西門劉宋元嘉中文帝建名能仁寺唐會昌中廢楊吳太和中改報先院南唐昇元中改興慈院開寶中又廢太平興國間更建改承天寺宋政和中改能仁禪寺建炎中兵

燬慶元間重修明初寺灾洪武戊辰改建今地嘉靖初復災萬曆間重修

國朝順治間復修　景定志能仁禪寺在南廂嘉瑞坊慶元間游九言佛殿記寺南接秦淮數百步其地古青溪之濆也自宋始建至南唐改興慈無鐫識可考獨據圖經所載然五代唐愍帝應順甲午爲吳太和逆數會昌乙丑蓋已九十年既曰廢矣中間誰所繼續院之老僧僅能記本朝之言院故在西門雙廟之東至道中有圓覺律師德明者際遇太宗召見賜御容及羅漢像以歸咸平間重賜院基田產更律院爲

禪寺寵以詩章寺復顯至崇寧賜名承天政和七年改能仁今之寺基咸平所賜而遷也存之以備考〔明皇甫汸詩〕殘雨鳴秋殿寒蕪翳夕廊老僧諳寂滅何處解荒涼

碧峯寺在聚寶門外晉瑞相院永嘉中爲寺唐貞觀中勅褚遂良重建改翠靈寺宋淳化改妙果寺元至元中改鐵索寺明洪武中勅建居異僧金碧峯因名

國朝順治十三年太史鄧旭重新之建華嚴寶閣廓然改觀爲之碑記〔明顧璘同諸君遊碧峯寺詩〕淨域如昔佳賓勝在茲壺觴牽野興酣發巖姿殿古高雲積林深落照遲莫留殘醉去共怨恐睽離〔吳兆宿碧峯寺詩〕入寺昏烟斂雙橋竹遲僧歸殘磬寒客夢亂山中燈暗總沾雨枝喧鳥墮風他鄉寥落夜笑語喜能同

高座寺在雨花臺梅岡晉永嘉中建名甘露寺西竺僧尸梨蜜據高座說法因名高座舊志云有僧號高座道人塟此故名或曰竺道生所居曰高座皆不可辨明洪武中重修弘治間復加恢拓國朝順治十五年更建大殿寺中觀音羅漢像最古宋學士劉岑制置使馬光祖明鴻臚陳壽俱有記 舊志寺有誌公手植松有中孚巷永寧泉甘露井安隱院總秀堂今永寧分爲二並峙梅岡有然理庵木末亭看竹軒皆遊賞勝處中孚李俱奉白之從子披緇止高座寺今中孚井在松風閣旁 宋學士劉岑記略云考圖志此山得

名于晉永嘉中名井露寺尸黎蜜多羅爲王茂弘所敬故留坐此法師號所居爲高座梁初寶公主之與五百大士俱有雲光法師坐山顛說法天花墜焉今號雨花臺則故唐處給事中名襄字贊元者所命也寺易今名且百年矣故觀古今詩刻皆啟可考者唐李翰林本朝呂侍講王中父三篇而已

〔唐〕溫庭筠遊高座寺〔詩〕晉朝名輩此離羣想對濃陰去住分題處尚尋王內史畫時應是顧將軍長廊夜靜聲疑雨古殿秋深影勝雲一下南臺到人世曉泉清籟更難聞

〔宋〕楊無爲〔詩〕空書來震旦康樂造淵微貝葉深山澤蔓花半夜飛香清雖透筆蕊散不沾衣舊社白蓮老遙公應望歸

〔明〕盛時雨花臺〔詩〕初夏登臨花木稀一春多恨賞心違羣峯細雨江流轉萬戶楊燕子歸謝傅風流今不忝秣陵雲物舊全非空臺草長譚經處風起遊絲罥客衣

〔顧璘〕春日遊高寺〔詩〕佳辰騁望給孤園白袷初成氣候暄春日風物美空山真隔市朝暄歌催酒盞當筵急坐愛枝滿目繁眼底同君聊一醉吳臺梁苑底須論

湛之〔詩〕爲問花期至春寒未見花老偏貪佛事厭僧家柳縷全縈霧松鍼半刺霞芳菲應有待

過（文徵明）九日雨花臺（詩）……上雨初收野色江光落坐間堂……旅遊逢九日共來把酒看三山老年節物偏生感……處雲林不負閒落木滿空秋萬里與禽遙帶夕陽……月……高中落未盡招提猶是舊林……清寂境更上西菴後……藪遙收寒景下荒丘（倜長）故情歎難爲永日留（一僧）夢游題高座僧房（詩）城南東晉寺細徑入烟鬟闢地入全栽竹爲樓正對山定香消寂晝清磬出深關不遠塵人路遊人自不聞（王亦臨）高座寺同陳允嘉訪蕭南岡（詩）道場連夕道遙坐黄菊誰家的皪開遠寺不貪精舍住進禪榻爲覓香來朝餐藥菜同僧盡半識青燈帶雁回我已亡妻翁斷肉相期風雪撥寒灰

永寧寺在梅岡古名剎按志高座亦名永寧今爲二僧古淵重建寺後有方正學祠景大夫祠其地高敞下瞰數仞鬱峯環繞有木末亭亭後有鳴鳳亭南對雨花北眺鍾陵據南岡之勝永寧泉出於其間（明顧璘）同陳……

葉雨飲永寧寺詩（南山飛雨濺危野寺鳴鐘客散遂醉孤耐薰紅杏色都華催換綠楊絲衰年感舊更堪悵故苑尋春步步宜旋上花臺觀淑景濕雲橫路正低垂

又永寧寺春遊和殷文濟二首（勝侶皆靈運名僧有道林行歌穿竹徑醉舞古花陰寺好偏宜古山幽不厭深春城無限酒愛向野間斟有懷思露飲無病愛春遊地主全雙美禪心破百憂烏啼連偈寺花落照溪流莫怪城闉隔山中醉可留

附道遊重登木末亭詩（木末亭空記不留荒祠野草薦蘩移台雲西下江山兩鴻鴈東來陵谷秋大力誅茅存典禮孤忠隔代感梧楸總年再過長干里祠廟松花憶舊遊

又過景公祠詩（正學門庭星日高中丞祠廟忍蓬蒿千年碧血心同苦殿上緋衣氣自豪把臂鄰呼帝子悲歌無計續離騷徘徊欲下千秋淚對此寒生六月濤

寶光寺在梅岡東南舊名天王寺劉宋大明中建梁改爲昭明太子果[illegible][illegible]時又爲徐景通園南唐[illegible]於

閘更建奉先禪院後甍曇師起塔遂名寶光塔院元改爲寺曰普光明初賜今額（皇甫汸詩）四山棲梵宇一徑杳然深歲久惟樹臺荒半宿禽遠江横落日寒殿下秋陰獨坐觀眞理寧知靜者心

瓦官寺在城西南隅建康實録晉哀帝興寧二年詔移陶官於淮水北遂以南岸陶所施僧慧力建寺故名瓦官内有晉義熙中獅子國所獻玉佛先有徵士戴安道手製佛像五軀及顧長康維摩圖世號三絶南唐昇元中改寺曰昇元寺閣曰昇元閣宋太平興國五年改爲院額曰崇勝戒壇明初寺廢嘉靖中杏花村建積慶庵掘地得昇元石像二云此卽瓦官寺故地

遂改爲古瓦官寺建閣曰青蓮王司寇世貞汪司馬道昆並有碑文〔唐李白遊瓦官寺詩〕晨登瓦官閣極眺金陵城鐘山對北戶淮水入南榮漫漫雨花落嘈嘈天樂鳴兩廊振法鼓四角吹風箏杳出霄漢上仰攀日月行山空霸氣滅地古寒陰生寥廓雲海晚蒼茫宮觀平門餘閶闔字樓識鳳凰名雷作百山動神扶萬栱傾靈光何足貴長此鎮吳京〔杜甫送許拾遺乞瓦官維摩圖詩〕詔許辭中禁慈顏赴北堂聖朝新孝理祖席倍輝光內帛擎偏重宮衣著更香淮陰清夜驛京口渡江航春隔雞人晝秋期燕子涼賜書誇父老壽酒樂城隍看畫曾飢渴追蹤恨淼茫虎頭金粟影神妙獨難忘〔羅隱登瓦官寺閣詩〕下壑雲蹤上雲浮偶逐僧行步步愁暫拂[illegible]知須用意漸來爭忍不回頭烟中樹老重江晚村[illegible]風輕四望秋懶指臺城更東望鵲飛龍闕盡荒丘[illegible]〔唐李建勳登昇元閣詩〕登高始覺太虛寬白雪須知唱和難雲度鎖牕金榜濕月移珠箔水精寒九[illegible]星參簾前見六代城池直下觀唯有上層人未[illegible]鳥飛還拂闌干〔明余孟麟遊瓦官寺詩〕經臺[illegible]

幾登臨江左名山歲月深三界磬流花塢合六時[illegible]
偃石隱陰金函新賜袈裟地寶筏重開薝蔔林[illegible]
頭陀分罽席青門湛了白雲心（王世貞重創瓦
寺閣詩）昔時瓦官閣高與天崢嶸業火一燒盡不能
燒却萬古谷蓮花比丘苦緣薄傾鉢誅茄覆
薝蔔不見如來滅劫時丈六金身亦不惡

鳳遊寺在鳳凰臺之右初名叢桂菴嘉靖間因積慶菴改為古瓦官寺菴與寺相對遂名上瓦官萬曆乙未太史焦竑易今名立石為記臺屬寺內太史顧起元鑿池立放生碑于臺下後廢

國朝康熙六年方伯周公亮工太守陳公開虞因紳士請復其舊為金陵勝事云（明太史焦竑重建鳳遊寺碑記）都城西南隅別開一境崇岡曲折林麓翳然為杏花村其地逶迤相屬最幽曠傳以為古瓦官寺遺址有臺特起甚高遠矚為

鳳凰臺宋元嘉間秣陵王顗數見三異鳥集此山狀如孔雀毛羽絢爛音聲諧和衆鳥附翼羣集時謂之鳳乃置鳳凰里築臺因以爲名唐李太白詩所謂鳳凰臺上鳳凰遊者是也國朝以來瓌臺地舊爲魏國徐公園亭館池沼備遊觀之勝後歸共族子積瀞荒蕪稍因其存者葺爲菴植桂于旁名曰叢桂然僅隻椽殊湫隘菴四周地雖廣而鞠爲茂草之區爲日已久嘉隆間僧圓梓明澄遞爲菴主念此地爲古勝蹟圖撤而新之以供焚修請於魏公許捐金還其故地而其門下陳源陳淳各經紀其事布施贊成爰大其梵刹而向之廢者轉成壯麗金碧燦煥豁然改觀矣爲金剛殿爲天王殿爲大佛殿爲左右殿爲藏經閣豎大庖湢箬庫客寮僧室莫不精飾臺之下池十畝畝爲放生池築墻數百堵以固其藩凡營建積數十年頃者更加募造爲左右禪堂爲鐘鼓樓爲水陸[illegible]一百五十軸以修無遮大會則明澄之徒真元[illegible]真授及如瑄等相繼而有成者也前是魏公於[illegible]左里許建積慶菴掘池得昇元石像云此即瓦[illegible]址因改菴名爲古瓦官寺丁未後叢桂菴增修即[illegible]慶菴對峙祠部謂皆瓦官舊地易叢桂曰上瓦官[illegible]

余北者偶與祠部朱君言及兩寺一名且增一上字似屬無據茲實因臺爲寺沿鳳集之遺蹤儼天竺之淨土易將若以鳳遊名之則梵剎之莊嚴直與山川增麗而勝蹟依然正可與古瓦官並遂擬以新額易之寺僧謂不可無記余按此一臺也去元嘉千餘年而爲魏公園從幽遷古丘之舊開嘯歌眺聽之場然非久而湮矣今去數十年而爲鳳遊寺從頹垣野草之墟結禮佛參禪之所視昔日不啻有加焉望之而淒然感廢興之不常弔遐蹤之莫挽後有攬者將與臨風而一嘆也萬曆巳未年秋日之吉太史朱之蕃書

周亮工募修瓦官寺鳳凰臺疏引　鳳凰臺在瓦官寺之左寺自晉興寧閒以陶官地施爲之遂名瓦官勝事相傳未泯唐宋以來代有改易至前朝而廢其地半爲徐中山族姓所有廣爲園亭至星散遠他人取其值後以園旁一菴改建瓦官實非寺址至萬曆時中山還其值盡有鳳凰臺右地大建剎宇爲上瓦官而瓦官之舊始復逕志所載前瞰江面後據崇岡也比

新朝初建勢家以貴乘其急私爲授受毗然鑿阜擅爲垣墉中物時黄門子星徐公百計募衆鳩貲償之始

復爲遊觀地余曾爲題其䟽今觀臺在寺左爲金陵勝蹟萬竹名園六朝松石皆環拱而絡繹三山二水太白之風流在焉遊人每當春花夜月聯袂邀懽登斯臺也則爲之憑吊欷歔嘯歌詠感興金陵之烏衣桃葉共傳盛事於當年余少客金陵至今猶可想而見也歲久斯湮漸近荒蕪近爲居人築者取其壤土以給至破裂莫知所止劉覺岸鄧萬子吳周旌湯旌三孫阿淮沈維錫白孟新吳天一諸君以形家忌爲余言余因屬其禁屬太守陳君葺之寺僧以其工費不貲也募金佐其事因持䟽簿請余薄捐金爲倡而述其槩於左夫地負勝遊代與代廢以臻此至爲眷戀所私據昔人身以之致慨中山不知中山得以存此猶有人焉拱護而崇飾之爲禪林金湯爲山靈環耀自中山既往而荒頽傾圮遂至不可復訊倘及今不爲之所其後必有蕩爲瓦礫蔓爲荆榛將與衰草冷烟同黯淡於鐘殘照落之餘者使太白而生於此時其爲感嘆又當何如哉

有心者知必起而應之矣

承恩寺在三山街舊内旁明御用監王瑾故宅景泰間

改宅爲寺學士晉陵王輿爲之記

鷲峯寺在鈔庫街南齊爲東府城梁爲江總宅唐乾元中刺史顏魯公置放生池東接青溪宋淳熙間侍制史正志移於青溪之曲明天順間即其地建寺賜額曰鷲峯唐昇州刺史顏真卿放生池碑畧昔殷湯克仁垂一面之網漢武垂惠致含珠之報流水救涸寶勝稱名蓋事止於當時尚名留於終古豈我今日動者植者水居陸居舉天下以爲池環城中而蒙福藥陀羅尼加持之力剗煩惱海生死之津梁之萬古曾何髣髴宋景定建康志放生池記畧按舊圖經唐乾元中詔於江寧秦淮太平橋臨江帶郭上下五里置放生池凡八十一所有碑昇州刺史顏真卿文舊以府治東東接青溪北通運瀆者爲之舊志今秦園之側府學之東即放生池也淳熙間史侍制正志移放生池於青溪建閣其上府學遂因舊放生池爲泮水其流亦通青溪池近行路水深而堤不固

時有溺死者馬公光祖聞而憫之乃命能仁寺僧築堤甃街立大木爲欄檻自是無溺者矣又修闢青溪閣前爲飛梁繚以朱欄深深迴汪洋塵迹莫能到也〔吳兆光鷲峯寺寄友人詩〕水漫長橋深復深寺門花密柳陰陰尋余只在鶯聲裏不聽鶯聲何處尋〔王亦臨鷲峯寺恭坐詩〕過鳥語溪光自六朝山僧不踏舊藍橋落花一夜深千尺吹笛何人傍紫霄半日春閒得小村破塵無酒慰詩魂白雲湯火留人住只隔東山一寺一門

迴光寺在城南隅梁天監間創蕭子雲飛白大書寺額名蕭帝寺唐保大中改法光寺宋太和中改鹿苑寺明永樂間有迴光大士自西域至重建改今額太常邢一鳳爲之記

護國菴即關帝殿在驍騎營鳳遊寺北僧法俊重修

普惠寺在三山門外永樂間為唱經樓天順年重修賜額〔顧璘飯普惠寺詩〕綠樹邀行騎青山擁寺門不勞鐘磬響久厭市潮喧解帶榆烟午鈎簾竹日暄老僧鋤菜甲隨意且盤飧

封崇寺一名卧佛寺在三山門內

淨覺寺在府治三山門內洪武間勅賜宣德年重修〔鄭和題請其子孫世守之〕

安隱寺在雨花臺即古安隱院明永樂初重建奏賜今額北接高座南連寶光東對永寧岡隴之間林木森鬱南朝舊跡〔皇甫汸詩〕人天即此路花雨見空臺剎盡南朝建經多西土來碑荒殘蘚合僧定野棠開了悟身如幻何須訪劫灰〔王亦臨秋盡安隱寺訪友詩〕年年黃葉常尋寺又是虎谿朋好家

閣有楊雄當晏歲厨無阮籍立踈花憂時客自女霜至下食烏同枯樹嗟我已兎且君飼犢秋風何必更懷沙

寂照寺在慧光寺東蹊路自樹杪而下極幽邃（明陳沂詩）藍輿度危嶺俯視有香臺踈磬谷中出幽蹊樹杪廻烟光乘暮起山色逐秋來可惜登臨興長因落日催

靜明寺在寂照寺西有玉華泉出山下（明沈越詩）萬柿垂枝秋色蒼遠林騎馬度重岡客登山路穿松逕僧禮蓮臺閉竹房夜靜梵音林壑滿月明清夢石牀涼此心賴有皈依處回首諸天別思長（盛時泰玉華泉銘）巖巖石壁涓涓流水名以玉華昉自何氏松殿空開蘿扉不啓中有山僧日晏而起來禽滿樹汲泉自煮青天明月共爲賓主

西天寺在報恩寺後號國公墓右明洪武中西域僧的達居此示寂勅建賜今額（皇甫汸詩）彌勒禪林西將軍隴樹烟長安令子

竹[illegible]恨白[illegible]天

永寧寺在天竺山前能仁寺東正統中建賜額有孔雀臺弘治間重建陳沂永福寺後閣晚眺詩幾日城南尋野寺支[illegible]重[illegible][illegible][illegible]期攀[illegible]樹色初晴後樓榭烟花欲暮時老眼登臨遠悵望開心歸水獨棲遲風塵回首都忘却夢裏前身只是誰顧璘永福寺和魯南詩山人每爲看山出惜有山雲不待期草長作經春雨後江明偏近夕陽時前林犬吠僧歸遠古殿鐘鳴客散遲除却陶潛貪酒盡不知蓮社後茫茫顧璘永福寺詩松竹山[illegible][illegible]秋還尚綠陰登臨他日感樽殂故人心臺迴生紫早溪虛射日深野情隨處好況是舊追尋

德恩寺在西天寺東晉普光寺基明正統間重建奏賜今額嘉靖間燬惟殿存今重修陳寶鑰晚眺詩蕭寺盤餐腹果然招朋緩步陟山巔雉飛白石稜稜處鳳帶紅霓線線天不數陵園千古壘長龍禁苑六朝烟傷情盡是鬢眉老共

憶繁華

二百年

永興寺在梅岡西南明成化初年賜額林壑幽閒規制甚麗今重修〔顧璘結夏詩〕濯髮蓮花水清風滿面吹松高迎日早僧老下林遲施食烏頻至翻經鶴靜窺物情渾不遠幽興自相宜〔皇甫汸永興寺詩〕帝城西見古叢林萬木樂華六月陰庭下開花齋後偈門前空永定時心

普照寺在永興寺旁元至大間僧無盡建明成化間僧定瑀重修賜額

普德寺在聚寶門外明正統間創建前後山蒼翠環遶松林深茂旁接雨花之勝太史焦竑有建華嚴樓〔記〕華嚴樓在城南普德寺佛殿之右偏崇岡疊嶂[illegible]掩映鳳林雲壑平曠邃密其中琅函寶笈久梵[illegible]

凡叢林所服用寺宇之亟需者十具七八矣於是開僧越葦請余曰普德爲金陵名藍頂禪講寂然僧之往來誦習者靡所棲止釋如果者始建樓五楹可德講授其中飯緇流三年是時遠近聞之富者輸出貧者輸力藝者輸巧棟楹翔空雲煙蔽虧萬衆歡呼聲應山谷糜金錢千緡有奇八閱月而工竣更爲無遮大會落之而屬余爲記竊嘆世人持左券取寓物未可必得其爭毛髮之利也如頭目腦髓湯火蹈白刃有所不辭師意之所到淨財雲涌不脛而至未一載間釋梵天宮談笑而就此無異緣凡一切法惟愛故壞惟捨故集以彼裨販如來者猶十方僧物以爲己有不旋踵而觸發蘊之師衣取其儘者食取最下勞心苦形一以接衆飯僧爲佛事堂宇旣成居之食之浩然如江河之無極至者必觸蹙乎猗存是心鬼神歸之矣況於人乎師勤苦眞樸不立文字祇夫綺語高談凌跨方等者誠有所不及至于人我相際利害在前蓋有不容僞者矣以此知言事易成事難成事易無欲難藉令士大夫之欲有爲者能率是道其功用可勝言哉是不可以無記若施者姓名則具列于碑陰

明皇甫汸遊普德寺詩古寺城南訪六

朝高臺一望幾蕭條門前黃葉催年暮林外青山覺路遙塔影常圓沙苑月鐘聲淨帶楚江潮老僧宴坐眺禪定送客何曾過虎橋（黃居中詩）雨後衝泥古寺行桃花柳色映人明入門未識妙香氣隔竹先聞好鳥聲鍾阜東連宮樹遠長千南接雨花平相逢況是多同調一笑何辭宿化城

華嚴寺在安德門外寺本古蹟久廢明永樂間重建其寺僧以植花果爲事（陳孔悅華嚴寺道中詩）兩籬交灌木一逕夾荒榛低刺皆牽袂高枝亦罥巾竹深稀見日苔厚不逢人秋好誰來此惟應無事身

慧光寺在新亭鄉宋治平間建賜古光宅寺額創制極古佛宇後山石如掌雲光法師講經於此明洪武[illegible]建賜今額（簡文帝詩）陪遊入舊豐雲氣鬱青葱紫[illegible]垂青柳輕槐拂慧風八泉光綺樹四[illegible]臨空翠經隨烟碧丹花共日紅方欣大雲溥慈[illegible]淨宮（宋王安石遊光宅寺詩）今知光宅寺朱[illegible]

當門臺殿金碧毀丘墟桑竹繁蕭蕭新犢臥冉冉暮鴉翻回首千萬夢雨花何足言

祇禧寺在安德門外正德間建賜額（明顧璘祇禧寺積雪詩）巖谷素華貯禪房朝倚闌爲憐珠樹麗宛坐雪山寒白以空爲色冰因東作乾太陽何見恐生滅本同觀

大山寺在牛首山之西（[illegible]顧起元詩）[illegible]寂寥法燈山鬼滅僧舍野雲飄塵跡苔文滿蟲飛花片消空餘庭外柏青影日蕭蕭

江心護國烈山寺在烈山上（姚汝循詩）扁舟破浪躡蓮臺不盡雲山四面開鳥道半空緣壁度縱迸萬里入天來絕憐覽勝探偏壯尤喜攀危力未衰取醉莫辭歸路末輕帆好趁晚風回

天隆寺在鳳臺門內重岡邃嶺有古林律師塔在焉

三山寺在三山之麓明洪武十三年工部侍郎黃立菴建其地三峯相連中隱孤寺有磯頭懸江中登者豁

目

崇因寺在城南十里石馬山之陰劉宋時名曠野寺齊廢梁大同中復唐開元中以懶融嘗居改禪居院太和中改崇果院宋改寺額曰崇因明嘉靖間重修此地舊爲新亭有王謝遺跡劉誼詩云十里崇因寺臨江水氣中皆爲寺證據 蘇東坡像并序曰金陵崇因寺長老宗襲自以衣鉢造觀世音像極相好之妙予南遷過而禱焉曰吾北歸當復過此而爲之頌建中靖國元年五月日自海南歸至金陵乃作頌曰慈近乎仁悲近乎義忍近乎勇屬近乎智四者似之而卒非是有大圓覺平等無二無冤故仁無親故義無人故勇無我故智彼四難近[illegible]作有此此四本無有取無置有二長者皆樂檀施其一大富千金日費其一甚貧百錢而已我說二人[illegible]無有異乎觀世音淨聖大士徧滿空界挈携天地大

解脫力非我敢議若其四無我亦如是（明陳沂崇因寺簡古曇上人詩）仙丘何處覓梵刹此中□□地穿龍井開山起鷹堂曇華無伏臘祇樹有齋□對爐烟下前因未盡香（許穀遊崇因寺詩）秀碎蒼栢珊臺映紫霞林虛含萬象室靜演三乘寶地金爲粟祇園玉作花直須同翫祖應恨未辭家（姚汝循遊崇因寺詩）稜嶺藏金界幽探歷翠微□□□□境始到綠蘿扉谷靜松聲合秋高林影稀坐來塵世隔花雨滿空飛

永泰寺在吉山梁建南唐崇淨果禪師因名淨果院後復改寺（明陳沂永泰寺詩）亂山烟絕澗横雲掩空扉當路草盈尺遶垣松四圍定僧離世久鷩犬見人稀午坐同齋供山厨煮蕨薇

禮拜寺在聚寶門外明洪武元年勑建弘治五年重修

祇陀林在城南隅鳳凰臺之南崇禎間大中丞余大成

建徑山雪嶠天童五峰住錫於此
鳳嶺寺在鳳臺門外
圓覺庵在馴象門街萬曆年建律僧白齋燃指臂備諸
苦行拓修殿宇蔚爲叢林
大慧庵在西天寺之南下臨赤石磯今爲放生善地
經厰庵在馴象門內明永樂仁孝皇后建賜碧玉石鎭
殿西洋槐二株刻藏經板貯于內明末俱廢
國朝順治六年僧默如重修
淸修院在郭外南城皈善鄉宋治平間賜額俗呼爲壽
山寺

佑國菴　在淮清橋即明初逍遥樓址永樂初建

以上江寧

上西

與教寺在縣治東北晉咸寧間建明永樂中重建僧會司在焉

崇明寺在東北隅晉咸熙中建名義和梁昭明太子書額唐會昌中廢天祐二年重建宋太平興國年改今額寺有浮圖甚峻明隆慶四年大學士李春芳重修鐘樓有趙子昂題匾崇禎十六年再修

國朝順治四年告成殿後有毘盧閣輪奐莊嚴極稱雄偉張以寧登僧伽塔詩嵯峨崇明塔拔地一千丈我攀青雲梯倏到飛鳥上微風韻金鐸初日麗銀榜

維時十月交葉脫天宇曠羣山來南奔平川疊波痕雲間三茅峯圓立儼相向碧尾浮鱗鱗兹邑亦云壯雞鳴四關開攘攘與得喪塔中宴坐仙憐汝在塵坱古時登臨人今者亦何往俯觀世蜉蝣仰嘆彼龍象乃知崑崙巔可以小穹壤同游皆雋英超遥寄心賞霜飆天際來毛髮颯森爽太白去千年吾何獨惆悵

金華寺在縣治東南隅晉咸康三年尚書令李邈捨宅造靈曜寺宋改今額

以上何容

報恩寺在縣東門外梁天監中建宋宣和中爲神霄宫後改爲寺李綱書額僧會司在焉

廣敬寺在東門外長慶初金吾長史倪筠捨宅建賜額資聖禪院宋太平興國初改今額明宣德初重建

廣法寺在西門外唐名零陵寺楊吳號資福院宋改今額

淨土寺在東南五十里丁山側唐初建爲雲泉院宋治平中賜今額宣和中更爲禪院後復爲寺

勝因寺在西五十里晉義熙初建唐改唐興宋改今額孟郊游唐興寺觀薔薇詩忽驚紅琉璃千豔萬豔開佛火不燒物青香空徘徊

法慧寺在縣北六十里吳丞相萬彧捨宅建梁名安靜寺宋大中祥符初賜今額明洪武末歸併法興寺

法會寺在西南六十里社渚吳時建唐名資善院宋改今額

白龍寺在西七十里亦晉寺也舊有三塔一名三塔寺或云僧伽大聖化行之地故又名大聖院

雲泉寺在東南五十里唐名雲泉院許堅詩所云前朝恩賜雲泉額也宋治平初改爲淨土院慶元志曰一名雲泉精舍

以上溧陽

永壽寺在縣治城南萬曆三十六年知縣徐良彦建邑東南山皆環合獨西北當縣治水去處地坦平無山堪輿家病焉謂邑少科第咸由于是故徐公剏塔寺塞之以補地缺初名永昌後勅改今名

國朝順治五年有釋永泰倡明宗教重修之縣令閔派
魯以官田歸于寺

上方寺在西二十里即孫鍾種瓜處

開福寺在縣南門外唐開元中建明永樂中重建僧會
司在焉

興化寺在東北三十里唐大中初建名延安寺明洪武
中重修改今名

無想寺在南一十八里無想山一名寂院（明亮工入無想寺詩）陰森
枏楠迷無路到聽鍾鳴有佛塲欲踏高巖看石臼休
捫古碣話亦梁敝廬嚮滿千山雨破衲新縫九月霜
莫指寒花留客宿暮雲哀壑易心傷

明覺寺縣治西四十里唐咸通十年僧德昭剏名正覺寺宋嘉定十六年修元大順間改今額明正統間復建崇禎時圮僧性蘭募重建西安韓敬有詩

廣嚴寺縣治北四十里唐天復三年剏初名儀成宋治平三年賜今額後毀于李成之亂重建紹定間縣丞祖大武為記明萬曆丁未重修白下焦竑有記

以上溧水

保聖寺在縣東五里舊名龍城唐貞元中建宋祥符改今額

儒童寺在東南二十五里唐景福中建

禪林寺在東二十里唐咸通中建明永樂初復建

龍化寺在南五十里唐咸通初建

顯慈寺在西四十里唐中和間建宋紹興中改今額

飛來寺縣西南三里明天啓二年中秋夜忽有銅像彌勒一尊端坐太平圩之東角及旦黃沙蔽天知縣譚經濟邑紳陳萬善即日往謁士民咸集譚見而異曰殆飛來佛耶命李自蕃建寺遂以飛來名

以上高淳

定山寺在縣東北三十里獅子峯下有泉出殿中亦名定山泉

石佛寺在東北十八里宋建炎中建明洪武中重建僧會司在焉

東濟寺在西三十里舊名湯泉院宋元祐中重建

接待寺在西二里明洪武初建

孤舟菴在江浦西門定山珠泉之間路通京省明萬曆丁酉行僧孤舟結茅濟衆故名太史焦竑朱之蕃爲之題額

國朝辛丑古林律學滋遠居之募衆善督修浦口至滁之關山路一百二十里建利洪橋

以上江浦

長盧寺在縣南二十五里宋天聖中建明洪武初重修
劉攽王安石梅聖俞黄庭堅蘇軾有遊長蘆寺詩僧
會司在焉
國朝順治十年天界禪師覺浪改禪院
靈巖寺在東十五里靈巖山上唐咸通中建明洪武初
重建
卧佛寺在東北南唐保大中建明洪武中重建
資聖寺在縣北四十里屏山之北元至和元年建燬于
兵明洪武間僧重建今屢修有泉亦名資聖泉
祇洹寺在縣北五十里冶山按嘉定志載唐開元二十

三年建鄴湾懷古云寺有解脫禪師隋王問何以伐陳師云乘桃葉而渡必克晉王乃造桃葉舟及江有童謠桃葉歌其時見岸邊有山遂造寺明正統間僧

明昕成化間僧如清嘉靖二十七年僧紹富各修建

龍池菴在縣治之西池水深泓永禁網罟建菴放生是大悲閣于池上

國朝康熙六年大中丞佟國器爲之碑記

以上六合

江寧府志卷之三十一終

江寧府志卷之三十二

觀

朝天宮在城西全節坊即吳冶城晉西州城劉宋國學皆其地楊吳時建爲紫極宮宋改名祥符寺改天慶觀元名元妙觀天曆中陞爲永壽宮明洪武十七年重建賜今額殿後有萬歲亭凡大朝賀行禮於此習儀西偏有西山道院又有東麓亭眺覽踞城中之勝按冶城山吳王夫差鑄劍處今山後鑄劍池猶存晉改西園建冶亭其上卞忠貞墓在焉郭文舉故臺亦此地今宮之制前爲大通明殿又前爲三淸正殿疊

中國國家圖書館藏

拱層簷琉璃閃映備極雄觀山門徑道折而爲九有飛霞閣景陽閣諸勝西山道院者明初建以館劉眞人雲林叢蔚居然松壇芝府成化間大學士商輅奉勑勒碑〔宋蘇軾天慶觀詩〕春風吹動北山微歸鴈亭邊送鴈歸蜀客南遊家最遠吳山寒盡雪先稀扁舟去後花絮亂五馬來時賓從非惟有道人應不忘抱琴無語立斜暉〔明姚廣孝朝天宮詩〕六代興王地千年上帝宮絳扉隨日啟黃道與天通左掖龍威盛西垣虎勢雄瑶臺依碧落貝闕際元穹飛閣璇題迴回廊畫壁崇逕開羣竹裏亭起粹華中靈迹金庭異仙遊玉局同瑞雲春匼匝香霧曉空濛森爽低瀛閬清虛鄙華崧纛翔空界黑旌曳下方紅樓響鍾初叩臺明鏡乍磨丹光晨掩旭劍氣夜成虹寶籙奐紗閟陰符蜀綺籠爐氛烟縹緲簾影月玲瓏偃蓋松承露垂纓檜引風神龜時出沼儀鳳暮棲桐綠髮乘虬客青衣放鶴童辭凡修素默望聖達淵沖定交思茅固全生慕葛洪尋眞須到此不用問崆峒

渭朝天宮詩長安道院一牽裳司馬筵中再舉觴前
莘學書才不短杏花插鬢意何長藥沈綠醑家厨釀
霜折紅蕉道觀房坐裏黃冠三兩輩醉來相與說先
皇　〔金〕大章東麓亭詩何處元都逼太清空林面面
仙雲生攀來玉樹多春色聽徹梅花半雨聲六代風
流悲往事百年心賞見交情酒酣不用頻看劍恐有
寒光射冶城　〔葉〕向高登景陽閣詩高閣憑虛望渺
茫每看羲御出扶桑飛來珠樹千年鶴落盡楓林一
夜霜吳苑烟花迷建業楚江風雨接瀟湘舊時王謝
登臨地盡日淹畱亦不妨　〔劉〕日寧次韻詩宮館餘
基接混茫登臨人代感滄桑綠烟舊鎖前朝樹紅葉
初經昨夜霜事往鐘聲消海甸秋來馬影極衡湘酒
闌客散斜陽在徙倚脩軒晚未妨　〔夔〕世韶登朝天
宮玉虛閣詩萬物靜相照情瀾那可朽芳氣行虛空
衝胸恣所取一尊曠樓前俛仰無不有領略味各異
精微爭好醜不如君默然能寄在新柳醉醒見長絲
晴與溪雲守冶山多颼颸天風吹我肘

神樂觀今改眞武行宮在洪武門天壇西明初舉郊廟之祀合用大樂乃就壇近地設觀選樂舞生習教其中名神樂觀賜勅後遷都北京觀所存樂舞止祀先師孔子歲大祭奉常先日集宗伯官寮至觀試樂朱干絳節白羽黃冠猶列兩階而陳九奏焉今觀廢祀孔子樂猶存有亭曰醴泉明文皇在觀結壇溢出庶子胡儼奉勅撰瑞應醴泉碑 明張羽觀禮神樂觀詩 維皇肅明祀卜郊時再陽指朔戒先事習伏誦故章行宮儼清閟羽佩溢中堂蓰階羅舞鉞若位表官行升歌出麿藻妙奏發清商飃音肅遠響華鐘泛高張虛壘待實醴薦璧隰成筐想茲天步臨穆若垂景光駿奔貴有恪報說永豐疆岢同交門亭惚怳事神方揆予承人乏具寮慙秦常茲焉陪羣彥含此靈時秀執禮素寡術敕躬何敢

志愧無安世歌裴徊望齋房〔僧來復寄神樂觀鄧仲修羽士詩〕天上琳宮白玉梯別開方丈五雲西金花傳賜仙官誥上有乾清御墨題醮罷星辰棲綠章虛壇夜夜降祠光白鸞騎得朝天去手把芙蓉侍

紫

皇

天妃宮在獅子山下儀鳳門外明文帝遣使海外颶風黑浪中賴天妃顯護永樂十四年勅建今宮宮枕城城半在山當時龍江經其下宮殿華峻廊廡繪海中靈異玉皇閣高可見江與遠近帆檣相映宮後有裟羅樹亭有御製弘仁普濟天妃宮之碑〔明湯顯祖贈謝太常詩〕漢使河源虛織女君得天妃下神語海氣雲驚壁葉山江闕雪憶梅花嶼白犀賜衣金佩刀神鯨怪燕爭波濤精氣自凌星氣遠功名早逐風雲高只言世上堪平步候氣尋針非此路常依北闕玩芳華暫向南都

瞻玉樹南北圍陵佳氣重太常新入近天容况復青
郊候祈穀立春春朔幾人逢（又天妃宮玉皇閣夕眺
詩）寶蓋珠幢青佩裙拂雲來謁斗中君因攀帝閣臨
元氣却過雷門動紫氛諸天蒼莽開南牖下視塵寰
思矯首繡嶺平分草樹前清雉半出人家後還緣梯
級俯東軒睥睨飛翻儀鳳門表裏都城如玉砌高低
道院似雲屯參差向北隨形勢雉堵獅峯兩迢遞可
憐平圃不抽花未許招山徒植桂回飈拂袖倚西檽
樹影潮音入梵聽山中氣接江流白江上山連浦口
青青山西面廻靈澤二百年來深紫栢能棲寶露足
風朝會徙陰烟宜月夕夕暉山色靄松門仙家日氣
也黃昏若待少年婚宦畢徑須猿鶴怨王孫　黃姬
水天妃宮看海棠詩）仙觀荒臺蔓草中海棠一
樹太憎紅可憐亦是星槎物不學葡萄入漢宮

盧龍觀在盧龍山與儀鳳門相接洪武初建景泰間重
修明高帝尅僞漢陳友諒親樹旌麾督戰於此嘗欲
建閱江樓不果山初名盧龍今改獅子山觀仍舊名

兵部尚書何鑑爲之記記云京城儀鳳門之左有山麓有廟有觀歲久殿廡傾塌正德庚午春守備黃公偉成國朱公輔西寧宋公愷與予閱城修門因謁廟觀乃相謂曰是皆國朝所建也容可已乎乃命工修葺始於是春二月壬子訖于冬十一月庚申凡廟一觀殿廡四十有一間傾者正塌者起塗以丹雘煥然一新請予記其始末予惟廟觀之興廢係于山川而山川之鎮重關於都邑若岍岐之於鎬京嵩邙之於洛都皆不于其山而于其都邑也今盧龍之重於京都而廟觀亦賴以修豈無謂哉昔晉元帝渡江首以茲山當龍蟠虎踞之中扼長江之隘口以北北地盧龍因名焉歲丙申我太祖高皇帝駐蹕建康用以懷外安內乃始重之嘗諭侍臣曰壯哉斯山有警則登之察奸料敵無所不可戊戌命南安侯俞通海造舟師所奉巢湖水神徐將軍廟于山之麓庚子僞漢陳友諒入寇太祖親樹旗幟于山之左右指揮伏兵以禦之陳寇大敗而遁及登大寶乃置門于傍城其北面之半癸丑駕幸盧龍詔葺廟室樹名木復建觀于廟左併奉真武之神甲寅勅建閱江樓于山之巔御製

文以記之復以山形有類後猊賜改名爲獅子山夫聖祖開創洪基乃重此山旣環之以城翼之以門而又附之以廟以觀以樓且賜名賜文以寵異之是豈爲遊觀逸豫計蓋以扼長江嚴郊圻而爲都邑之鎮重也然則是觀之修夫豈無謂哉（明王履吉盧龍觀詩）秋林隨繫馬古洞看彈棋淮海青天瀉鍾山玉殿披鹿場雲影淨鶴逕石梯危處處飛仙接簫聲不斷吹（陳沂盧龍觀詩）漫與乘陰出臨高日偶晴山形城上轉江影樹間明花竹開琳宇樓臺抱玉京自憐方外地多半是平生

洞神宮在淮清橋西宋建明正德間修相傳爲江總宅金陵志云宋景定四年制使姚希得創蜀三大神廟于青溪側卽此元李孝光有洞神宮記

靈應觀在靈應山與石城門近宋名隆恩祠明正統間住持俞用謙奏賜今額山下有潭曰烏龍潭可[illegible]

祗祈雨有驗故以靈應名今爲都人士放生之所〔明
建靈應觀碑略〕都城西南隅隆然而高者曰烏龍潭其
山在石城門內去虎踞關不二里而近山下有潭其
水淵深潭西北岸巨石巋然即古所謂石城洞真誥
云小有天之南門是也宣德七年春守備羅公於山
之東建玉靈官祠入夏有狐狀似小犬昏夜爲怪莫
能袪除公請於神其夜雷電大作風雨繼至妖遂殄
滅八年春夏之交連月旱曠上下憂懼公立壇禱神
甘雨隨至乃大有秋復于祠後建閣上奉玉皇下奉
雷祖祠前建門廡庖庫輙至丹碧炫耀林麓既落成
令朝天宮道士俞用謙等主祠事用謙以未有名額
乃赴行在奏請賜爲靈應觀實正統三年五月八日
予惟都城宮觀僅二三所皆塵市中惟斯觀據乎山
上引紫金之形勢俯城郭之佳麗城外江山舉在眉
睫林木葱蒨市囂不聞誠棲神妥靈之所殆神靈秘
之以有待者也〔金大車靈應觀詩〕雞犬空壇靜雲
蘿白晝長野羹分石髓山酌瀉瓊漿水煖魚龍化巢
翻鸛鶴翔懸言殊未已嵐翠落丹牀〔王維楨烏龍
潭詩〕故鄉此日杳啼鴂楚水秦山萬里情旅食魂驚

將屢改春潭客到思俱情避人孤鷺唯依渚競賞千花故傍檻酒罷空庭還獨立中天滿月照人明〔王赤臨讀書烏龍潭上詩〕過碧山學士草堂遙潭水桃花劉洪謬烏影過谿青不了雪香在樹酒難消懷因徙宅停鄉夢人爲攤書到紫霄福地

致身應自愛古來生事滿漁樵

朝真觀在長壽山淳化鎮東明正統年建道士葛可澄請道藏賜勑

洞元觀在天印山之麓葛仙公白日飛昇處吳大帝赤烏二年建唐貞觀併入巖棲觀宋改崇真元因之明重建仍洞元額羣峰廻合萬木蕭疎眞仙都福地仙公洗藥池鍊丹井猶存〔明盛時泰香茅宇記〕方[illegible]吳大帝建屋以處葛仙[illegible]有洞元觀至今丹井藥池猶存焉但歷世綿[illegible]雖在而殿宇之傾圮日甚萬曆丙子冬予與[illegible]

愛而留宿意欲構一樓以祀仙翁而愧于力之不及
乃與客先葺茅菴以蔡以四川來城山過湖熟至[illegible]
岡始醸金成之客有謂予當記其事者予以仙公
之高士今去已久其所以惓惓者豈非奇蹤秘迹
能使人景慕然耶予與客生當熙朝今此之遊以地
則邇以齒則若青鞋白袷毎于月之夕雪之朝而時
一至焉則優游太平不爲不幸而杖履尊罍所至使
内無飢寒之慮外無虎蛇之虞其所以暢沖襟而樂
幽討者寧不于茲有賴耶況山古多隱士吾輩他時
而來量其筋力身可出則仕迹可遂則遯雖不能上
方仙翁其亦庶超近士矣乎客起其言因題爲香茅
宇而列十詠詩以俟來遊者之詠　宋李子西葛稚
川贊　江左日陋無復德輝翔而不集翩然南飛鄧嶽
細兒處仲餘黨豈有識知亦復瞻仰吾緣内丹遂[illegible]
羅浮豈以嶽故而議去留所就者大寧鄙其小[illegible]哉
嶽遊如狎鷗鳥　吳支道紀葛仙公煉身雖輪[illegible][illegible]
寃神無暫滅宿福積重緣昔願非今日大羅真人所
仙聖合真出天龍漱香花灌我鍊胎質微言將非[illegible]
靈期元佑畢道心超不二混成表元一獨悟本無想
放浪大乘逸　晉葛洪洗藥池詩　洞陰泠泠風佩清

謫仙居永劫花木長榮（宋）楊修方山洞元觀詩仙公功行滿三千白日驂鸞上碧天留得舊時壇宇在後人方信有神仙（明）焦竑方山詩道者何年往溪林尚故廬冷烟翻翠壁古洞隱丹爐坐傍雲容斂行看樹色扶前山西逝水冉冉接蓬壺

仙鶴觀在仙鶴門外漢時建萬曆年重修

玉虛觀在上方門外吳時建茅屋唐保大間搆殿宇明萬曆十三年重修

元真觀在中和橋北明永樂十八年爲勅封妙慧仙姑建名元真堂正統八年賜觀額并道藏考金陵新亦有元真觀疑或地旣而名沿云

以上上元

清源觀在雨花臺側宋名清源廟元至正重修成化十三年又修賜觀額按清源君蜀三神之一祠據層阜依山帶江廟貌靈爽明錢溥清源觀碑金陵聚寶門外一里許有高阜曰長干清源祠在焉其地亢爽夷曠風氣靚深鳳臺龍江映帶遠近層巒秀嶺聯絡左右而京師之人奔走祈禱而至者亦時時屬路不絕其神載在舊碑謂秦有蜀守李冰嘗闢濁崖之險成溉田之利至誅罔象以安民沒則民祠于灌口搜神記又謂隋有趙昱守嘉州州左有冷源二江蛟害民甚神乃設舟船率甲士鼓噪而往持刃入水斬蛟以出而江患遂息民感其德立廟灌江口祀焉然皆謂之灌口二郎神也神莫質其姓是而祠亦莫究其所始然民因其祠不曰長干而槩曰二郎崗則有年矣神唯有功于時者民乃祀之而不忘若二郎之神以有功于蜀也岷源導江入海而沿江之恐蛟龍罔象之爲害者咸慕神功金陵蓋居江流都會而祀之尤宜也

五顯靈官廟在報恩寺之西自宋及今俱有靈應萬曆間重修里人朱之蕃爲之記

棲眞觀在安德鄉正統中建賜額

佑聖觀在江東門外明成化二年建

隱仙菴在清涼山虎踞關之麓相傳宋陶弘景隱居于此故名明初冷鐵脚尹蓬頭諸眞人多遊戲其間嘉靖年重修崇禎二年復廣其基魏國徐弘基工部王思任立有碑記

全眞堂在清凉山之陽原朝天宮鉢堂明萬曆戊午禮部尚書沈潅議改于此先是漢名開化堂晉名育眞元改全眞明祀五仙于此

國朝康熙五年大中丞林公天擎部院趙公廷臣捐俸重修爲之碑記

以上江寧

崇熙宮在茅山華陽洞南門之東卽舊崇禧院唐王知遠師陶弘景見知於太宗元延祐中改爲宮（臥雪山人詩）夜卧不閉户忽聞風雨來繞牀飛白電當户起青雷樹杪雲泉合巖陰天地開造知氤氲裏聲動有龍胎

元符宮在茅山積金峰下宋嘉祐中蜀人王畧結廬煉

丹於此後道士劉混康居之哲宗詔以爲元符觀敕宗賜額元符宮明重建置華陽洞靈官正副各一人〔廖孔悅茅山元符宮詩〕考槃在昔重華陽卜築何勞蘐石房流水自經澆藥處白雲時起讀書傍休簪玄想希仙事且盡餘生住福鄉欲問延年無別術此中一日似年長

祠宇宮在中茅峰西唐天寶中敕於廟下立精舍度道士焚修

青元觀在治西南隅葛洪故宅梁天監中建宋皇祐中重建有葛公井陶弘景爲記道會司在焉

五雲觀在華陽洞西五雲峰下宋天聖中王欽若建菴於此景祐初賜今名慶曆初晏殊有記

一祐觀在大茅峯頂又有德祐觀在中茅峯仁祐觀在小茅峯俱元延祐中建

玉晨觀在大茅峯下自高辛時展上公於此得仙術栢繼修煉陶弘景隱居之所也內有古栢左紐若虬龍異狀齊梁以後碑記甚多遭燬於火　顧起元玉晨觀詩洞隱良常紫翠濛曲林東畔起珠宮聽松近憶陶弘景種李遥聞展上公庭際大書苔蘚澀門前左紐栢童童玉晨眞跡是神仙窟誰辨名登絳簡中　徐穎茅山玉晨觀詩王氣嘗爲霸者疑神圭靈璧宛然遺肉芝多壽士人見仙不能飛羽客知洗藥尚存西漢井築壇何論六朝碑蓬萊水尉今無跡悵悵松風日日吹

崇福觀在中茅峯西白雲峯下初華陽宮道士王景溢退居結廬於此宋紹興間部即所居建崇福觀

乾元觀在茅山大横山下梁天監中陶隱居翔鸞壇齋天聖間改賜今額有觀妙先生碑已中斷按之遂合萬曆間重葺閣希顏李徹度皆修煉於此　顧起元乾元觀詩桃花春水漲溪流雲木陰深鎖釣舟徑僻可知人不到山空惟聽鳥相求書成琳札仙才少吹罷瑶笙客夢幽仙馭飄飖何處問　秪應猿鶴共淹留

紫陽觀在大茅峯下崇禧宮左方士王全交募修

太平觀在茅山側即陶隱居華陽館也宋元符中改額　臥雪山人華陽館詩瞞靈覗雪捲明沙星濁桑乾不認家北斗忽移東海上水輪應共玉繩斜灌園誰種三珠樹鑿井曾栽十丈花再向初陽重灑服葛洪竈下有丹芽

抱元觀在茅山柳谷泉上舊名柳谷菴政和八年因陳

希哉修行于此勅賜抱元爲額

清眞觀在茅山大羅源中宋政和中吳德清始建爲道人棲泊之所徽宗朝賜以觀額紹興間每歲三月十八日四方道人皆會于此齊時多有鶴至謂之鶴會以上句容

清泰觀在治東南宋淳熙中移溧水廢觀額道會司在焉

幽棲觀在北三十里梁普通初有隱士號幽棲伯煉丹於此舉家昇仙後因以名爲觀唐許堅詩仙翁上昇去丹竈連晴壑山色接天台湖光照寥廓玉洞絕無人老檜猶棲鶴我欲泛靈槎他時冲碧落

黃山觀在西西四十里黃山下舊傳西晉時有黃鶴眞人

修道成仙唐天寶中建爲觀〔元薩時中詩〕黃鶴山中黃鶴觀黃鶴仙人此修煉功成羽化歸丹丘環珮珊珊度遙漢昔聞有鳥幺令威去家千年今來歸仙人一去不復返長松落雪猶霏霏〔黃鶴山樵詩〕黃鶴山頭萬綠封樹梢樹底見江峯開門惟有通天竹去引山南山北鐘

泰虛觀在縣治西南四十里晉盤白眞人成道之地簡文帝詔以眞人宅作觀賜額招仙宋大中祥符初改今額觀有九井云眞人藏丹處明萬曆間賜有道藏

以上溧陽

脊山觀在縣治東北元延祐中建道會司在焉

尋仙觀在縣治東南仙檀鄉梁建於靈芝之山鶯洞〔臥雪[illegible]詩〕紙帳蒼茫綠滿牀道人貪睡鳥啼忙開牕直到茅山頂滴露疑于映雪涼

白石觀在縣治東南六十五里荆山中金陵志云舊傳卞和獲玉之地殿有卞和塑像觀有方池李白詩云白石分金井丹砂布玉田是也井僅三四尺投之以石則水上沸如珠

以上溧水

祠山觀在治南元至元初建

尋真觀在治北

萬壽觀在寶陽門外宋時建正殿祀真武帝君乃本縣習儀之所明萬曆三十三年知縣項維聰重建邑進士韓仲雍爲之記

國朝順治十三年知縣紀聖訓重修以上高淳

玉虛觀在浦子口道會司在焉白玉蟾詩王猷宅畔竹成蹊陶令門前柳不迷誰道南風官舍裏葛巾羽扇聽黃鸝以上江浦

元眞觀在治西高崗之上宋隆興初建

東嶽廟二一在縣東治浦橋西宋嘉定十年縣令劉昌詩建明崇禎戊寅年重修一在縣北四十里以上六合

論曰孔子之道如日中天二氏之學非其徒歟書其人書其地或曰不宜是不然崇正黜邪先王之經也

因世治宜聖人之權也三教不同而三教之道則一佛氏無爲老氏無欲與孔子之至誠不貳相表裏焉矧江南俗尚道釋釋老之宮南畿志所載頗詳葢愚以從俗智以衛道亦補王化之所不及焉以其相傳者久而有益於時者書之亦因其俗而利導之耳若曰曲阜無寺觀葢聖人之居然也正人心崇聖道是在主持風敎者乎

摭佚上

山川之佳麗人物之瑰奇典制之美善志傳所載亦云備矣然而澤蘭江芷香輙盈裾斷璧零珠菁皆可擷亦有一夕之叢談或係百年之文獻爰加蒐輯以廣見聞匪曰守殘略同識小云爾

顧文莊云金陵之山形家言為南龍盡處精華之氣發露無餘故其山多妍媚而巒紆烟容嵐氣沓翠霏青望之如古佛頂上之螺美人眉間之黛而特未有奇峯削壁拔地刺天如瑤篸玉劒突起雲霄之上者江

水一瀉千里沙騰浪涌天日爲昏最爲怪偉至靜夜無風江聲隱起余嘗夜臥弘濟蘖磯聽之洶洶如欲崩四壁也後湖泓渟坦淹堤楊洲荻綽約媚人山色四圍如靚粧窺鏡湖山之美何減虎林所少者瀑布寒泉耳鍾山之一人泉牛首之虎跑泉攝山之白鹿泉祈澤寺之龍王泉衡陽寺之龍女泉雖一泓未足稱奇然瀹茗濯纓固可褰裳提罌而臨試也客座贅語

圖經云金陵者洞墟之膏腴句曲之地肺其土肥良故日膏腴水至則浮故曰地肺

建康城北有雞籠山焉東麓有泉至清而甘水旱不竭

滅道人令隱搆精廬于萁陽酷愛此泉以爲靈液悉
作銘贊忽夢一人元巾素衣謂隱曰此泉巳有銘矣
即高吟云原發石中脈分虛外如醴之味與時而在
吟罷不見因勒于石
天寶中商洛隱者任昇之自言五世祖仕梁爲太常大
同四年于鍾山獲古銘云龜言土蓍言水甸服黄鍾
啓靈趾瘞在三上庚墮遇七中巳六千三百涣辰交
二九重三四百圯無能知者則謐其銘誡子孫以此
訪于通人昇之聞鄭欽悦名録以示之欽悦復書曰
屬在途路據鞍運思頗有所得卜宅者藏往知來隗

炤之預識龔使無以過也當梁大同四年歲次戊午言旬服者五百也黃鍾者十一也五百一十一而圯從大同四年上求五百一十一年得漢光武建武四年戊子三上庚三月上旬之庚其年三月十日得庚寅是三月初葬于鍾山也七中巳乃七月戊午朔十二日得巳巳是初圯隳之日爲巳巳浹辰十二也從建武四年三月至大同四年七月總六千三百一十二月每月一交六千三百浹辰交也二九爲十八重三爲六末言四百則六爲千十八爲萬曰建武四年三月十日至大同四年七月十二初圯記一十八年

六千四百日故云二九重三四百圯也據曆計之不差一數時服其辯慧

茅山記曰秦始皇三十七年遊會稽還登句曲北垂山埋白璧一雙深七尺李斯篆刻文云始皇聖德平章江山巡狩蒼川勒銘素璧

茅山蓬壺洞可匍匐入愈入愈無際人攜數炬入則寒風淅淅撲烟中有滴溜頻渟羽流謂曾窮探三十里以小遺取譴病瘁半載意此實通地肺噓吸傳言句曲東通林屋南接羅浮北根岱岳西達峩眉四維經絡豈虛也哉

攝山神相傳爲楚之靳尚昔法度禪師居攝山一日忽聞人馬鼓角聲俄一人持刺通靳尚名及至甚都雅言弟子主此山七百餘年法師道德所歸願受五戒度曰人神道殊無容相屈且檀越血食世祀此最五戒所禁神曰若備門徒輒先去殺乃辭去明旦復遣送錢及香燭刀子及度爲設會神復同衆行道受戒而去廟巫夢神告曰吾已受戒于度法師矣祠祀勿得烹宰由是廟薦蔬食

金陵有樂官山南唐樂官所瘞處曹景建有序云南唐初下時諸將置酒將作樂樂人大慟殺之聚瘞此

因名樂官山詩曰城破轅門宴賞頻伶倫執樂泪沾巾駢頭就死緣家國愧殺南歸結綬人

江南岸有山孤秀從江中仰望壁立峻絶袁崧爲郡嘗登之矚望焉其記云今自山南上至其嶺嶺容十許人四面望諸山略盡其勢俯臨大江如縈帶焉視舟如鳧鴈矣

袁崧嘗言江北多連山登之望江南諸山數十百重莫識其名高者千仞多奇形異勢自非烟褰雨霽不辨見此遠山矣余嘗往返十許過正可再見遠峰耳

綱目梁太平元年六月陳霸先及齊師戰敗之殺蕭軌

及徐嗣徽追奔至於臨沂集覽解曰臨沂漢瑯琊郡今沂州是也福按是時高齊據有山東河南之地乘梁有內亂故遣軌等渡江來侵其上文曰方山曰青墩曰兒塘曰幕府曰白下皆金陵之內地而逐奔乃至山東淺入北竟不亦大可笑歟蓋臨沂山名在金陵城東北四十里西南有臨沂縣城址故追至此擒軌等皆殺之而齊軍縛荻筏以濟溺死者甚衆也青溪暇筆

吳都賦橫塘查下邑屋隆夸長干延屬飛甍舛互吳大帝時自江口沿淮築堤謂之橫塘北接柵塘蓋[illegible]

夾淮立柵自石頭南上十里至查瀆查浦上十里至新亭新亭南上十里至孫林孫林南上十里至板橋查浦卽查下也金陵巨族聚居橫塘查浦閭樓閣壯麗天下莫比至趙宋猶然馬制使光祖詩如今何處是橫塘在府城南淮兩旁魏蜀兩都皆不似蓬萊三島足相方烏衣巷口排金屋朱雀橋邊立粉牆有底繁華難說似何妨把作畫圖張

劉禹錫詩朱雀橋邊野草花烏衣巷口夕陽斜按朱雀橋卽朱雀桁也地在今聚寶門內鎮淮橋稍東烏衣巷當剪子巷至武定橋一帶是盋桃葉渡在武定橋

之東而大令有渡江迎接之歌知其家于此也今周子隱讀書臺下舊爲光宅寺乃梁武帝故居六朝士大夫故多家此其地又名南岡武帝評書語曰南岡士夫徒尚風軌不免寒乞正指是耳有謂烏衣巷在今報恩寺右西天寺前傍重譯橋者是不知西天寺門所臨之河乃楊吳所鑿之城壕六代時未有此也晉人多因淮水南北而居故郭璞爲始興公卜宅有淮水竭王氏滅之讖陳末淮涸而王氏之衣冠文物始盡據此諸書王謝故巷故不應遠淮而獨長干也陶隱居有眞蹟藏建陽徐門中家今停雲館帖有之云

郭千邨者在長隱山東數里仙人郭四朝初至山遷植于此郭千號因斯兆焉隱居華陽頌所云郭千時留岓姜巴亘遠蹤正指此也嘉靖中山人郭第尋至其處以爲奇廣陵朱日藩贈以詩塘牆新綠影脩脩一笑能來郭四朝僊擬土山開靜室且支丹竈向疎寮扣舷慣愛池中戲相杵時聞城上謡見說五遊還有待顏因香耆結逍遥

貞白先生秣陵人今秣陵鎮西有陶吳鎮云先生所生之地又有吳姓與陶氏世居于此故以名其鄉葛仙公亦生于此今鎮之東北鄉名葛仙塘名葛塘是其

證也葛仙公與陶先生俱棲眞句曲而方山又別有葛公煉丹池自晉宋而後仙蹟彰顯惟二公爲最乃俱產自秣陵金陵地肺仙靈窟宅豈獨茅山也哉

宋文帝元嘉二十一年司空大司農京尹令尉度宮之辰地八里之外整制千畝中開阡陌立先農壇於中阡西陌南設御耕壇於中阡東陌北梁武帝普通二年又移籍田於建康北岸築兆域如南北郊別有望耕臺在壇東宋孝武帝大明四年始於臺城西白石里爲蠶所設兆域置大殿又立蠶觀今地皆不復可考

長干是秣陵縣東里巷名江東謂山壠之間曰干建康南五里有山岡其間平坦庶民雜居有大長干小長干東長干並是地名小長干在瓦官寺之南巷西頭出大江梁初起長干寺按是時瓦官寺在淮水南城外不與長干隔而今賽工橋西即是江水流處其後淵渚漸生江去長干遠而楊吳築城圍淮水于內瓦官遂在城中城之外别開今濠而長干隔遠不相屬矣 金陵新志

南都城中道院若朝天宮則枕台城山靈應觀則俯烏龍潭盧龍觀則倚獅子山佛寺若雞鳴寺則坐雞籠

山永慶寺則傍謝公墩吉祥寺則負鳳皇山清涼寺則屏四望山金陵寺則扆馬鞍山上瓦官寺則峙鳳凰臺皆備登臨之美下瓦官寺在杏花村内林木幽淡入其門令人生塵外想鷲峰寺地僻而無可眺然差與市遠封崇寺雜閭閻中荒涼頹廢致無足言惟承恩寺踞舊内之右最為城南囂華之地游客販賈蜂屯蟻聚於其中而佛教之木叉剎竿蕩然盡矣

冶城北有謝公墩謝靈運賦視冶城而北屬懷文獻之悠揚李白有登金陵冶城西北謝安墩詩序云此墩即晉太傅謝安與右軍王羲之同登超然有高世之

志於時營園其上故作是詩有曰冶城訪古蹟猶有謝安墩平覽周地險高標絕人喧想像東山姿緬懷右軍言白鷺映春洲青龍見朝暾地古雲物在臺傾禾黍繁我來酌清波於此樹名園城東半山寺後別有謝公墩按慶元志城東半山寺舊名康樂坊因謝元封康樂公至孫靈運猶襲封今以坊及謝公墩名觀之恐是元及其子孫所居余前亚疑王荆公我屋公墩之說與冶城北相遠今據此志乃知金陵自有兩謝公墩在冶城北與永慶寺南者乃謝安石所眺若荆公宅之半山寺所云謝公墩乃謝元所居在舊

內東長安門外銅井菴傍所謂半山里者荆公或誤以爲太傅也贊語

袁小修記金陵街石云洛陽石經蔡中郎所書後遷于長安唐天祐中韓建築新城委棄于野朱梁之變劉鄩守長安有幕吏尹玉羽者白鄩請輦入城鄩然之乃移遷城內所以不爲瓦礫而至今存者玉羽之力也宋天聖中詔營浮圖姜遵在永興軍毁漢唐碑之堅好者以代甎甓當時有一縣尉具言不可力懇不已至于叩頭流血此尉必佳士也寶愛舊蹟至于叩頭流血以請亦甚可哀至今逸其姓名不得與玉羽

並傳則尤可哀矣予遊南都見其衙多以青石爲砌瑩於鏡面故老云此皆先朝舊豐石也予謂不然昔魏文取兩漢碑爲九華殿樓基識者以卜當塗之德不長況在開國之初寧有斯事姑無論睿哲在上即翊運諸公其識豈出王羽縣尉下哉六朝舊地物力原饒自多佳石且臨江水采取不難故老所傳不足信也　珂雪齋集

南唐跨有江淮鳩集墳典特置學官濱秦淮開國子監舊志在鎮淮橋北御街東里人呼國子監巷擬其地即今縣學也

南省大市人貨所集不過數處而最夥爲行口自三山街西至斗門橋而已其名曰果子行它若大中橋北門橋三牌樓等處亦稱大市集然不過魚肉蔬菜之類如銅鐵器則在鐵作坊皮市則在笪橋南鼓鋪則在水西門口履鞋則在轎夫營簾箔則在武定橋之東傘則在府街之西弓箭則在弓箭坊木器舊時南則鈔庫街北則木匠營近多在笪橋口盔明初建立街巷百工貨物買賣各有區肆今沿舊名而居者僅此數處其他名在而實亡如織錦坊顏料坊氈匠坊等皆空名無復有居肆與貿易者矣城外惟上新河

龍江關二處爲商帆賈船所鱗湊上河尤號繁衍近年以人貪物滯客多止於鳩茲上河遂頗凋敝人有不聊生者時之盛衰亦可歎也

秣陵有夜市在笪橋廊下每五更人以所售物至不舉燈惟暗中度物又不出聲物值隨其所指即度錢或價與物等或得利數倍習以爲常舊傳以爲偷兒竊人之物恐人覺之故以此時私鬻其實不然大抵皆故家兒不欲顯言家物故以此時鬻人不知耳然古詩云金陵市合月光裡則秣陵之夜市從來久矣

金陵鼓樓上二十四鼓以應二十四氣中置大鼓若太

極然西行為鐘樓鐘有四一懸者一坐其傍一仰欹于鼓樓東一在江邊或曰飛鳴宿食也

張文潛云予自金陵月堂謁蔣帝祠初出北門始辨色行平野中時暮春人家桃李未謝西望城濠水或流或絶多鵁鶄白鷺迤邐傍山風物夭秀如行錦繡圖畫中

陶學士安云金陵城南三舍地名同山有大族曰周氏由宋初卜築其地紹興以來同居者九世歷二百有餘年子孫蕃衍老幼千指功緦以降幾至親盡[illegible]聚處雍雍怡怡出則同門食則共爨為其長者[illegible]

尊而能勤富而能儉用是家法嚴明人心齊一孝友慈愛毫無間言也按舊志明師渡江周氏九世孫簇糗糧以迎乃官簇武寧主簿正統間簇孫鏞又出粟賑飢旌爲義民南畿志云唐有周惟長居橫山與李白往來即簇先世也

盛仲交自大城山中寄禊憶十詩與剛吉甫步韻且約往遊其題云祈澤寺龍泉天寧寺流水王皇觀松林龍泉菴石壁雲居寺古松朝真觀檜徑宮氏泉大竹虎洞庵奇石天印山龍池東山寺薔薇此十景皆衆人之所忽仲交所獨取者

仲交取金陵二十四泉各序而讚之名曰金陵泉品
曰雞鳴山泉　國學泉　城隍廟泉　府學玉兔泉
鳳凰泉　驍騎衞倉泉　冶城忠孝泉　祈澤寺
龍泉　攝山白乳泉　品外泉　珍珠泉　牛首山
龍王泉　虎跑泉　太初泉　雨花臺甘露泉　永
寧寺茶泉　淨明寺玉華泉　崇化寺梅花泉　方
山八卦泉　靜海寺獅子泉　上庄宮氏泉　德恩
寺義井　方山葛仙翁丹井　衡陽寺龍女泉　用
吉甫增八處曰謝公墩鐵庫井　鐵塔寺倉百丈泉
鐵作坊金沙井　武學井　石頭城下水　清涼

寺對面蓮花井　鳳臺門外焦婆井　留守右衛今

井　[illegible]鹿苑寺井

吉祥寺雷從地奮遂成一井井泉味獨勝今謂之雷泉

茅山華陽宮有陶隱居井歲久湮沒政和初道士莊愼

修索得之初去三尺許得瓦井闌雖破合之尚全環

刻大字先生丹陽陶仕齊奉朝請壬申歲來山棲身

薪嶺自號隱居同來弟子吳郡陸敬遊其矢楊王吳

藏陳許諸生供奉階宇湖熟潘邏及遠近宗稟不可

具記悠悠歷代詎勿識焉梁天監三年八月十五日

錢塘陳宣懋書又穿數丈獲一圓石硯徑九寸許刻

十一趾滁之朱色燦然又得銅爐有柄若今之手爐者今藏宮中

鑾駕庫迤東有銅井菴菴前井舊以銅爲底蓋下通大江井中水如鬲沸魚鱓隨水上下焉

秣陵蘆政官舍有荒地三十畝李升仲水部開池種蓮四岸列芙蓉楊柳稍前分畦蒔蔬間以桃李桑柘爲居民值利板橋朱楯虹霞掩映可爲遊觀之資梅花開日水部曾勝集其間有花勝巧裁淮浦雪冷香十夢洛陽春句都人士傳誦之

舊五城兵馬曰頭牌二牌五照者頭牌有印無牌二

五牌皆有令牌故云然夜間巡城則執牌指揮使以下見牌皆跪尚寶司坐廳日兵馬送查以物擊之以驗不壞牌銅鑄身圓如鏡上如荷葉有蒂作孔以繫繩一面楷大書令字一面符篆夜巡牌三字兩傍楷書其字幾號四字

長干寺舊有阿育王塔梁大同三年高祖改造出舊塔下舍利及爪髮青紺色衆僧以手伸之隨手長短放之則屈爲蠡形如吳時有尼居此地爲小精舍孫綝尋毁除之塔亦同泯吳平後諸道人復於舊處建立焉梁簡文咸安中使沙門安法師造小塔未及成

而亡弟子僧顯繼修之其後西河離石縣劉薩何者遇疾暴亡七日更蘇說云有兩吏見錄至十八地獄隨報重輕受諸苦毒見觀世音語云汝緣未盡若活可作沙門洛下齊城丹陽會稽並有阿育王塔可往禮拜則不復入地獄因此出家遊行至丹陽未知塔處乃登越城望見長干里氣色有異因就禮拜果見阿育王塔所放光明由是定知有舍利乃集衆掘之入一丈得三石碑中一碑有鐵函函中有銀函銀函中有金函盛三舍利及爪髮各一枚長數尺即遷舍利近北對簡文所造塔建一層塔十六年沙門僧氏

加爲三層卽梁高祖所開者也至南唐時廢寺爲營
廬久之舍利數見感應祥符中詔復爲寺卽其表上
之地建塔賜號聖感舍利塔天禧元年改名天禧寺
元至順初賜金修塔塔完之日天花如雨祥光如練
滿空者數日明永樂中卽其地重建大報恩寺塔高
九層純用琉璃爲之凡十六年始畢工其壯麗甲古
今佛剎矣第不知塔中舍利仍是阿育王塔中所函
否嘉靖中塔爲雷震頂少偏萬曆中雪浪大師重修
之人謂斯塔有三篇名筆陳石亭記盛雲浦賦焦澹

園募緣疏

雪浪修塔時所搆鷹架與塔頂埒有僧時居雪浪座下善升高値新雨後著釘鞋登塔之第九層從門出反身以手援簷距躍而上至承露盤中衆人自下望之爲股栗而此僧往來旋轉捷若飛猱咸詫以爲神

唐李仁鈞建中末來京師調集時存福寺有僧神秀曉陰陽術得供奉禁中一日李同内兄崔聽共詣秀師泛之敘寒溫而已更不開一語别揖李于門扇後曰九郎能惠然獨賜一宿否小僧有情曲欲陳露左右李曰唯唯後李特赴宿約餼餚豐潔禮甚謙敬及夜半師曰九郎今合遷得南江縣令甚稱意從此後更

六年攝本府糾曹斯乃小僧就刑之日監刑官人郎九郎耳小僧是吳兒酷好瓦官寺後松林中一段地最高敞處上元佳境盡在其間死後乞九郎作窣堵波于此爲藏骸所李白不謬違之如𣪘日秀泣謝後李補南昌到官有能稱攝本府糾曹有驛遞流人至州坐洩宮內密事者遲明宣詔付府笞死流人解衣就刑李熟視即神秀也大呼曰瓦官松林之請予勿食言秀既死乃置瓦官寺林中地累浮圖以葬之

晉哀帝興寧二年詔移陶官于淮水北遂以南岸窰地施僧慧力造寺因以瓦官名之今驍騎衛倉是其遺

址南唐爲昇元寺登閣江山滿目最爲佳勝處太白詩白浪高于瓦官閣正與今倉基所見同近詔毁私創菴院集慶菴一㸃僧輒妄以瓦官名其處因得幸免然千古蹟毫無干涉也

瓦官寶意和尚宋孝武施以一唾壺高二尺許忽有人竊去意捲坐席呪之唾壺還在席中

會昌中有顔濬秀才遊瓦官寺遇陳宫人同遊語濬曰今日偶此登臨爲惜高閣不久毁除故來一别耳後數月其閣果因寺廢而毁

靈谷寺經回祿後尚有吳偉畫壁三堵嚴介溪詩回廊

古壁留名畫隧葉冷風助梵音盖指此後不存姚元白曾托友人臨之寺又有寶誌公所遺法被四面繡諸天神像中繡三十三天崑崙山香水海高丈二尺濶如之真齊梁時物

寶光寺有西域來貝多婆力叉經長可六七寸廣半之葉如細猫竹箰殼而柔膩如芭蕉梵典言貝多出摩竭陁國長六七丈經冬不彫其葉可寫字貝多婆力叉此翻葉樹也經字大如小赤豆旁行蠕蠕如蟲豸不識其爲何經外以二木片夾之其木如杉而紋細緻可愛南都諸寺中僅有此經而已記言此貝葉經

保護可六七百年

祖堂幽棲寺有歷代祖師像黃貞甫膳部命工臨摹載歸天竺供養復有布履一雙長可尺四五寸云是懶祖所遺

牛首弘覺寺禪堂有丹竈投以薪火風自内生甚熾烈須臾爨熟如去薪火即止

大界寺西偏半峰僧舍有宋磁大上高可二尺許云農夫鋤地得之田間第不損鋤鍬若有神呵護者北都西山亦有宋磁大士身與天界等亦云得之田間豈神物有對邪

靜海寺有水陸羅漢像乃西域所畫太監鄭和等携至

每夏間張掛都人士女競往觀之

方山定林寺有乳鐘即所稱景陽鐘也鐘有一百八乳

乳乳異聲故名乳鐘又有象皮鼓云是象皮所鞔

天界寺有佛牙濶寸長倍寸之五萬曆中僧人眞淳獻

之尚書五臺陸公公因具金函檀龕盛之迎供於寺

之毗盧閣牙得之天台山中

永慶寺有古藏經板刻工雅紙色古淡非宋刊則元刊

也較今南藏本稍低而狹以木函之今無復存矣

金陵昔稱三絕者瓦官寺宋戴安道手製佛像五軀晉

顧長康畫維摩詰像一軀晉義熙中師子國獻玉佛高四尺二寸玉色潔潤形制殊特殆非人工稱爲三絕清涼寺董羽畫龍李後主八分書董霄遠草書稱爲三絕靈谷寺晉張僧繇畫大士像李太白贊顏魯公清臣書稱爲三絕又考陸龜蒙古錦記言瓦官寺有陳後主羊車一輪唐則天皇后錦裙一幅又南唐時修講堂鴟吻竹筩中得王右軍告誓文如是則瓦官又當有三絕也若別論奇藝吳趙夫人之機絕針絕絲絕一人而兼之尤爲最勝金陵有五三絕矣

碧峰寺非幻庵有沉香羅漢一堂乃非幻禪師下西洋

取來者像最奇古香更異常萬曆中有人盜其一𦍒
僧不得已以他木雕成補之後忽黑夜送回前像羅
漢之靈異可推矣
南門外小市南去有善世橋與天界寺不遠橋邊有石
碑一通上刻一絶云小澗何年躍馬蹄白沙翠竹淨
無泥石橋流水行人過野路斜陽倦鳥啼王介甫題
乃知橋之所跨者躍馬澗或以爲韓蘄澗非也
高座本晉時古刹而碑碣絶無有小碣隱于蓁莽乃紹
興中甘露傳燈正祖大師法永爲東講院主慧新立
者文字雖不甚佳而實雨花之遺迹内言新公負母

禮補陀遇大士化現曰觀音不在南方汝途中錯過又曰以有爲身易無爲智事亦奇句亦古也

黄爵直嘗題練光亭云練光亭極是登臨勝處然高寒不可久處若於亭北穿土石作一幽房置茶爐設明窗几案殊勝且方丈北夾有屋兩楹一開軒一作虛囪奥室余爲名軒曰物外名室曰凝香

江寧城東一村名上庄山多奇石姚世昌嘗有詩今絶無

杏花村在城中西南隅鳳凰臺下今爲驍騎營國初人惇朴不知有村也近日居人有丈尺之地必栽杏一

二株日以漸多每春煖風和杏花爛熳時都人爭
穀核盤遊其間如在錦雲之内日以千數荆公詩云
故國時平見喬木荒城人少半爲郵書以志感姚世
昌暇筆所載如此今民居雖稠喬木凋謝絶無所謂
杏花但留郵名耳弔古之士感更何如

方正學靖難被害門人廖鏞廖銘私拾其骨瘞之不封
不樹無可認識萬曆初立方祠于永寧寺後山聚土
非原瘞處也上海徐鑛刻一聯云十族遺骸埋聚寶
千年孤塚表長干今舊祠已廢洪公新建者移西南
二十步許

留都午門前有數尺地不生青草云方孝孺受刑處

嘉靖甲寅秋南總督糧儲公署中有蜂爲房于簷下不數日大如斗同日中堂忽聚蟻數升有頃四散時楊公宜爲總督甚惟之然竟無恙楊去而黃公懋官來以軍餉不時爲軍士捶死督署毀折一空劉誠意撫之乃定蜂屯蟻聚妖不虛作然不及于楊公而黃公當之者楊公寬厚仁愛屬不能及黃公嚴刻太過遂及于禍所謂以厲召厲者與君子爲國家當事因宜剛正亦貴和衷觀黃公可以鑒矣

十餘年來每春夏之交有小小疫氣即倡爲接觀音之

說貪僧啓其端而地方游手之徒借以侵漁金錢倍助其醵計口責錢無敢違者每一坊甲所斂不下數百千搭蓬懸燈延僧課誦夜則燈燭照天遊女如市使以此錢代貧民完國課所益不大乎惜無以語當事者

湖熟好事者結一社每十餘年始一舉是十年中積銀數千金爲一日之會往觀者數萬人勞民傷財亦一陋習李象先詩云梁帝分封處秦淮古渡邊隔橋雙市井環水萬家田村社巫相賽鄉儺戲競妍空中臺閣聳掌上綺羅懸擷彩迎花麗藏機引轂旋竿頭擎

舞豎獸背挾飛仙絳繹珠幡裊婆娑繡帶聯烏王肩大士蟾窟隱便娟錦束霞光削綃輕雪態翩戈矛時擊刺鼓吹逐喧闐上祀還芻狗鬼工肖木爲誰將虛景聚彌使俗情牽比屋覩如堵馳車望若川謌姬凝翠黛遊子滯褸船作倘雖無後歆神若有年昇平人自樂豪舉事堪傳

溧水州東南二十五里有烏鱧廟昔民有女感黑龍[illegible]田野歸而有娠產一鯉魚投於水中復能變化[illegible][illegible]出入後乘雲而去母亡每春時必來墳所鄉人因立廟祀焉

溧水道上天生橋兩山壁立中一河如帶其橋乃開河時所留石棧故名天生乃明太祖時崇山侯李新所開也土人傳侯虐人甚受剝膚之刑考之實錄侯以開河受賞殊無其說

先是秣陵科第稀相地者謂水聚于武定橋儒學前宜設橋以關水因設文德橋草創以木後以石易之豎極橋下得一鐔鐔中有錦鯉三又金鎖甲一人以爲毘甲之兆嗣是焦朱顧相棲及第

孝陵衞觀音寺觀音座後壁一石方一丈六尺餘大士背石坐傷視之大士眉髮正映其中如對鏡然

丁司空賓濬河于珍珠橋竹橋之間得石山于河底高若干丈上有字云宋某年臧茂叔游此勒是必園林之物久而在河底高岸爲谷邪

顧文莊古蹟儷語曰　白石青溪　龍廣山雞鳴埭　蟠浦龍山　桐樹灣竹格渡　直瀆橫塘　謝公墩杜姥宅　烏榜村青林苑　西州東府　三山二水　烏衣巷紅羅亭李後主作亭　一人泉五馬渡　商飇館宋甘露亭陳　蘼蕪澗茱萸塢　入漢樓晉　橫江館　三品石八卦泉方山定林寺　赤烏殿吳　朱雀航　青溪祠白石廟　南澗北山　珍珠河陳　胭脂井

鼓吹山幕府寺　花林村竹篠港　夏侯山朱雀
覆舟山投書渚　皂莢橋白楊路　赤闌橋烏衣
巷　蒼龍堰上後湖　白鷺洲　籬門五十六所秦淮二
十四航　梁五明殿唐百尺樓　伏龜樓在府城東南　躍
馬礀城南即南礀　南礀樓西州路　青溪宮白石壘
宋玉燭殿梁金華宮　落星樓清暑殿　鳳皇里燕
雀湖又云蚵蛟蟣　疑城辱井　覆栖池元帝　麈扇渡
玉樹後庭金蓮帖地　慈姥山道士塢鍾山　莫愁
湖桃葉渡上梁鼓下王大令妻　穿針樓邀遼步　謝元走馬
路盧絳翔鸞坊　橋名萬歲臺日九日　棲霞寺落

星墩

晉梅將軍廟在聚寶門外雨花臺東祀晉豫章內史梅公賾也賾嘗屯營此地舊名東石子岡後因公名梅嶺岡賾在豫章以古文尚書奏上元帝初古文出孔子壁中皆蝌蚪書孔子十一世孫安國得其書定爲五十八篇并序一篇爲五十九篇獻之遭巫蠱事未列於學宮晉皇甫謐以授鄭冲冲授蘇愉愉授梁[illegible]柳授臧曹曹授賾賾奏上其書亡舜典一篇至齊[illegible]武四年姚方興于大航頭得而獻之未及頒行時[illegible]皇中募遺典始得其篇自是夏矦勝夏矦建歐陽[illegible]

伯所傳皆廢隳之有功于書如此今世人第知爲揚
將軍不知有傳古文尚書事

晉謝元拒苻堅以安江左功殊不小明初建都金陵凡
前朝有功德于民如蔣子文卞壼劉仁瞻曹彬等皆
載祀典而不及元殊爲缺略姚千戸福云嘗遊杏花
邨徘徊鳳臺下觀戒壇保寧之故基有古祠一所雜
處軍營中因入謁題云晉將軍謝元之神像高尺許
晉衣冠查金陵志有謝將軍廟在城西南隅戒壇院
側唐咸通中建居人不知漫以爲土神耳後正德中
重修名康樂祠羅公玘爲之記

晉興寧中瓦官寺初建僧衆設會請朝賢鳴刹注疏無有過十萬者顧愷之來直打刹注一百萬愷之素貧時以爲大言後寺成僧請勾疏愷之令閉戶往來一百餘日于壁上畫維摩一軀工畢將欲點眸子謂寺僧曰第一日開見者責施十萬第二日開可五萬第三日可任例責施及開戶光明照寺施者塡塞果得百萬

葛洪初求爲句漏令曰非欲爲榮以有丹耳遂將子姪俱南至羅浮止焉居七年忽與廣州刺史鄧嶽疏云當遠行尋師尅期便發嶽得疏踉蹌往別洪坐至日

中兀然若寐而卒洪實未至句漏云

戴顒逵之子也有巧思自漢世始有佛像形製未工顒特善其事宋世子鑄丈六銅像於瓦官寺既成時議面恨瘦工人不能改顒曰非面瘦臂胛肥耳及減臂胛患即除無不歎服

宋吳郡婦人韓蘭英有文辭孝武時獻中興賦被賞入宮明帝用爲宮中職僚齊武帝以爲博士教六宮書學呼爲韓公

郭文字文舉王茂弘築臺於冶城以處之今朝天宮後太乙殿即書臺遺址文嘗手探虎鯁茂弘問之對曰

情由想生不想卽無人無殺獸之心獸無害人之意

周顒于鍾山西立隱舍雖有妻子獨處山舍王儉嘗問曰卿山中何所食顒曰赤米白鹽綠葵紫蓼文惠太子問菜食何味最勝曰春初早韭秋末晚菘

散騎常侍劉勔經始鍾嶺之南以爲棲息聚石蓄水朝士雅素者多從之遊

南齊棲霞寺大明法師好談論手執松枝爲談柄

汝南灣當秦淮曲折處陸惠曉家於灣前張融自稱天地逸民牽船住岸卜以鄰居劉璡來吳謂人曰吾聞張融與惠曉并宅其水必有異味酌而飲之曰飲

幽谷之萌盡矣馬光祖詩當時只號汝南灣[illegible][illegible]三人仕此間自謂逸民須隱約並稱賢士想高間[illegible]綠下味都殊異且欲鄰居數往還好事有時相就飲不妨鐺脚對青山

齊明帝末年東陽女子婁逞變服詐稱丈夫粗知圍棊解文義徧遊公卿門仕至揚州議曹從事事方淮明帝令東還始作婦人服歎曰有如此伎還爲老嫗豈不惜哉近人妖也

崔造韓會盧東美張正則爲友皆僑居上元好談經濟之略以王佐自許時人號爲四夔 南部新書

唐永貞二年三月彩虹入潤州大將張子良宅初入漿甕水盡入井飲之後子良擒李錡拜金吾尋歷方鎮

李太白上裴長史書云白家居金陵世為右族遭沮渠蒙遜之亂奔流咸秦因官寓家觀此白亦金陵人矣爲供奉求還山乘舟至金陵有從子僧中孚止高座寺白依焉嘗著宮錦袍坐舟中浮江而下旁若無人又嘗脫紫綺裘換酒飲落星磯上

吳綽句容人素擅潔譽神龍初採藥于華陽洞口見一小兒手握三珠戲于松下方欲前詢兒奔入洞中[illegible]爲龍形以珠塡左耳中綽以藥斧劚之落左耳[illegible][illegible]

失去龍亦不見明皇封爲素養先生

陸昭符昇州人宋伐江南南唐以昭符爲奏進使來乞緩師後以其善計度累加任使爲常州刺史有善政一日方視事忽雷電繞廳事中官吏震恐昭符叱之雷電頓止及舉案惟得大鐵索重數百斤人尤駭之昭符神色自若徐命舉納庫中

韓熙載家多妓樂後主客令顧閎中就其會客時寫之爲夜宴圖後爲宋齊丘所忌得罪南遷上表云無横草之功可裨於國有滔天之過自累其身老妻伏枕以呻吟稚子環牀而坐泣三千里外送孤客以何之

一葉舟中況病身而前去後主覽而悲之遂免南行
尋臥疾終於城南戚家山賜衾襚以殮贈平章事所
司謂無贈宰相例後主曰當自我始徐鉉祭文有云
黔婁之衾賜從御府季子之印佩入泉扃指此墓在
今聚寶門外雨花臺年久不知其處

唐主李昪受吳主禪奉吳主爲讓皇讓皇長子璉先納
唐主第四女爲妃賢明溫淑容範絕世及禪代封永
康公主聞人呼公主則嗚咽流涕辭不願稱宮中
之慘戚璉卒後公主屏去容飾不茹葷血日誦佛
書自稱未亡人朝夕焚香對佛自誓曰願兒生生

莫爲有情之物居延和宮年二十四無疾坐逝凡至夕光如剪練長丈餘自口而出至殓溫軟如生先主悼痛詔李建勳建碑宮中紀其異焉

南唐元宗性友愛弟景遂景遏景達出處遊宴未嘗暫捨元日雪上召諸弟登樓展宴賦詩詩成賜李建勳建勳方會徐鉉張義方於溪亭即時和進元帝召三人同入夜分方散景遂集名公圖其事御容高冲古主之太弟以下侍臣法部絲竹周文矩主之樓閣宮殿朱澄主之雪竹寒林董元主之池沼禽魚徐崇嗣主之圖成無非絕筆侍臣屬詠徐鉉爲前後序文多

不載

徐鍇處集賢朱黃不去手非暮不出嘗指其家曰吾直寄此耳少精小學故所讐書尤審諦江南藏書之盛爲天下冠鍇力居多

南唐將亾數年前修昇元寺殿掘得石記其辭曰莫問江南事江南事可憑抱鷄昇寶位趁犬出金陵子建居南極安仁秉夜燈東鄰嬌小女騎虎踏河冰宋師以甲戌渡江後主實以丁酉年生曹彬爲大將列栅城南爲子建也潘美爲副將城附恐有伏兵命卒縱火卽安仁也錢俶以戊寅年入朝盡獻浙右之地

唐文濟金陵人性中澹以琴爲娛宋太宗朝待詔上曰古琴五絃文武增爲七絃朕欲令蔡裔增琴爲九絃可乎文濟曰不可五絃爲遺音而益以二今無所闕上怒叱出遂增之文濟終守前說上嘉其有終令賜緋

姚鏞姚古次孫也以祖父勤王復地功除贛州太守一日命工繪已像爲騎牛猶谷圖趙東野題曰騎牛無笠又無蓑斷隴横岡到處過暖日暄風不常有前邨雨暗却如何

李思順金陵老儒也皇祐中沽酒江州人無賢愚皆喜

之時江上刼賊方熾有一官人艤舟壚下偶與思順往來相善思順以酒十壺餉之已而被刼掠於蘄黃閒羣盜飲此酒驚曰此幸秀才酒耶官人識其意卽紿曰僕與幸秀才親舊賊相顧歎曰吾儕何爲刼幸老所親哉斂所刼還之且戒曰見幸慎勿言思順年七十二日行三百里盛夏暴日中不渴蓋嘗啖物而不飲水云 東坡外集

米芾有潔疾方擇婿聞建康段拂字去塵芾釋之曰既拂矣又去塵眞吾婿也以女妻之

天聖四年江寧童子夏錫幼能爲文召試賜出身昇

人邵必被差爲編修唐書官必言史出衆手非是卒
辭之

宋高宗酷嗜翰墨張孝祥廷對頃宿醒猶未解濡毫答
聖問立就萬言未嘗加點上訝一卷紙高軸大試取
閱之讀其卷首大加稱獎而又字畫遒勁卓然顏魯
上疑其爲謫仙親擢首選臚唱賦詩上尤雋永張正
謝畢遂謁秦檜檜語之云上不惟喜狀元策又且喜
狀元詩與字可謂三絶又扣以詩何所本字何所法
張正色以對曰本杜詩法顏字檜笑曰天下好事君
家都占斷蓋嫉之也

吳雲壑琚字居父留守建康高似孫爲徽倅道出金陵投以詩曰四朝渥遇鬢微絲多少恩榮世不知長樂花深春侍宴重華香暖夕論詩黃金籯滿無心愛古錦囊歸有字奇一笑客陪朱履客看臨古帖對梅枝公之客曰儲用項安世周師稷劉翰王輝王明清聽得王大受輟子侄官授之凡遊從皆極一時之彥他無嗜好居近城與東樓平光皇爲書扁以賜樓下設維摩榻醅甕古梅日臨鍾王帖以爲課非其所心契者迹不至此故高詩及之

葉石林至新亭因江寧尉林恪謁于道傍忽叩新亭之

名林即劉乃王坦之倒說手板見桓溫之地大喜曰
不圖同寮中得一文士未幾以左傳托其點抹其見
賞識如此方欲薦用而林卒林開封人
熙寧間江寧府句容簿失其姓名至茅山遇道人高坦
披髮跣足與簿劇談飲酒終日書一詩留别而去莫
知所之巖下相逢不忍還狂歌醉酒且盤桓仇香莫
關神仙事天上人間總一般
汪立信字誠甫唐忠烈王華之裔由六安移居建康淳
祐六年進士荆湖制置趙葵辟充參議官嗣差知江
陵府襄陽圍急上疏請益安陸屯兵移書賈似道謂

宜盡出內郡兵於江干以禦外距百里而屯屯有守將十屯爲府府有總督其要害處輒三倍其兵首尾相應戰守並用似道得書大怒投之地咸淳十年元兵入寇以信爲江淮招討使俾就建康募兵以援江上諸郡信即日上道與似道遇蕪湖似道哭曰不用公言以至于此公今何向信曰江南無一寸乾淨地某尋一片趙家地上死爾至建康守兵悉潰手寫表起居三宮悲歌失聲三日扼吭而卒其愛將金明櫬歸塟丹陽及伯顏入建康歎曰宋有是人使我安得至此

以武中肇置三局一曰律局以定律令凡舊官之練于憲章者居之二曰禮局以究禮儀凡宿儒之通于古制者居之三曰誥局凡俊才之優于文詞者居之石門集

太祖卜相于劉基首問楊憲憲故與基厚善基對曰宰相持心如水憲有相才非相器楊上元人後果伏法

洪武十九年詔賜耆老粟帛京師應天府鳳陽府民年七十以上天下民年八十以上賜爵里士應天鳳陽民八十以上天下民九十以上賜爵鄉士與縣官平禮並免雜役正官歲一存問此爵似即後之壽官漢

之三老公乘爵級也

初京師輻輳軍民居室皆官所給連廊櫛比無復隙地商人貨物至者或止于舟或貯于城外民居駔儈之徒從而持其價高下在手商人病之明祖知其然命工部於三山等門外瀕水處爲屋數十楹名曰榻坊商人至者俾悉貯貨其中既納稅從其自相貿易駔儈無所與商旅稱便後所司於貧民負販者亦驅使投稅應天府尹高守禮以爲言遂命禁之

鄧伯言遊玉笥山題詩云洞天明月一雙鶴澗水碧花千樹花宋濂深極賞此句以詩人薦于朝明大祖

見令作鍾山晚寒詩詩成有鰲足立西極鍾山蟠一龍句太祖覽之拍案大喜伯言伏丹墀誤疑怒已遂驚死扶出東華門始甦次日授翰林檢討

秦從龍洛陽人爲元江南行臺侍御史居鎮江高帝聘之時上初至金陵尚居富民王彩帛家因與從龍同處訪以時事盡言無隱既而上即元故御史臺爲府居之事無大小皆與之謀嘗稱爲先生而不名陳中行先生元之所薦也又有周艮卿丘某皆素有德行高帝以禮延請詢以政事與秦號曰三老敬之甚厚

楊弼字文舉金陵人元末提舉江浙學校楊孟載有悼

楊文舉博士詩云白髮蒼髯老奉常亂離終喜得還鄉八分書古追東漢七字詩成到盛唐則其爲人之文采風流可以想見矣有題徐熙𦬊花鸂鶒圖詩海上紅雲日日新碧鸞無夢識芳塵金籠不鎖閑鸂鶒占得東風一段春

明初揭軌有宴南市樓云詔出金錢送酒壚綺樓勝會集文儒江頭魚藻新開宴苑外鶯花又賜酺趙女酒翻歌扇濕燕姬香襲舞裙紆繡筵莫道知音少司馬能琴絕代無蓉塘詩話曰國初于金陵聚寶門外建輕烟淡粉梅妍柳翠十四樓以聚四方賓客觀揭孟

同詩可知國初縉紳宴集皆用官妓與唐宋不異宣德始有禁耳永樂中晏鐸金陵元夕詩花月春風十四樓今諸樓皆廢南市樓尚存

金陵杜安道以鑷工事明太祖爲人醇謹官至太常卿劉誠意基有詩贈之云憶昔天兵伐荆楚舳艫蔽江齊艣櫓讙聲激烈似雷霆猛氣烋然震貔虎拔柵皖城猶俯拾攙穴九江無險阻明年大戰康郎下日月坱圠相吞吐河伯蹋浪鼉夾飛巨艦掉首三山舞雲隨太乙擁絳旗豐隆作靈鼓將軍金甲箭攢蝟戰士鐵衣汗流雨火龍熺焰絳天衢燧象飈烟煎地

府鯨鯢既翦攙搶落草木熙陽魚出釜當時從臣皆俊民近侍共推徐與杜或操陳子之刀鑷或負伊公之鼎俎艱難出入矢石下鞠躬盡力無推阻夙興夜寐事一人小心不二帝臨女只今四海同車軌葑菲罔遺遵往古瓊琚赤芾遭錫行鞍馬祿食光門戸天雞一聲金闕啓龍顔有喜常相覲顧我愚疎憂患集病骨峻嶒蒸溽暑與來懷舊倚長歌星星兩鬢絲千縷詩中所云徐與杜皆為近侍徐有鼎俎之語似屬庖人今不知為何人矣

張文昱金陵人洪武五年知邵武廉介愛民善詩文尤

精于書號蒲塘散人後官刑部侍郎
黃瑛字艮潤一字玉田句容人洪武初由明經及字學
進授應天府學教授自以天下興文教之始應天又
首先之地益苦于學書法造詣精妙瑛子銓字衡可
一字金鼎洪武間亦以字學選入翰林
武進士第一人解元家藏其祖解道像年二十許烏紗
綉冠服朱團領袞袍二軍士持刀侍立袍高帝所賜
也又御書解道二字大不及一寸紙高四寸許長六
七寸許元父曉常言道之祖與高帝微時有舊帝即
位召其五子悉令從軍相繼歿于陣帝心憐之命挹

其孫至賜今名官留守衛指揮年甫弱冠耳一日道入朝張真人于朝班中與道揖爲御史所糾帝詰其故真人對曰臣不敢言言則道死矣固問之曰道乃黑煞神降生故臣爲加禮耳道旋趨出至午門前立化高帝乃賜祭凡三易祭而屍不仆問之真人真人曰須上賜乃可帝乃解所服袞袍賜之袍始加身身即仆王丹丘嘗見其像與御書元孫學熊戊辰進士

建文中靖難兵起僧溥洽爲建文君設藥師燈懺詛長陵金川門開又爲建文君薙髮長陵聞其事囚之十餘年永樂十六年姚少師疾革車駕臨視問所欲言

少師于榻上叩首曰溥洽繫獄久矣上即日釋之

劉理字彥銘先世以開封徙江寧洪武中以善篆書爲中書舍人子素字太初謹厚寡言笑嗜學而工書永樂中以正書選入翰林供奉以上聞京師四方之人流寓者往往無貲業貧不能自振命素典賑濟或譖之上召問素素具以情對上嘉其忠實無他賜賚襲衣楮幣已命繼父爲中書舍人素子艮亦以能書薦與修宣廟實錄

趙嘉字景先句容人資性穎敏爲學能詩洪武中以博學薦試授官力辭不受職嘗自贊云謂爾爲儒學不

逖古而粗能讀書其文雖乖有司之薦而乃推而弗
居謂爾爲農四體不勤而手不能把犁鋤然則何爲
者閑閑偃蹇之士山澤之臞也夫

練瓊瓊者中丞子寧之女也靖難時中丞死最烈誅及
九族獨瓊瓊在宣德改元赦瓊瓊歸令擇婿封以官
而授之敕曰靖難懷忠全臣子之職分賞功問罪示
人主之恩威茲朕嗣登宸極忝爲天史統御萬方敢
不以生物之心爲心茲當追論忠負以彰報賚咨爾
練子寧爲國良臣隕身抗節罪及全家患連九族[illegible]
女練瓊瓊朕今憐爾父忠爾宗祀絕赦爾大罪[illegible][illegible]

還鄉賜爾招婿封之以官授爾以勑守爾父業爾
父忠慰爾父靈爾其欽哉當該官吏毋許刻虐亦不
許役匠不許班業不許爾敢違宣命即以本犯本罪
罪之後瓊瓊歸臨江嫁陳用昌至今子孫世守此勑

萬曆中中丞孫綸自閩長樂歸始主中丞祀

朱銓字士選從兄孔暘學書得鍾王法文名甚著永樂
中選寫金字經宣德初與修兩朝實錄歷官刑部侍
郎介性特操凜不可犯居官廉平無冤民與人交溫
然可挹賢于巳者折節下之銓沒後百年無人祭埽
有內侍造墳取其碑趺去至墳上石龜大吼數聲內

侍不敢留送歸原處

丁仲衡瘠有長厚名為御史巡陝右時有行人被酒入察院侮罵臬司皆不平謂公宜劾奏之公曰是醉耳不足校也明日行人醒詣公謝罪人服其量

明初南都有尤六十者以父六十歲日生因名六十力負萬斤途人或不識誤與競六十不怒更好謂若且來吾與若語遂持其襟袖捽至廊簷下以一手援柱起引其人之裾壓柱下人始知而懇之乃舉柱出裾其力有時發不可忍急走山中遇大樹拔之連小株力稍稍殺矣長日不出則取徑寸大麻繩十[illegible]

以指掐之寸寸斷以是爲嬉以勇名遠近而性不樸悛悛衆人中頫首徐步若無膂力者亦一奇人也

仁宗監國南京出獵寶香山逐二虎至一岩下有老僧龐眉趺坐以衣覆而撫之如馴犬上怒曰妖人也親御弧矢射之僧笑不顧上擲弓下馬問何人曰吾輩頭陀也公相福薄何不遂出家上不應命延入山中與善寺居之不久辭去

宋生者金陵市人也母弟奸勇專與人角力生勸之曰勿爲此他日犯人命必爲汝累弟不聽與人立契相

搏負而死者無罪及交手其人果死弟不以為意死者親屬欲訟于官始大懼兄告之曰吾向令汝勿為今若此何以處之弟涕泣無計兄曰汝家貲若干悉以與我我為汝理之可免弟盡其所有畀兄凡二百金兄受而封記于家別以己貲周死者親戚事已語弟曰汝今貧矣當如何曰乞丐耳生曰子誠改乎曰焉得不改既數日又以為問弟誓言至死不復與人鬬乃出其封還之曰向所與皆吾貲也不失一物弟感泣為勵行致富兄卒衰之三年每遇節輒奠哭

胡斋初名浚善卜明永樂中有薦之者胡將應召其[illegible]

表袁杞山爲卜得乾之五爻袁曰五屬君升陽在四子命又午也其有錫名之慶乎胡曰吾直壬午壬錫水午者子之衝果錫名必不離水袁曰非徒然也四爲淵又値升陽而五居淵上淵而大乎以草莽之臣踐五位終非吉兆五爲火丁者壬之合也遇火則危矣後聞賜名齋袁大笑曰驗矣死不遠矣旋而新作殿命胡卜布算訖曰某月某日午時當燬上怒囚之以驗後至期胡倩獄卒往覘反報曰午過矣無火胡遂服毒午時正三刻殿果焚上急召胡已死矣因賜馳驛歸塟

蔣忠字主忠恭靖用文子與兄主孝皆有詩名景泰時有十才子之目而金陵則湯胤勣與主忠兄弟戚重王貞慶善甫也主忠嘗有芙蓉絶句云清露下林塘波光淨如洗中有美殊人盈盈隔秋水

靜虛金公潤與王公浚俱以高年居林下相友善金公之子紳以北大理陞南少司寇抵任後首謁王公先是司寇于王公執子侄禮甚恭至是王公延之上座司寇不辭而坐王公不悅別後移書靜虛具道其事靜虛切責司寇云吾止此老友以爾傲慢遂致疎[illegible]何以爲情乃移書謝之王公不納靜虛率司寇[illegible]

三返而後得見自是欵洽如故前輩風度今不可見

矣

金都憲公澤能知人王襄敏爲諸生時公即器重之贈以所服金帶且語之曰子異日名位當似我也後王公貴果如公言顧東橋先生撫楚時江陵張文忠公居正年甫十二三有儁才公大爲賞器嘗因試對句解所服金帶贈之且曰子異日何但繫此帶聊以見予期子意耳且出少子峻與結世好曰異日貴幸勿相忘後文忠公官政府感先生知因公在日被讒特從部議予祭葬官峻爲上林苑監事李遠菴先生官

浙時海鹽鄭公曉爲諸生遠菴大奇之許爲國士曰子必得元巳鄉試果第一赴公車往辭先生曰此行仍當第一若第二人勿予見也巳舉第二人歸逡巡不敢見三公知人之明如此

尚書童公軒性寡合不妄取予家人衣食或不給雖三原王公恕以米及白金亦不受毘陵王尚書與知其介不敢致饋饋有待禮幣求文者因謂曰童公之文勝余余令人導汝往求之至則童公問其人曰汝自來乎抑有使之者乎其人以實對遂却而不納其如此 翟纓亭筆記

文毅家居鐵作坊任南大司馬每往部必步出街口始登車或問之曰鄉黨父兄宗族故舊生長于此豈得居然自尊又嘗曰吾輩兒童時能讀書作對鄰里親姻俱喜忽而入學補廩又喜中舉中進士又皆喜及其爲官居鄉刻薄此心何安且朝廷作養學校廩膳科舉入京諸費孰非鄉里脂膏一旦得志圖報不得何敢妄作威福乎聞者服爲名言

文毅夫人盧氏名允貞字德恒自描工妙嘗自寫九歌圖璇璣圖二卷藏于家曾孫民悅每出以示客周吉甫見之

矩菴陳公鎬爲山東提學副使時夜至濟陽公館庖人供膳而無箸恐公怒責而公略不爲意或請啓門外索弗許庖人乃削柳條爲箸公曰禮與食孰重竟不食啖果數枚而已善飲酒父與竹翁慮其廢事寓書戒之乃出俸金命工製一酒器鐫八字于上云父命戒酒止飲三盞

劉公壐以江西運糧把總擢江西都指揮使巡撫盛應期知其廉明每屬以疑獄多所平反一日某御史按部南昌謁文廟諸生進講中庸至白刃可蹈中庸不可能御史問若鄉人先輩誰可當此諸生對以父公

天祥公在座聞之縮項曰奈何以尊爵之行加於至義盡之賢乎且仁至義盡之外豈更有所謂中庸耶諸生嘆服而退

蘇桓曰顧東橋先生初守開封抗中常侍遂遭讒誣逮至京師以公在官清惠獄久不成世宗皇帝密遣使就開封覈實止得多裝詩卷一事公對簿謂時平流寇實與巡撫都御史澤等賦凱歌有所裝潢如不法則都御史亦不法也中常侍議遂不行止鐫二秩出知全州時橫涇先生初成進士公自全州貽書述祖宗之德著謙慎之訓凡千餘言復寫在全所著定志

篇又詩十餘章行楷莊健將得二王之法植得見此
書慨然見先朝之法中常侍楊譯一郡太守而不可
得又見世宗皇帝能爲一大守受譴遣使覈實且嘉
其時爲方伯廉憲御史都御史無一人欺心媚内以
傅會其事卒陷公者又見公爲太守時得與都御史
賦詩爲樂不似今日上下懸絶分若君臣而公知弟
之明教家之道俱可無媿于古人焉此新建蘇武子
題東橋先生卷後語卷舊藏横涇先生曾孫夢游家
夢游字與治以明經不仕敦尚風雅詩文古澹落落
自異閩中曹石倉刻其詩于十二代詩選中工書法

初學聖教序晚乃變以己意遂自成家殁時方與人書縑放筆而逝與治死而橫涇東橋文雅之風不復覩矣

顧華玉晚歲家居文譽籍甚又居都會之地希風問業者戶屨恒滿搆息園治亭舍數十間以待四方之客客至如歸命觴染翰留連浹歲無倦色即寸長曲技必與周旋欵曲意盡而後去喜設客每張讌必用教坊樂工以絃索佐觴最喜小樂工楊彬常謔客曰蔣南泠詩所謂消得楊郎一曲歌者也正奏樂時每發一談則樂聲中闋談竟樂復作議論英發音吐如鐘

每一發端聽者傾座咸以爲一代之偉人處承平全盛之世享園林鐘鼓之樂江左風流迄今猶推爲領袖也

吳交石尚書有姊老而寡居尚書之家能詩文一時卿大夫多與之酬咏或來詣尚書者値其他出輙請媼見與論議問近日有何篇什供茗而去當時士大夫風俗樸質如此曾不以爲異也尚書友愛甚篤摯爲南御史大夫所居在北門橋南嘗於橋上遇其兄躡步行即下輿扶攜而歸里中老成人至今談之爲盛德事

梁尚書材爲廣東左轄旦夕皆飯堂上侑以青菜或冬瓜蘿蔔惟一味比擢副都御史巡撫江右薦紳皆餞諸大觀橋解衣盡歡痛飲大嚼始知其節嗇乃習慣成自然爾視所服圓領用浙蕉極下者裹服布素濟補惟兩裾鮮潔罷官後門庭蕭然如寒士同時管簡校子山亦罷官歸同在武定橋南北相向而居子山造樓居廣田產會親友其門如市人稱之曰管尚書梁簡校

唐詩字古風應天庠生素以孝聞遇老叟稱其有仙骨約于天地壇三更時授以內外丹有道流勸之入山

詩曰家有老母世無不孝神仙及母卒遍別親友遂去

楊永田名成舉進士官至四川布政工詩有佳句云燈影細搖窗外月雞聲忽報屋頭霜楚楚有致歸田後一夕病中賦得白石清江一酒樓黃花無語對人愁之句自知不起遂敕析家政而殁永田與劉南坦同受業于趙千戶經之門

謚法非三品以上兩京大臣不得與留都大臣之有謚者惟倪文僖謙文毅岳周襄敏金劉清惠麟梁端肅材王襄敏以旂六公皆尚書也張學士益五品而得

議文信以扈從死難之故太醫院判蔣用文以六品小臣而得謚恭靖尤爲曠典武臣死難而得謚者三百年中張莊節可大一人而已

南世劉公麟廣洋衛千戸公蒼子也中成化壬子鄉試魏國公設讌讌之飲至二鼓歸蒼不容相見麟與家人莫測其故不得已求其師趙先生問之蒼不答趙曰子得第佳事乃不與相見又不言其過彼何從知而改之蒼曰我是本府站廳千戸麟纔中一舉遂爾放肆飲至二鼓是以怪之趙先生趣之引麟相見而請罪焉其父之賢如此

南坦解尚書歸里常衣白布袍首烏紗巾徒步過其友定陶大尹趙公守家已而某參政者突至不知爲劉公也頗易之公逡巡一揖而退主人送客入參政問揖者爲誰答曰南坦公也參政大慙沮南坦少從大尹父經受舉子業故與大尹善

南坦公嘉靖時爲大司空請老家居遇直指使者來頗以飲食苛求屬吏稍不精腆輒被誚讓郡縣患之劉公曰此人吾門生會當開諭之俟其來謁因款之曰欲設席相邀恐有公務羈閡不如今日留此一飯但老妻他往無人治具能從家常飯對食乎直指以

命不敢辭唯唯就坐則又故延緩之自朝過日午公甚
甚比就案設食惟脫粟一盂豆腐一器而已必須佳
餚美醞羅列盈前直指不復能下箸公強之對曰適
已飽甚茲不能也公笑曰此可見飲饌原無精粗饑
時易爲食飽時難爲味時使然耳直指愉其言遂絶
不敢以盤餐責人

南坦公與王南原公至戚南坦有一寶刀南原心欲之
南坦公亦心許之皆未曾明言及南原死南坦自湖
州來觀葬取寶刀埋之于墓中宛然季札之風

李忠文時勉本上元人而籍于江右之安福以其爲名

臣故人多知之其他自秣陵徙他處者若竇坻之芮中丞釗咸寧之胡尚書汝礪普安之蔣中丞宗魯皆溧陽人金齒之張侍郎志淳則江寧人人不盡知也侍郎字南園著有南園漫錄一子曰含曰合皆以風雅著聲含字禹光與楊升菴善尚書一子曰侍亦官鴻臚卿博雅多著述其行世者有野談諸書至若許院使紳以御醫而寄籍于燕爲明世宗所眷顧加官至工部尚書殁賜祭塟尤異數矣

姚福曰湯文振先生名鐸自以形傴僂不揚號樗[illegible]人閑居好著書嘗謂洪武初金陵既定鼎有圖[illegible]

其官衙街道市里謂之都城志今已模糊不可看
增新爲帝里書作一巨册以示福某初亦喜其志之
勤旣而厭其輒改舊名爲不宜且帝里自是鳳陽而
金陵則王業之本基何爲帝里閱十餘年讀晉史見
王導曰建康古之金陵舊爲帝里孫仲謀劉昭烈俱
言王者之宅乃歎湯之書名本此帝里書已不傳所
謂都城志者想卽洪武京城圖志今亦不可得見矣
史癡翁常預出生殯已殯賓客中步送出南門一時傳
爲奇事萬曆中齊府一宗人做而爲之治喪七日賓
客往弔命其婢妾號哭慟者賞之以金不則詈而撻

之日我在爾尚不哭矧異日身後耶殯日極儀物之盛已自乘笥輿隨其後而觀之雖事出不經要之達生玩世異乎世之老病而諱言死亡者矣

武宗至金陵嘗午夜幸徐子仁家夫婦倉皇出拜上命置酒家無供具以蔬笋鮭菜進御上大喜爲之引滿酣暢而去已而數幸其家御晚靜閣垂釣得一金魚宦官爭買之上大笑失足落池中衮衣沾溼快園中有宸幸堂浴龍池紀其遇也

武宗在南京時有一倉官上疏請回鑾且言小人[illegible]蠱惑朝廷當爲屏斥太后高年當爲侍養聖嗣[illegible]

宜取榮興二府世子于十王府住以培國本疏出一
時遠近驚服後不知將倉官作何處治
王襄敏家于聚寶門外小市口之西去馴象門里許屋
宇朴隘居之晏如爲都憲時每過家必引避小市口
路曰此皆吾鄉居父老爲貿易者吾不忍以車前八
騶妨其務也鄉有老人與封翁善公幼以伯父呼之
旣貴猶不改後有勸其郊居不便請買宅市橋北一
大宅者公一日卽載罷同年趙大尹問其故公曰此
府第也門廳廣大必常得青衣數人守之吾一老書
生安能辦此好兒輩耶卒老舊居中其廳事僅如中

王尚書石岡秀才時有矮屋三間貴顯後移于園中不
入家
加粉飾題曰存本堂
周約菴尚書金父衞軍也家于文石吳尚書之側開小
酒肆尚書十許歲時赴塾師常過吳公門吳公目而
器之許妻以女一日召飲坐上果有藕杏吳公出句
云緣荷方得藕周公應聲云有杏不須梅座客盡驚
吳公常語其夫人曰此子名位後當勝我復爲次女
擇婿見金公清童年器宇不凡歸與夫人言之夫人
出對試之云汗血名駒足已存千里志淸對云員

吒仙鶴擡頭便徹九皐聲夫人喜甚許字焉周公位

至尚書金公至御史

顧文莊記諸名公像云倪文僖公與子文毅公像俱方

面大耳豐頤須微髭鬚文毅尤爲肥碩聞其曾孫偉

儒言腰帶圍可容中人四軀也文僖公初無子禱于

北岳夫人姚夢岳神指捧香盒童子曰以爲爾子孕

而生公故名岳祝枝山野記亦言文毅頎廣頤矣

如冠玉腹大十圍體有四乳云　王襄敏公廣額豐

頤而骨氣峻拔有威重印堂中直紋五條右頤有一

黑子音吐如鐘　都督劉公璽面孿削無髭顴聳肩

如寒士　楊水田公成鐵面劍眉凜不可犯　陳太史公沂軀不甚長神釆朗秀眸子可照　邵僉憲公清貌古神秀其聲清遠　徐子仁公霖廣面長耳美鬚髯體貌偉異老而豐潤行步如飛稱曰髯仙　謝野全公承舉美鬚髯行九人稱曰髯九　許奉常公穀長頭面白晳而圓巨鼻微鉤雙眼如碧色八十時狀如世畫老子　王吏部公鑾面白晳骨崚嶒清峭兩眉如劍直豎微髭鬚望之義氣凜然　殷宗伯公邁面圓黃白色微鬚清靜之意可見　姚太守循身可中人面上圓下稍銳白晳小有鬚向人笑

客　余司成公孟麟目小而圓骨法清古耳高於肩
下微鋭　沈侍御公越修幹廣顙氣韻高邁　盧從
馬公璧長身面如之黄色古而硬老矣多皺紋　王
太守公可大修軀鋭首面長尺白皙眉目疏朗微髭
鬚手掌如漿血長上短下聲如鐘　吳司寇公自新
大軀方面白皙而紅微髭鬚豐順目光外現有威重
武功康太史海曾大父官南太常死即葬江寧新亭鄉
祖父與兄皆生長南都太史以其在金陵遂金陵人
不啻親舊沈韓峰侍御西巡北還賦詩餞之有云新
亭有先壟聽者愧予生無遇江東客偏勝渭北情之

句韓峰公祖墓與太常暮相近歸家特爲之修治命守墓者禁其樵採今石坊見存隣永泰寺

雲浦盛時泰字仲交高才博學有聲文場既屢失意將老矣居常仰屋而嘆語人　沈氏曰君見里中得意人乎不過治第舍買膏腴榮耀閭里爾以余觀之有三殆焉屈志徇人一也賄賂黷貨二也生子不肖之心三也孰與君家居著書之爲尚乎從君隱處山中一丘免三殆之憂奈何長嘆哉仲交笑曰爾能是吾人爲大城山樵矣

仲交先生家多藏書書前後副葉上必有字或題識

從來或紀他事往往滿幅印鈐惟謹後多散在人間其家舉所書者悉扯去殊爲可惜因見前輩趙定宇少宰閱舊唐書毎一卷畢必有硃字數行或評史中所載或閱之日所有其人其事一一書之而憑具區先生校刊監本諸史卷後亦然竟以入梓古人讀書游泳賞味處于此可以想見遠勝於鬻及借人爲不孝矣

鄭御史瀛事母極孝進香三茅山以祈母壽拈香出殿從地上拾得一串念珠一百零八粒遂喜曰吾母之壽當同此歸藏盒中供于佛前數月後視之爲鼠殘

其十七粒毋九十一而終實符其數

路伯鐘字元振年十七考入武庠以有文名遴改郡學中嘉靖辛丑進士觀政刑部大司寇某公重之武定侯郭勛坐事逮繫以千金求為一言鐘拒之出使楚藩以勞瘁疾卒

謝與槐公督學廣西喜臨桂儒童張鳴鳳文筆奇古因進而訓之曰子不患不成名患胸中無全書耳乃取兩漢書親為之句讀令五日進院一背雖出巡亦[illegible][illegible]之行與槐公轉官兩漢書已完矣其造就後學[illegible]鳴鳳字羽王後來南都弔于墓下立碑而去

金鑾字在衡本隴西人隨父官金陵因家焉鑾幼從父

水部中丞纘宗學長習爲歌詩風流宛轉有江左清

華之致性俊朗好游任俠結交四方豪士往來維揚

兩浙所至倒屣迎之洞解音律嘗取古詞辨其字句

高濁爲一書塡詞家祖之卒年九十

黃恭字惟寅岐陽武靖王裔孫也自岐陽父子好文

喜親近文士言恭治襲風流招邀名彥兩都騷人墨

客望走如鶩以勳臣留守陪京位元戎列師保累年

而卒子宗城字維藩亦有文好士東封之役奉使不

終家于金陵賦詩結社有承平王孫之風

[illegible]寳字子寅一字鶴丘字法米芾組能詩及畫蘭竹所蓄古法書名畫頗多有藤牀藤椅皆藤所成不加寸木又有棗根香几天然爲之不煩鑿削最稱奇品精于煑茶茶具皆佳妙文人墨客多與之游往來東橋衡山諸公之門

陳橫厓子野語周吉甫云曩遊天台過中秋賞月石橋之側石橋天台勝處也及遊鴈宕廼九月九日攜菊於山巔在名山中而逢佳節又值天晴此最是生平奇事可多得乎

橫厓避暑焦山寫寶蓮閣僧舍外有石臺俯臨大江面

參山毎日高睡足必聞漁歌欸乃或禽喧鶴唳方覺披帷而坐則烟渚雲山來舟去楫歷歷枕簟之下晝坐則飛鷗入窗夜寢則海月窺幌山嶺有觀音菴孤迥無僧有灑掃道人亦可與語又其上可觀日月出滄爲别館焉于時外絶往來內寡思慮惟見月知其[illegible]弦望而已

萬曆甲辰中秋朱王孫承彩開大社于金陵胥會海內名士張幼于輩分賦授簡百二十人秦淮伎女馬湘蘭以下四十餘人咸相與緝文墨理絃歌修容拂拭以須宴集若舉子之望走鎖院焉承平盛事白下人

至今艷稱之

金陵佳麗仕宦者誇爲仙都游談者指爲樂土弘正之間顧華玉王欽佩以文章立墠陳大聲徐子仁以詞曲擅場江山妍淑士女淸華才俊翕集風流弘長嘉靖中年朱子价何元朗爲寓公金在衡盛仲交爲地主皇甫子循黃淳父之流爲旅人相與授簡分題徵歌選勝秦淮一曲烟水競其風華桃葉諸姬梅柳滋其妍翠此金陵之初盛也萬曆初年陳寧鄉芹解組石城卜居笛步置驛邀賓復修靑溪之社于是金[illegible]在衡以舊老而莅盟幼于百穀以勝流而至止厥後

軒車紛遝唱和頻煩雖詞章未媲大雅而盤游無已
太康此金陵之再盛也其後二十餘年閩人曹學佺
能始迴翔棘寺游宴冶城賓朋過從名勝延眺縉紳
則臧晉叔陳德遠爲眉目布衣則吳非熊吳允兆柳
陳父盛太古爲領袖臺城懷古爰爲憑吊之篇新亭
送客亦有傷離之作筆墨横飛篇帙騰涌此金陵之
續盛也啓禎之際李宗伯本寧焦修撰弱侯倡率于
前黃監丞明立俞少卿仲茅踵揚于後一時詞人若
韓孟郁范仲闇林茂之薛千仞輩同聲倡和分題刻
燭不數八乂之奇邈彼徵歌將聯六么之奏苹止生

秦淮五日之會賦得投詩弔汨羅作者凡三百餘人遊舫河亭坐客皆滿蓋盛自此而極矣

金陵羅嚞字元溥以歲貢授光澤縣主簿與邢雉山許石城結社有淵泉集四卷玉泉陳鳳落花唱和詩序云吾鄉羅淵泉氏自髫年即好聲律常畜舉籍牙籤滿架偶得石田翁落花詩遍几酬和得二十首玉岑王子懷荃楊子江東文士也亦次韻屬和焉元溥晚過東山寺云聞鐘知寺近逢鹿覺山深宿高座寺云月來半榻寒松影風送滿山秋葉聲爲集中名句

向贇字序伯嘉靖癸卯鄉薦任興國知州積案有見

久不能白釁至立雪之是夜夢閲應天試錄有向爲象名後後生子名辰彥久不得入泮因憶昔夢改名爲象遂中萬曆辛卯舉人

黄甲字首卿嘉靖庚戌進士文章名世岸然獨異每一操管百鍊乃成自稱鸄南山人著編年稿不以示人嘗自敘云皮相之士不足與求人才夜耀之人不足與論國是傷鳳悅楚眞龍驚葉盍自昔鑑裁之難焉陳廷尉文燭稱其奇肆車祠部大任稱其雄渾詩句偶出人爭傳之

道南楊先生夜坐搔癢因成口號云手本無心癢便爬

爬時輕重幾曾差若還不撥須停手此際何勞分付他弱疾焦先生和之云學道如同癢處爬斯言猶自隔塵沙須知癢處無非道只要爬時悟法華棲霞寺雲谷老衲聞之曰二先生不是門外漢

胡秋宇汝嘉在翰林日以言忤政府出為藩參先生文雅風流不操常律所著小說書數種多奇艷隸書師鍾元常草書師張伯英崔子玉常取三人書之在閣帖者從宋榻本手摹刻之較今所傳閣帖神檢殊勝

嘉靖末年陪京皇城守門宦官高剛堂中春帖云海無波濤海瑞之功不淺林有梁棟林潤之澤居多若非

二公之能諫耳宦官知敬正人亦自不羣
喬白岩叅贊南京機務時值寧藩謀逆聲言取南京兵
已至安慶而白岩日引一老僧與一醫士所至游覽
兼以校奕實以覘形勢之險要而外若不以爲意者
人以爲一時矯情鎮物有費禕謝安之風
湛甘泉先生爲南大司馬令民毋得餐大魚酒肆中沽
市致衆叢飲有大禁焉除歲庶民毋得焚楮祀天糜
財犯禮可謂導民以儉矣然是時居民大擾咸稱不
便歐陽文忠嘗語人曰治民如治病彼富醫之至人
家也僕馬鮮明進退有禮爲人診脈按醫書述病證

口辨如傾聽之可愛然病兒服藥云無効則不如貧醫貧醫無僕馬舉止生疎爲人診脈不能對病兒服藥云疾已愈矣便是良醫凡治人者不問吏材能否設施何如但民稱便卽是良吏觀此公此舉可知矣

吳國賢字一所上元人學行淵雅邃于易嘗四中式皆被乙例得貢不就以爲命旣不達何故違之乃盡舉生產付三子一老僕自隨讀書城南之吉祥寺授徒四十餘人所得束脩盡以市書貯大樓中任弟子取讀更以餘錢付主僧以給弟子之不繼膏火者如是八年歲讀五經一遍人稱其篤行

吳公韞菴自贊其小像云入道德之門而不談道德居功名之地而不競功名揽仙佛之源而不宗仙佛博詩文之趣而不習詩文世方赫赫我獨冥冥世方矯矯我獨平平寓形軒冕寄典烟雲閒中風月靜裏乾坤斯柴桑處士所稱無懷氏而安樂先生所記無名公者與

張江陵喪過南京府縣搭一蓆舍與科道府部諸官祭奠魏國徐邦瑞隨例往祭江陵之子令家奴答拜魏國怒將祭物給軍役寫牌一面遣官逐之謂軍營非停喪地即令開船此舉殊有大臣風

張濂濱御史邀耿天臺督學遊棲霞寺方入僧舍張云如此江山有高人否住持興善從旁對云有張云是何人興善云便是二公張云如何援儒入墨興善云纔有分別心便不是

神廟己丑南京司獄官孫一謙恩惠獄囚滿考轉靈山吏目王鳳洲贈以詩曰青山白馬帝城西祖道無人日欲低猶有若盧方畝地赭衣能作數行啼其後繼爲司獄者有陳繼源蘇賜皆有惠政皆閩人陳司空勳爲作三司獄傳

杜大成字允修閒靜自適有超世之志嗜聲詩工音

善繪事掃除一室焚香酌醴以待四方之士自號山狂大成先世有名安道者以櫛工侍明太祖爲太常卿宅第在冶城大成世家焉冶城林木幽邃家其下者多勝士有方登者字嘯門高自期許慕孫登之爲人故以爲名及字亦愛冶城之勝家于其麓號樵城子隱于韋布一生不喜見貴人晚以目眚幷謝親串年七十餘卒登之書畫與大成並傳

胡宗仁字彭舉上元人偉狀美髯高蹈絶俗晚年衲衣拄杖反手徐步修髯從風見者目爲仙人喜談論工詩畫本富家子老而食貧不謁時貴有詩二千餘首

惟知載齋集行世

海忠介公爲南右都御史風猷凜然與李敏肅公管察事秉公持正卽權貴關白略不少徇留都淸議因之愈重一日因送表向三山門內一孝廉家借坐孝廉家屋極壯麗憚公淸嚴聞其來盡撤廳事什物索舊敝椅數張待之人謂有楊綰令人減騶撤樂之風公每出行所至人必擁與左右聚觀之婦人童孺咸懽呼鼓舞卽司馬溫公之入汴不是過也其初來涖任止攜二竹笥舟泊上河人猶不知嘗病延醫入視[illegible]中所御衾幬皆白布蕭然不啻寒生後薨于位以[illegible]

是人品乃一給事中從臾一督學御史以枉后惠彈之嗟呼坐烏臺中呵佛罵祖者豈獨一張商英

丁清惠公爲操江都御史兼掌刑部大理寺萬曆丙午長至有妖人劉天敘將乘百官上陵時爲變事泄被擒黨凡四十餘人大抵皆莱傭踏麯人也參贊守備等將攘爲奇功盛氣與丁公言謀逆大憝不可縱丁素和熙衆恐其爲參贊守備所怵不能堅持而丁更以婉行之曰某不才事旣在我輕重禍福獨當之不以累諸公也時軍士乘機脅詐誣者近千人丁公悉械其詞致之參贊擬磔一人斬一人餘悉充戍而故

事戍者必立枷時方霉雨枷大中橋不一夕已有死者丁聞之亟召錦衣官并兵馬官語曰如此十日則盡死朝廷開以生而我輩死之必殃及子孫亟搭蓆蓋坐以蒲團湯沐飲食之四十七人皆得免

韓襄字家世戶侯洞知運軍之苦爲戶部郎一承板閘差即疏陳革弊七欵中有兩事軫恤糧船一云各船之中糧運最苦跋涉數千里旣阻隔于程途往返一期年又閱歷乎寒暑詳查漕政淺船北上許順帶土宜誠閔之也誠恤之也榷關者不諳故典勒其[illegible]以致運艘稽遲軍旗嗟閧非所以仰重國儲而下

貧軍也今後糧船到關隨到隨放不得躭閣時刻一
一云回空糧船或有順帶貨物所得些須止可糊口近
側每倉收鈔二錢割臠股以充腹不忍也今後北來
糧船許其擊鼓稟放即候晨未視事之前亭午已退
食之後到關即行不許守關人役藉口留滯此二法
行運軍普受其賜公又精于九章之法竟節慎庫時
筭出積歲羨金九萬有奇盡以上聞奉旨紀錄歷通
政

王鳳洲爲朱仲望傳略云朱慶斯字仲望生貴介孳孳
向學又篤好稱詩詩能自寫胸臆又工書凡篆隷行

草心慕手追無不習也其人温厚爾雅如其詩于他
無所好幾不知樗蒲幾齒時覽眺諸勝倦則時而臥
游據案讀書非客至不輟讀罷命酒自勞酒畢復誦
諸縉紳多喜與遊或因酒次問仲肇得無有賓客故
人欲爲居間者乎仲肇辟席謝幸得託籍疏屬不至
溝壑何至越樽俎而希寵靈乎由是人益重之子睿
燧字泠菴生而恬淡亦嗜讀書中年頗好道搆草堂
于石頭城之陽榜曰招隱從衞淇竹焦漪園諸先生
遊既而一意奉佛偕憨山雪浪諸禪師講究宗乘
樂愚自匡廬來爲築棲賢菴引余集生凌蒼舒諸

續蓮社倣東林故事崇禎中命工置棺稱九昂[illegible]
于上乞唐宜之書冷菴二字于柩前遂却穀但食瓜
瓤參汁七日猶與樂和尚問荅了了少焉沐浴端坐
而逝

趙俊字雪巖弘治癸丑進士任南京河南道御史按治
屯田巡江巡倉皆釐革宿弊薦林俊楊一淸才堪大用
太監汪直以罪置孝陵奏求茂陵司香火以圖復用
公力疏其奸事遂寢正德中劉瑾肆虐遂致仕歸子
兊字鷺洲正德辛巳進士歷官侍御解綬歸雪巖在
堂戒之曰汝閒居毋曠蕩可日課詩文各一篇鷺洲

恪遵父訓不敢違焉

王雯東字坦甯爲人方正和介能詩工行草有絕句云清如浴碧闊人眼肅若澄秋律己心何事難隨時調人自修音韻一張琴

海門柳陳父名應芳僑居金陵之杏花邨爲人和睦美髯鬚修容止衡門兩版非力不食往還惟曹能始林茂之三四人他無所請作詩不輕出語每行街市低頭沉吟悠悠忽忽觸人肩面不自覺也嘗語人作一律詩必冥魂數十番方爲意愜其矜慎如此無子一女適程君繽先于歸日以所刻詩板爲奩具時[illegible]

于昔人繫羊牽犬也

李務成字兼之性至孝好禮佛十三爲舉子業時有集語二十而病與僧覺圓同習靜期年而愈謂覺圓曰吾兩人所學者爲形骸計耳性命之學不在是從此專意西方之教壬寅九月忽歸家告母曰兒前身是僧因修未徹墮落到此見於此月二十三日竟往西方矣母聞之驚泣臨期復强之寫數字曰見字如見兒也遂援筆作書别母趺坐而化其辭世偈云有滅還非滅無生卽是生生生滅滅滅生生一燈常照琉璃幌

張元度名振英爲諸生有聲家徒四壁而左圖右史焚香掃地秩如也硏牀筆格楚楚有致窗下雜植花卉杞菊興至豪飲高歌詩多雜刻字法雲麾碑嘗于隙地種竹數十竿因號苦竹君顧文莊亟稱之

葛如龍名雲蒸爲郡諸生屢試不利乃謝去隱于鳳皇臺畔初治居曰竹護齋有竹數百竿又建閣于中甚窈窕後徙于上元官之北山麓南搆架掘地得一巨石數人舁起之而泉泓然出其下詩有佳語沈生予亟稱其鶯聲懶出村之句

張正蒙隱君詩文豪邁深修自愛世居通濟門外之[illegible]

灣年九十步履如飛日行數十里不倦詩法盛唐[illegible]
王孟韋柳之趣臨河結廬柴門盡閉帶索拾穗未嘗
俯仰干人詩近萬首顧文莊爲之序
江寧庠生徐應坤善讀書記輒不忘涵蓄經史有叩卽
應無間隱僻入目爲書厨
前輩酒德之美使人欲傾家釀者無過許石城先生年
至八十與客飲猶可二斗許終日笑語獻酬交錯玉
山乍頹金波猶寫眞盛德名流也次則王方伯與竹
公名橋萬曆甲戌進士嘗至一中貴所以十大碗一
百小杯進公徐飲畢策馬而歸公七十時顧文莊有

詩祝之曰遺風自許從先進古道眞堪式後生胸次幾曾忘坦蕩口端終不挂譏評蓋實録也

魏國徐公弘基嘗以午日飲河亭有一狂生乘醉突入索飲且大罵忽嘔吐狼籍臥地不醒公罷酒令數僕守之曰俟其醒口渴奉之茶頮面奉之水索食奉之食不可有違乃歸生醒後問何緣在此徐僕告之故生慚愧掩面而去徐公此舉可謂有量而善處矣

朱可演字巨源在宗牒中居然名士幼喜讀書涉獵[illegible]與長從李如眞焦澹園兩先生游爲人容止詳緩[illegible]吐和暢捫捉麈對客娓娓可聽所居室宇整潔經[illegible]

薰爐位置靜好時張廣筵集衆賓講經論道演與
應往往破的由是名噪四方凡士大夫官南中者必
以得交濵爲快詩文投贈常盈笥旣别而以郵筒致
相思者歲時不絶也年七十五卒顧少宰爲之傳極
其贊服云

陳元胤字叔嗣江寧人性温雅行止如孤雲野鶴見人
有驚異狀久之坐談甚洽家貧庭中種扁豆豆花盛
開坐起其中烹茗焚香孤吟不輟即以豆花名其齋
馬上圖字文先少孤貧孑然自異讀書不事文䌖獨求
聖賢要旨礪行立品安貧樂業養孀母撫諸弟侄資

筆耕夙通淨業非道不交庀廨爲斗室龕燈却掃高朋匡坐蕭然野僧也余中丞大成喜其踽涼延以教子諸子貴介侈聰辯圖嚴厲不少徇中丞益敬禮之執友之姝陋而跛年踰四十圖娶之爲母尸饔一時士習相觀而善身歿無後人多思之

傅汝舟字遠度籍京衛奇[illegible]好古修眉長髯見者以爲神仙中人天啓中河西之役守將羅一桂監軍高廷佐及其僕高承皆死之汝舟與平湖馬文治武康茅元儀爲位于青溪黃侍中祠各爲文以薦酹酒哀慟感動路人爲詩豪放奇肆不受繩墨岸然自是人非

之不顧也同時有艾容字子魏者太學生治春秋有聲工詩歌古文詞尤留心經濟每抵掌而談當世之務娓娓可聽以貢未授官卒

房宏中字子潤一字䈞湄善古文詩詞貌頎晳而癯嗜酒能書好遊嘗過洞庭有題岳陽樓詩尋桃花源記崇禎丁丑遺詩六章棄妻子飄然長往後有清涼寺僧西度于匡山見之云將往峩眉不知所終李虛雲虛舟二先生嘗賦詩招之

休寧諸生胡正行流寓金陵究心理學私淑近溪羅夫子以道脈爲己任躬行實踐掃除窠臼天王何公折

節與交延置家塾繼主明德書院所著四書正說貫爲錢嘉善孔建德兩相國所賞

鄒典字滿字本吳縣人客遊金陵遂家焉貧苦有志節嘗以除夕視餅粟餘升許復覓榾柮數枝爲二親一日費凌晨出郭外登雨花臺高歌竟日逮暮而返居平客至脫冠自汲以供茗椀所居東園水濱友人胡念約爲搆小樓自署青谿一曲賦白日掩荆扉以見志屬和者數百人喜讀禹貢考工離騷南華諸書夜坐燒雙燭子女環侍各習其業恒至夜分善繪事子喆能世其業

風字大風上元人家貧惟容膝地每天雨湫隘吟風書案上常累日嚴冬冰雪與鄰舍生談裸歷立武程漏刻妻亡不再娶每寄居友人家少時爲諸生甲申後遂焚帖括衣短後佩觽緣走北都出盧龍上谷覽昌平天壽諸山風故善畫至是乃益工公卿爭拂席相迎大風拂灑應之有中貴子招飲邀館幕中風起立瞪目不答酒罷引去一日興盡卸冶裝衣舊衣騎驢而歸抵金陵多寓僧寮道院不一省其家所爲詩若詞皆秀警可誦與人處渾樸不露圭角畫尾署真香佛空四字或稱昇州道士秦作白遐墓石小像論

其子廢書勿讀宜農圃以世其家云
慈姚山以有孝子丁蘭祠故名蘭即刻木肖親之容者不知何以廟于此近時江寧宰應文寀貧九歲喪父母亦隨逝應文寀寥寥糊口念二親不置刻木爲父母像冬夏更衣衣之晨夕進食出入必禀命庶幾事死如生事亡如存者大京兆姚公將令劉公皆旌其門
婺源人俞塞字吾體少孤客游金陵不能歸自更其姓爲獨孤稱獨孤塞總角時喜李溫陵諸書及壯讀浙江餘姚語錄乃自悔盡取舊書焚之而求所爲濂洛之學由是精究易理學日進嘗之邑携數銖爲旅食

詞出門遇餓夫卽捐予之就泉掬水得遺金適如捐歸復自訟出友人所贈如數置泉側其獨行如此有巨猾繰書幣延以教子塞拒之衣敝屨穿不問也工楷書善醫自謂不研易理不能精醫以貧死友人醵金葬之所著易寤詩起理學資深錄軼不傳

南中以工技著名者有徐守素蔣徹李信之修補銅器鄒英學于蔣徹而次之李昭李贊蔣誠之製扇骨劉敬之之小木又如濮仲謙之竹器皆一時絕藝若仲謙高雅之士又其餘事耳爲近時所不及

周剛字南強一字草窗句容人幼多讀書工於詩文隱

跡山水間足不入城郭有貴家邀賞元宵荅以詩曰句容郭裏元宵夜兒女燈前笑語譁老子山中招不出坐邀明月看梅花有草窗稿藏于家

溧陽吳遇明以文學教授里中嚴峻有氣志嘗赴其令季試薦牘屬至遇明題詩卷端而退詩曰百里淹留天下才春風時雨育羣材滿城夭李吹嘘盡可到芙蓉江上來令避之

馬孟河一龍請告家居倣古香山耆英之義舉山林八節會以上元觀燈於城市花朝賞花於歸得園上巳修禊於方丈山端午觀競渡於盤龍堰七夕乞巧於

潤秀山中秋泛月於救荒塘重九登高於玉女潭至踏雪於大浮山因地與時惟其暢悅焉又有耆社之主以孟冬朔爲鄉飲之日訪里中年七十以上者共二十有四人請各陳五十年前所記一事而自爲之跋曰吾少不記五十年事記中所聞諸公喻我矣今昔殊時吾三犯焉居廣大而服華美棄徒行而安車馬志古之人而不免時俗之趨鄙哉龍也噫觀此可以深世道淳漓之感矣

孫謀字燕貽一字五城性質朴好學任禮隱居金陵十廟山下善書能詩文客金閶申文定與講均禮嘗贈

以詩云白下曾傳幼婦詩神交千里重相思到門不惜挐舟遠傾蓋翻憐握手遲茂苑鶯聲堪共聽濠梁魚樂許誰知悠悠明月秦淮夜可是孫登獨嘯時與王百穀陳古白友善謝去諸生作枕流漱石閉戶耿雪長嘯作賦酒樓七豕以見志文定為之序厭時侈衣冠澆薄著高冠重履短袖如杜鄴之大冠間出即以老婢持蓋市人笑之不顧也每賣字得錢即付酒家有瘠田數畝時歸溧省耕主城南陳曜之宅以[illegible]之為尉而有品也邑中多孫五城書

武光輔性至孝少失父每事奉母命不敢專習學[illegible]

母令援監以母老不忍仕居常好遊山水意若有所尋覓忽得神力以千百斤巨石試之若芙允嘗在國學值修造群匠舁一石不起光輔一手提之走大司成見詫曰吾門有扛鼎耶善畫竹每以自娛不為人所強讀書隨卷輙盡但點頭微笑而已母卒遂學道服方外衣持竹杖出入飄然一日命肩輿曰吾欲有所往行數里叱歸喚家人具湯浴罷焚香端坐而逝越月餘里人自廣陵歸曰某日在廣陵道上與語良久持杖如平時叩家人卒之日乃相遇之日也異哉

邢昉字孟貞高淳人少負遠志年十九為諸生試輙高

等一日爲衡文者署其卷曰太狂閱未藝曰更狂不之録昉曰士爲文得以狂名足矣何問其他遂謝去一意於古文辭詩歌遊於四方與海内名流相頡頏詩愈工家益貧築室獨居好學彌篤遠近聞聲思慕以得親炙爲快學釀取石臼水爲淳酒以市人取人醉我醒意不徒利也著詩數種有石臼前後兩集爲計部范印心梓行於世范初不識昉從邑令崔掄奇聞其名即捐金梓之時人高其誼

百歲稱爲人瑞自古難之而金陵數十年中得數人[illegible]

上元民鄧漣百歲盧妃巷住人蔡一寧百歲馬[illegible]

妻馮氏百有三歲孝陵衛吳仁妻馬氏一百有二歲

貢生伍之又母李氏百歲住府前嘉靖時有劫空和

尚住長干寺窗前萬年青忽結實百粒後和尚坐化

年正百歲高淳訓導夏寧百歲江浦楊彪百有一歲

曾封殷救母沈廷臣年九十五歲江寧人平生好善

樂施蒙　前按院衛　旌扁齒德並隆四字上元庠

生許守巽九十五歲廿七失偶鰥居督學子之翰入

太學六孫三入文庠一登武榜後代繁盛鄉里推服

江寧府志卷之三十三　終

江寧府志　卷三十三　　十五

江寧府志卷之三十四

摭佚下

顧文莊曰金陵六代文獻之淵藪自唐歷五季宋元名人魁士代不乏賢金石之章固當不可勝記乃今余所目見僅吳天璽碑重刻嶧山碑攝山江總持碑唐高正臣書碑祈澤寺宋紹興碑耳攺革之際爲人焚毀橋基柱礎何但魏經礪角磨刀寧唯漢寢以不刊之遐貫與寒烟野草共銷滅於三山二水之間固有識者之深悲而無名公所竊笑也暇日尋檢舊志擇其文字之尤宜存者志之爲慕古者動遐想焉

南岳碑七十七字 湛尚書門人重勒在臨淮侯園中太常楊時喬再刻于攝山

秦始皇帝東遊頌德碑 重摹小字在舊府學

秦泰山碑 與前碑爲一篇又名二世東行詔書碑

秦嶧山碑 重摹小字在府學攷金陵新志乃元李學契刻

吳後主紀功三段石碑一曰天發神讖碑一口天璽碑 華覈文皇象書璵事又定爲蘇建書非篆非隸最爲奇古原刻在巖山今在府學尊經閣下

攝山棲霞寺碑 梁元帝文　　鍾山飛流寺碑銘 梁元帝文

晉元帝廟碑 宋葉適文　　開善寺碑銘 梁王筠文

卞公忠烈廟碑 宋胡銓撰　　長干寺衆食碑 陳徐陵撰

晉竺使君銘又竺使君頌 二碑在金陵鄉張陣湖碑石損斷

宋謝濤夫人王氏墓記六朝事跡云在土山淨名寺後移在上元縣

維摩居士像碑晉顧長康畫在元戒壇寺宋蘇頌重刻有像記見金陵新志

瓦官寺維摩詰畫像碑唐元黃之文

王羲之蘭亭記晉守晁謙之以家本刻于紬書閣三段石後壁間

宋江夏王義恭湯泉銘銘四句似五言詩諸志不載獨見于金陵世紀

齊海陵王墓誌宋謝朓撰并書

棲霞寺新路記新志誤作徐陵據本文爲徐鉉作

梁開善寺智藏法師碑蕭挹書

梁侍中司徒始興忠武王碑徐勉文貝義淵書在上元縣黃城村有石麒麟四又梁巴東獻武公碑亦在黃城村

梁散騎常侍司空安成康王碑劉孝綽文貝義淵書上元清風鄉甘家巷

梁永陽王墓志徐勉文在清風鄉居人井側今在上元縣

陳景陽宮井闌刻銘一隋開皇中八分書或云煬帝所作一唐開元中江寧丞王震八分書一太和中篆書

攝山棲霞寺碑文并銘江總持撰京兆韋霈書今重刻存

大莊嚴寺碑梁江總撰見梵刹志

顏魯公放生池碑

顏氏大宗碑

顏府君碑二碑顏眞卿書在上元金陵鄉乾道中移入府學其碑座尚存故地猶名顏碑衙

唐明徵君碑高宗御製高正臣書王知敬篆額今存

莊嚴寺僧旻法師碑梁元帝作

草堂寺約法師碑梁王筠作

佛窟寺碑 孫忌撰在牛首　　蔣莊武帝廟碑 徐鍇文

方山上定林寺碑 元虞集文

李太白讚寶公畫像 吳道子畫李太白贊顏眞卿書趙子昂又書十二時歌

福興寺碑 尚書許某文張從申書

南唐五龍堂老子像記 徐鍇文在石城

南唐祈澤寺斷碑 明盛時泰得之今砌佛殿後壁間又有宋劉夾莊所撰仁壽縣君墓志

李順公碑 高越書在西門外石子岡下

南唐追封慶王碑 在城南婁湖橋韓熙載文徐鉉篆額

德慶堂題榜 李後主書宋僧曇月刻石在清涼寺

寶華宮碑 南唐行書入品方山

宋仁宗飛白書乾道八年留守洪遵刻之華藏寺

高宗孝經晁謙之刻石郡學

祈澤寺宋紹興祈雨碑在祈澤祠壁間

高座寺雨花臺記宋馬光祖文并書

南唐宋齊丘鳳皇臺詩石在臺上

明道先生祠記三宋朱熹游九言真德秀文馬光祖跋

忠襄楊公祠堂記宋魏了翁作　八功德水記宋梅摯作

本業寺記南唐僧契撫作東山任德筠書　定林寺記朱舜庸文秦鑄書

道光泉記王安國作

王介甫平甫此君亭竹詩在今府學中石已斷碎

張文潛書太白鳳皇臺詩馬光祖書跋倪垕刻石臺上

蘇子瞻書送王勝之漁家傲詞在白鷺亭

江寧府涼館記宋呂升卿建元時敏記米芾書

金陵雜咏黃履詩溧水尉周沔書刻江寧府治

子隱堂記梅摯作　　東冶亭記梅摯作

高齋記胡宿作　　二水亭記史正志作

新亭記史正志作

賜善寺修誌公堂石柱記唐李頎行作

義井記李廸作　　太平興國寺碑元虞集作

崇禧萬壽寺碑元趙世延作　　龍翔集慶寺碑虞集文

梁永陽王太妃墓誌徐勉文在淸風鄕路旁

梁建安敏侯神道碑在鳳城鄕淳化鎭西

宋修昇州文宣王廟記江賔王文在府學

攝山棲霞寺碑陳章霈書在西廡下

茅山乾元觀有幽光顯揚之碑宋陳輔爲朱觀妙先生立閣中蔡仍書隆慶間土人取石爲灰碎此碑忽雷雨一夕自合初裂縫可容指今漸滿大奇

江南牛跡山去陸郎橋五里許山傳爲茅君別院有西漢永光五年碑父老見者云碑係麻石碑陰久經損圻可摩挲者不過數十字此山越在村墅故宋歐陽

公趙明誠集古諸錄遺而不載迄千百年鮮有過
問之者及閱金陵前輩顧鄰初陳橫厓皆有題識近
日鄭汝器登山搜考乃得其蹟但以兹山道流懼人
摹搨藏之密室必大索乃得不則古跡湮沒無聞矣
漢溧陽長潘乾元卓校官碑靈帝光和四年所立時歲
在辛酉杜少陵所謂骨立通神者蓋此類也石淪於
固城湖中紹興十三年溧水縣尉喻中遠得之輦置
廳事之側蓋相距九百六十二年矣時時見光采弓
兵宿直或以褻衣頓於趺上必夢大黿逐而齧之乾
道戊子有官告院吏出職爲尉顧碑字多闕蝕以爲

無用且厭人之來呼隸史曹彥與謀將沉之宅後糜沼內一寓客素好古聞其說往詰止之邑宰陳容之爲徙諸縣圃作屋覆焉至辛卯歲金陵守唐瑑作文一篇欲識石陰遣匠來甫鐫兩字遭碎屑激入目旋易他匠皆然竟不能施工出洪邁夷堅志

貴池劉廷鑾與父伯宗先生子博雅上也嘗著有金陵聞墓詩十餘首每首各有一小序辨証其墓之所在其序齊海陵王墓云沈存中慶曆時在金陵有發人以一方石鎮肉視之若有鐫刻試取石洗濯乃宋海陵王墓銘謝朓撰并書篆史宋海陵王劉休茂拜[illegible]

州刺史以反誅卽塟襄陽墓安得在金陵其銘有曰
時惟介弟景祚云及又曰敬順天人高遜明德其爲
齊廢帝海陵恭王昭文無疑存中盖未深考梅禹金
齊文紀相因弗改及鑿觀藝文類聚載其銘辭金陵
世紀錄其陵墓皆以爲齊勿以爲宋審矣夫明帝鸞
弑鬱林塟以王禮殞海陵塟以天子禮必有命眺銘
墓之事眺身事隆昌又爲新安王中軍記室又與沈
約同受知明帝所爲銘辭固宜徵而顯典而弗傷也
鸞以塟文其慝眺以遜掩其篡豈可欺天下後世然
天下後世之爲鸞與眺者猶尚修舊君之禮若是乎

鬱林亦䖍作銘而海陵刻石獨散見人間卒無知其墓所在者幸此銘存耳銘存而石不返石不返則墓益無稽矣䖍以誣死獄中自恐其名不見于史悲夫

梅岡晉太傅謝安石墓碑有石而無其辭人呼爲無字碑前記以安功德難爲稱述故立白碑捏史言牧牛亭秦氏之丘隴在焉有穆忠旌忠二寺相去五里檜墓前隧碑宸奎在焉有其額而無辭臥一石草間曰當時將以求文而莫之肯爲今已矣按此則金陵有二無字碑

太平門北中山王墓之左有內使雲奇墓奇南海人洪

武初以內使守西華門去胡惟庸居第甚邇庸謀詭稱所居井湧醴泉邀上幸而伏甲以待奇偵得之走當蹕道勒上馬言狀氣𩽾舌𩽾不能宣上恚甚左右撾箠亂下奇臂折猶奮指逆臣第上悟登西皇城樓瞰逆臣第中皆伏甲因亟發禁兵捕之而後召奇則死矣詔贈內官監少監賜塋祭嘉靖中守備高隆王萱等復請于朝特贈司禮監太監加諭祭少司空何孟春爲文紀于墓

胡恢金陵人博物彊記善篆隸臧否人物坐法失官十餘年潦倒貧困赴選集於京師是時韓魏公當國恢

獻詩自達有聯云建業開山千里遠長安風雪一人寒魏公深憐之令篆太學石經因得復官任華州推官而卒篆石經是一大典故而前記多不書

姚叙卿藏宋榻淳化閣帖紙墨光黟如漆而字肥後爲其姻家鍾櫛所得今不知歸何人手叙卿又有山谷書法華經七卷紙用澄心堂光滑如鏡價至七百金叙卿没後曾有人持以質於顧文莊睹其字多沓拖踈慢謂非雙井筆也後竟爲徽賈以重價購去

王右軍告誓文今之所傳即其藁草不具年月日朔其眞本云維永和十年三月癸卯朔九日辛亥而書亦

眞小開元初年潤州江寧縣瓦官寺修講堂匠人于鴟吻內竹筒中得之與一沙門至八年縣丞李延業求得以獻岐王便留不出十二年王家火圖書悉爲煨燼此書亦見焚云

周吉甫曰前代藏書之富無逾有明永樂辛丑北京大內新成勑翰林院凡南內文淵閣所貯古今一切書籍自一部至有百部各取一部送至北京餘悉封識收貯如故時修撰陳循如數取進得一百櫃載以入京至正統己巳南內火災文淵閣所藏之書悉爲灰燼矣

舊南雍所藏官書鋟板最多嘉靖中學正梅鷟曾編彙書目一卷除廿一史十三經外尚多秘本隆萬以降典守無人板多缺畧鼎革以來國子監廢將所有存板送入縣學尊經閣中視向日目中所存今恐無百一矣惟廿一史近經修補然較讐不精脫簡重篇不一而足此外如鄭樵通志王應麟玉海諸書宇內幷無刻本今板本雖復不全然因其舊而補之使作者苦心不至泯没亦作與文教者之責也此外他書尚多今不知存否姑列南雍舊目以爲好古者訪求之據其當日板不存者不錄

十三經註疏　二十一史順治十八年重修　復齋易說六卷宋趙

彥肅周易本說六卷元齊履謙書傳會選六卷　尚書表註

二卷元金履祥讀書叢說六卷元許謙　春秋諸國統紀六卷

元齊履謙春秋綱領一卷　春秋本義三十卷　三傳辯

疑二十卷　春秋或問十卷俱元程端學　儀禮經傳通解

二十三卷　續通解二十九卷　儀禮集說十七卷元敖

繼公六經正誤六卷宋毛居正論語集註考証二十卷元金

履祥學庸叢說二卷元許謙　孟子節文二卷　四書集編

十卷宋真西山　資治通鑑　通鑑紀事本末四十二卷

通鑑前編十八卷　子由古史六十卷萬曆末黃監丞居中校刊

西漢會要七十卷　東漢會要四十卷宋徐天麟蜀漢本末三卷元趙居信諸史會編一百十二卷嘉定金濂集註太元經十二卷胡文和近思錄十四卷　論衡三十卷　女教四卷元許熙載樂府詩集一百卷　朱子大全集一百卷　宋文鑑一百五十卷　文章正宗二十四卷

元文類七十卷　順齋集二十六卷元蒲道源羅圭峰集二十卷　懷麓堂集一百二十卷　陽明文錄八卷

戴石屏詩集十卷　白沙詩教　杜氏通典　通志畧二百卷板一萬三千七百二十四面宋鄭樵文獻通考　禮書宋陳祥樂書宋陳暘玉海二百四卷宋王應麟宋名臣奏議一百

十卷　西山讀書記六十卷　說文十五卷　韻府群玉　廣韻　書學正韻二十卷　六書統二十卷楊桓　困學紀聞二十卷王應麟　伯顏平宋錄二卷元學士劉敏中　景定建康志五十卷存者七百九十五面宋周應合　金陵新志十五卷　子彙　何大復集　戴剡源集

留都舊日六部刻書亦多如東坡易解歐陽公毛詩本義呂成公讀詩記楊慈湖易傳吳澄易纂言宋人六經圖之類爲先儒流通經學有益後人徐公必達爲吏部郎時刻周張二程及邵子全書今藏板皆不可問矣

顧文莊曰地方文獻士大夫宜留意搜訪至前代圖籍尤當甄錄即斷編缺簡亦當以殘珪碎璧視之金陵古稱都輦乃自國朝以上紀載何寥寥也僅有金陵新志一書南雍舊板尚在然訛闕過半亦復無他本可備校補者景定建康志禮部舊有藏本司馬西虹留得此書後歸焦太史家亦不復可見今取往記有關金陵者輒紀載其名爲搜訪之地如齊山謙之丹陽記陶季直京都記元廣之金陵地記唐許嵩建康實錄六朝宮苑記宋沈立金陵記史正志乾道建康志吳琚慶元建康志溪園先生周應合景定志元戚

光集慶續志奉元路學古書院山長張鉉金陵新志又宋張敦頤六朝事蹟吳彥夔六朝事類別集王滲六朝進取事類張參江左記葉石林上元古跡洪遵金陵圖朱舜庸建康事十卷又不知作者姓名江乘記丹陽尹錄苑城記金陵六朝記秣陵記建康宮闕簿金陵故事宋江寧府圖經又續攷得數種周處風土記三卷梁元帝丹陽尹傳十卷應詹江南故事三卷徐鉉等吳錄二十卷不知名南唐書十五卷不知名江南志二十卷十五卷者疑是陸務觀書王顯南唐烈祖開基志十卷徐鉉湯悅江南錄十卷陳彭年江南別錄四

卷龍袞江南野史二十卷不知名江南餘載二卷錢惟演金陵遺事三卷不知名金陵叛盟記十卷王豹金陵樞要一卷曾洵句曲山記七卷張情茅山記一卷不知名茅山新記一卷張隱龍三茅山記一卷恐即張情朱存金陵覽古詩二卷袁陟金陵訪古詩一卷吳操蔣子文傳一卷不知名南朝宮苑記一卷元劉大彬茅山志三十三卷其鄭文寶南唐近事江表志近巳有板行者

建康六朝故都葉石林少蘊居畱日嘗命諸邑官能文者搜訪古跡製圖經時石橋林敏若子邁主上元簿

考最詳多以荆公詩引證號上元古跡宋周煇嘗得
其書史志道修建康志多取裁于此
陳曾南應京兆白公聘修志東橋先生與之書曰嚴惟
中袁州府志都元敬黄山圖經李懋卿東莞志邵國
賢許州志各自起意例須取參訂璘收有長安舊志
一本借不得到家檢奉子仁收天下志甚多想不乏之
此作志不難正唯發凡起例爲難耳又本府若上元
之明道書院溧陽之水堰皆厚生正德大事須檢尋
遺蹟就請白公興復蓋百五六十年方遇明公一舉
若又空言無施不獲寔惠賢者難遇幸勿失此機會

也又稅糧後當具供億一目查內府及諸司供億近年與國初多寡之目庶仁者有惻惻之意此不為徒作也

前輩著述多湮滅不恒遘見謹識其名以待搜訪

張閣老益　文僖公集

倪文僖謙　玉堂稿　上谷稿　歸田稿　南宮稿　遼海編

倪文毅岳　清溪漫稿

童尚書軒　清風亭稿　枕肱集　海岳涓埃　論蜀稿　籌邊錄　夢徵錄

劉尚書麟　清惠公集

顧尚書璘　國寶新編　近言　顧氏七記　浮湘稿　山中集　息園集　憑几集　登衡小記

王尚書敞王氏家乘　周襄敏金上谷稿榆陽稿

梁尚書材端肅公奏議　景司業暘前溪集

余祭酒孟麟余學士集

焦太史竑養正圖解老莊翼澹園先生全集焦氏筆乘焦氏類林國史經籍志

朱太史之蕃奉使朝鮮集南還雜著落花詩

王太僕韋南原集　黃驗封甲鳳巖山房全集

陳太僕沂遂初齋集拘墟館集翰林志誨似錄晤言詩談畜德錄維楨錄存疾錄金陵圖考金陵世紀詢芻錄語怪錄善謔錄遊名山錄

李儀部逢暘　楊太學希淳李楊二子遺稿

余侍御光古峰集兩京賦

顧文莊起元　說畧　遯園集　嬾眞堂集　雪堂隨筆　客座贅語　金陵古金石考目　顧氏

小史

許太常穀　二臺稿　外臺稿　武林稿　省中稿　歸田錄

司馬憲副泰　皇明文獻類編　視履百錄　古今類說　續百川學海　蔭白堂雜識　廣說郛　知文錄　南都英華　南都野記

謝布政少南　河垣稿　讁台稿　粵臺稿

王叅議瀫　辣齋稿　史疑　引笑集

陳都憲鎬　矩庵漫稿　金陵人物志

陳學憲欽　自菴集　海山聯句集

顧副使璘　寒松齋稿

李副使熙　尚友集　明農稿　飲虹遺稿

伊僉憲秉　味淡集

張侍郎志淳　南園集　南園漫錄

王襄敏以旂　漕河撮稿　督府奏議

沈御史越　春秋分國便覽　春秋經傳集解　宋史詳節　諸史撮要　三黨編　籓鎮傳　韓

隨筆　麓村詩草　西巡紀行　澶淵
雜著　新亭漫稿　聞見錄　詞譜

張副使鐸秋渠詩　胡副使汝嘉沁南稿

吳尚書文度交石稿　何參議汝健竹素園稿

何叅議湛之疎園集歸田草　何侍御淳之足園集

沈僉事琮休齋稿

陳僉事鳳大事記　舟談　感遇篇　清華堂稿　摘存　欣慕編　宛地梓

余巡撫大成龍湫殘夢　搔夢　雜夢　腐夢

宋僉事存德鴻雪稿　姚太守牖休齋稿

姚太守汝循錦石齋稿　耕餘集　浪游集

金太守潤靜虛稿　南山十秀集　心學探微

金司寇紳　雪心稿　青瑣獻納稿　江西巡視稿

朱參議貞　息軒稿　金都憲澤　容菴集

蔣侍御誼　經緯文衡　續宋論　紀行錄　石屋間鈔　吹映餘音　憨翁新録

吳侍郎自新　大受錄

姚學憲履素　適楚紀勝　市隱園詩文紀　任僉憲彥常　克齋稿

沈憲副鍾　休翁詩集　思古齋文集

殷宗伯邁　山窓漫錄　閒雲館野語　逍遙訣　懲忿編　窒慾編

盧苑馬璧　治漳備忘錄　關中集　兩山墨談　客窓閒話　東籬品彙錄　路行人伯鏜　侑閒齋集

廖工部文光　萬曆統天賦　玄藝集

何太守鉞　東谿集　俞少卿彥　俞少卿集　印譜　治篇

陳京兆時伸 詩百篇　羅太守鳳 延休堂漫錄

賈戶部必選 金剛解　松蔭堂學易　春秋纂註

陳大理舜仁 樗亭集

倪給諫嘉慶 計樞草　銓諫草　棘遯草　棲霞語錄　青原語錄

丁太守鏞 石崖集

王太守可大 三山彙編　國憲家猷　白雲稿

王吏部鑾 西冶遺稿　徐參政琉 石林稿

張秀才藩 渡江集　蘇田集　桐君集　朱僉憲潤身 海峰遺稿

金太守賢 春秋紀愚　春秋或問

鄭太守宣化 三華館集　瞻紫堂漫稿　雁月亭漫稿

卜長史鏜　三華館稿

黃監丞居中　千頃齋初集次集三集　文廟禮樂志　明文徵　論世錄

何太僕棟如　攝園稿　出山疏牘　初續商音

殷同知康　雲樓稿

高知州遠　飲虹稿

劉尚寶旋　四書標解　迎曦閣社草

向州守鸞　二淮稿

管檢校景　西浦稿

李知府昊　坦拙稿　謫居集

張太守文曄　應閒齋詩集　霞起閣文集

黃長史琮　宗說　求志稿　行義稿　楚征日錄　田稿　讕湘稿　郟城稿　嶺南日課　課　東歸稿　乞養堂稿

梅明府純　損齋稿　損益備忘錄　續百川學海

陳明府芹子野集　鳳全堂稿　忠孝說義　周明府元長卿集

姚明府履旋湖海遊紀　香雪集　李明府登治城眞寓稿　撫古遺文

倪明府民悅江上編　李經歷曉賓柳堂稿

唐長史時頻伽音　巾馭乘　張徵君一儒張徵君集

孫明府自修與然堂全集

陶進士元素萬竹山房稿　史雋　華山雜著　松雲集

李臨淮言恭貝葉齋稿　青蓮閣稿　遊燕稿

湯參將胤勣東谷集

張莊節可大駛雪齋詩集　北海遊紀　狀遊發白下初集　二集　牟子集　駛雪齋文集

吳進士瑆石居遺稿　董學博宣青田雜錄

陳揮使鐸　雪秀亭稿　軒稿　秋碧　秋碧樂府　張揮使維　青藜閣稿　淇澳稿

歐陽通判廩　逸圃集　丁訓導璽　希山吟

羅主簿燾　淵泉集　金訓導丹　赤侯稿

周監正相　曆法書　焦舉人周　焦氏說楛

金孝廉大車　子有集　金文學大輿　子坤集

沈文學乾陽　金庭稿　子開雲　著雲岫集　延清[illegible]稿

盛貢士時泰　大城山全集　遊吳雜記　元巚記　游燕雜記

劉學博仕義　新知錄　王太學元貞　孟起集

黃太學祖儒　嚶覺稿

黃教授應登　謝山文草　謝山暇錄　謝山詩草　偶然語

孫太學起都 意在亭詩　徐王孫諒 居業稿

張孝廉翊 元名臣言行錄 宋臨奠錄　沈封君琪 雪崖詩

盛太學敏耕 軒軒居集　崔文學士元 抝虛集 偶然集

黃文學戌儒 競辰齋稿　黃文學復儒 挹秀閣稿

方山人登 蒼半軒稿

宋夢駿 育齋子稿　李文學佺 竹浪齋稿 遂園稿

葛文學如龍 竹護齋稿

王隱君可立 詩集壢稿 小桯史引 建業風俗記

陳文學弘世 延立詩集　孫文學謀 長嘯集

李臨淮宗城 汝籓稿　王指揮元坤 雅娛閣稿

齊王孫慶棊 鐏冠稿　徐王孫邦寧 習靜齋稿

顧居士源 玉露堂稿

蔣山人主忠 慎齋稿 續貂小稿 金陵紀勝 詩法鈎玄

蔣山人主孝 務本齋詩 樵林摘稿　賀友菊確 友菊詩集

王公濬 嘉遁子集　徐公遠 居學齋集

金公鋹 竹溪集　金山人鸞 徙倚軒稿 蕭爽閣詞稿

杜山人大成 睎真集　許山人陞 嘉會齋

史廷直忠　金元玉琮 江南二隱稿

徐山人霖 端居咏 杭濤遊稿 遠遊紀 麗藻堂文集 北行稿 皖湘錄 快園詩文類 中原音韻注釋 續書史會要　王山人希阜 北山詩

謝山人承舉 采毫錄 東村稿 西遊稿 在客稿 日得錄 廣陵雜錄 湘中漫錄

吳山人擴 長吟閣稿

景山人霽 登涉紀吟 避暑吟

張子明正裳 蓬蒿集

胡山人宗仁 知載齋集

馬山人電 人蜀稿

陳山人元胤 霞舉集 豆花園草

王雲池杞 越臺小稿

沈鳳岡朝陽 薄遊苔 贈稿

李惺菴向陽 樵居集

謝天聘 簸蚓集

王孝廉亦臨 虎鼠菴稿 牛欄集

紀竹遠青 樺冠集

張揮使翹 廻文詩

艾子魏容 徵塵闇集

龍克溫瑄 燕居集 泥鴻集

楊文學一洲 東中集 東中餘集

常照磨信 同文集 北上集 樵遊集 振藻集

程孺文漢 栩堂集

李僉事旻　容庵稿

丁太守明登　湫清錄　日有篇　陰德登科錄　醫方集宜

丁貢士雄飛　書饞漫筆五十卷　蓉灣雜著　需郊欵日錄　燧人遺意

姚千戶福　風樹亭稿　明文苑通編　青谿暇筆二十卷

王別駕　天邊別駕夢談　　邵貢士之楨　臥石齋集

汪鍾英矦　潭生擬言　　徐文學開呂　起渭詩草

于文學徵有生　柿葉菴稿　孤山遊草　　崔季韞粲　秋潭集

何文學如充開遠　東晉人物畧　清涼山草

傅太學汝舟　唾心集　步天集　七幅菴稿　　馮化之化　香醉集

徐王孫時雨　一榻軒稿　　王壽父萬齡　咏物詩

張太學文峙編年稿　磬集　落葉哀蟬集　選宋元詩十卷　頗不願集　明布衣詩三十卷

張太學可度鴻雪草　蜀道人詩集　墨莊

陳訓導嘉謀夢醒紀聽　北游集

陳石亭夫人馬氏茝居集

僧來復字見心蒲室集

元瀞字樸隱樸園集

梵琦字曇耀北遊鳳山　西齋三稿

溥洽字南洲雨軒集

慶文香林集

唯識唯庵集

馮閶風嘯香烟集

倪文毅夫人盧氏有詩一卷

張羽王妻周潔雲巢集

守仁字一初夢觀集

大同字一雲天柱稿

宗泐字季潭全室集

覺澄字古溪雨華集

慈露字心田雲隱集

清遠渭禪師外集

弘恩字三懷　雪浪集

欽義字湛懷　焚餘草

如愚字蘊樸　飲河稿　石頭菴稿

寬悅字曜雀　堯山草

德清字憨山　夢遊集

法通字從實　談品　餘籤

齊衡陽王鈞常手細字書五經一部爲一卷置之巾箱中侍讀賀玠問曰殿下家有墳素何須此蠅頭細書別藏巾箱答曰巾箱五經繙閱且易一更手寫則永不忘諸王聞而爭效之爲巾箱五經自此始

南都前輩多藏書之富者司馬侍御泰羅太守鳳胡太

史汝嘉尤號充棟其後人不能守遂多散逸司馬家書目尤多秘牒有東坡先生論語解鈔本四卷其家數有欝攸之變此書亾矣胡氏牙籤錦軸最爲珍異而子孫式微彫落市肆尤爲人所惋惜嗣是沈生予天啓焦漪園竑收藏亦多近皆散失士夫家集書多者今稱黃海鶴雍丞之子虞稷錢牧齋宗伯常爲撰千頃齋藏書記

唐時詩人有庾抱江寧人開皇中爲延州參軍後補元德太子學士禮賜甚優皇孫載誕于座上獻頌被賞有集十卷　王昌齡開元中進士補秘書郎又中宏

詞科詩四卷人稱爲王江寧　徐延壽江寧人開元
間處士　孫處立江寧人長安中爲左拾遺善屬文
常恨天下無書以廣新聞　冷朝陽江寧人李嘉祐
送朝陽登第歸江寧詩有云長安帶酒別建業候潮
歸　許恩江寧人開元進士岑參有送許子擢第歸
江寧拜親兼寄王昌齡詩　孫華江寧人韓翃有送
孫華及第後歸江寧詩　陳羽陸贄下第二人登科
歷官樂宫尉佐　項斯左僕射王起下進士及第始
未爲聞人因以卷謁楊敬之楊苦愛之贈詩云幾度
見詩詩盡好及觀標格過于詩平生不解藏人善到

處逢人說項斯　康洽江寧人周賀有送洽歸建業詩　中孚高座寺僧李太白之族侄有太白答贈詩

王鳳洲嘗言金陵唐時無詩人故周吉甫輝舉此數人

江南李後主嘗于黃羅扇上書賜宮人慶奴云風情漸老見春羞到處銷魂感舊遊多謝長條似相識強隨煙態拂人頭此扇宋時猶存

後主在圍城中猶作長短句未就而城破其詞云櫻桃落盡春歸去蝶翻金粉雙飛子規啼月小樓西曲欄珠箔惆悵卷金泥門巷寂寥人去後望殘烟柳低迷

盖臨江仙未成也西清詩話謂曾見其稿點染晦昧心方危窘意不在書耳

後主造澄心堂紙甚爲貴重宋初紙猶有存者歐公曾以二軸贈梅聖俞梅以詩謝曰江南李氏有國日百金不許市一枚當時國破何所有帑藏空竭生莓苔但存圖書及此紙棄置大屋墻角堆幅狹不堪作詔命聊備粗使供鸞臺相傳淳化閣帖皆此紙所榻歐公五代史亦用此屬草

王介甫投老金陵依鍾山卜居後復捨宅爲寺所題絕句關金陵山水者往往多遠情幽景摘而錄之如曰

南蕩東陂水漸多陌頭車馬斷經過鍾山未放朝雲散奈此黄梅細雨何　誰將石黛染春潮復撚黄金作柳條西崦東溝從此好簡輿追我莫辭遥　雪乾雲淨見遥岑南陌芳菲復可尋換得千翬爲一笑春風吹柳萬黄金　南浦東岡二月時物華撩我未參差含風鴨緑粼粼碧弄日鵝黄裊裊垂　竹裏編茆倚石根竹莖疎處見前村閒眠盡日無人到自有春風爲掃門　春風過柳緑如繰晴日蒸紅出小桃池暖水香魚出處一環清浪湧亭皋　木末北山雲冉冉草根南澗水泠泠繰成白雪桑重緑割盡黄雲稻

正青　石粱茅屋有彎碕流水濺濺度兩陂晴日暖風生麥氣綠陰幽草勝花時　菴雲作頂峭無鄰衣月爲衿靜稱身木落岡巒因自獻水歸洲渚得橫陳

稻畦藏水綠秧齊松鬣初乾尚有泥縱蹇尋岡歸獨臥東菴殘夢午時雞　荷葉初開筍漸抽東陂南蕩正堪游無端隴上翛翛麥橫起寒風占作秋　北山輸綠漲橫陂直塹回塘灩灩時細數落花因坐久緩尋芳草得歸遲　野水縱橫漱屋除午窓殘夢鳥相呼。春風日日吹香草山北山南路欲無　小雨輕風落楝花細紅如雪點平沙槿籬竹屋江邨路時見

宜城賣酒家　青青千里亂春袍宿雨催紅出小[illegible]
廻首北山無限思日酣川淨野雲高　午枕花前簟
欲流日催紅影上簾鈎窺人鳥喚悠颺夢隔水山供
宛轉愁　斜徑偶通南埭路數家遥對北山岑草頭
蛺蝶黄花晚菱角蜻蜓翠蔓深　江北秋陰一半開
晚雲含雨却低回青山繚繞疑無路忽見千帆隱映
來　茅屋滄洲一酒旗午烟孤起隔林炊江清日暖
蘆花轉祇似春風柳絮時　蕭蕭出屋千竿玉靄靄
當窗一炷雲心力長年人事外種花移石尚殷勤
兩山松櫟暗朱藤一水中間勝武陵午梵隔雲知有

寺夕陽歸去不逢僧

東坡先生在金陵爲詩凡十有五篇小子遯病亡於金陵作二詩哭之又次荆公韻四絕句又同王勝之游蔣山又次葉致遠韻時致遠正從介甫於金陵又次裴維甫韻裴時解石於秣陵又次段縫韻縫家居金陵者也又紹聖元年至金陵得鍾山泉公書寄詩爲謝并贈和老詩又建中靖國元年公還自海南至金陵又次韻清涼老詩又題長短句於賞心亭又著觀音頌於崇因寺

元末馬琬字文璧秦淮人自少有志節詩工古歌行尤

工諸畫皆其天姿之所出也其竹枝詞曰湖頭女兒二十多春山兩點明秋波自從湖上送郎去至今不唱江南歌頗見婉麗此亦金陵詞人之一也惜乇作不多得錢虞山曰琬學春秋于楊鐵厓洪武初爲撫州知府

趙南仲丞相賜第溧陽嘗避暑水亭有詩云水亭四面朱闌繞簇簇遊魚戲萍藻六龍畏熱不敢行海水煎徹蓬萊島身眠七尺白蝦鬚頭枕一枚紅瑪瑙六句既成忽驩去時有侍婢梅姐杏姐戲續云公子猶嫌扇力微行人尚在紅塵道南仲見而存之頗得風人

之旨也

杜旟字伯高賦石頭城酹江月云江山如此是天開萬古東南王氣一自髯孫橫短策坐使英雄鵲起玉樹聲消金蓮影散多少傷心事千年遼鶴并疑城郭非是　當日萬駟雲屯潮生潮落處石頭孤峙人笑褚淵今齒冷只有袁公不死斜日荒烟神州何在欲墮新亭淚元龍老矣世間何限餘子

周晉仙名文璞宋淳熙間人題鍾山云往在秦淮問六朝江頭只有女吹簫昭陽太極無行路歲歲鵯黃上柳條

節使吳琚遊青溪有詞岸柳可藏鴉路轉溪斜忘機鷗鷺滿汀沙咫尺鍾山迷望眼一片雲遮　臨水整烏紗鬢影蒼華酒闌却念在天涯幾日不來春便晚開盡桃花

烏衣園有宋張杜柳梢青詞韞藉可喜燕里花深鷺汀雲淡客夢江皐日日言歸淮山笑我塵鎖征袍　幾囘把酒憑高欄干外魂飛暮濤只有南園一番風雨過了櫻桃

吳景伯登鳳皇臺沁園春詞再上高臺訪謫仙兮仙何所之但石城西踞潮平白鷺浮圖南峙雲淡烏衣鳳

烏不來長安何處惟有碧梧三數枝興亡事對江山休說誰是誰非　庭花飄盡胭脂箅結綺繁華能幾時問何人重向新亭揮淚何人更到别墅圍棊笑拍欄杆功名未了寧肯緑簑尋釣磯深深飲任玉山醉倒明月扶歸

弇州明詩評于孫左司炎曰左司俠氣鷙發辨詞虹矯疆宇之寄援殳以没所作歌詩存者十不一二然頗跌宕雄逸青鳳吉光之裘片語千金藏龍如意之珠一照累乘奚啻多哉湯衮將徹勳曰徹勳雄才盖世與劉生御醫溥字原濟雁行氣所壓正由小巫見大巫耳玉

太僕韋云太僕宛曲穠新頗類溫李風人之致可憐
而言若乃釸舞霓裳逸主猶憎其肉靚粧妖輩見人
更羞舉止斯爲所短頗號難蘗劉司空麟曰司空朗
爽登朝榮躋八座急流勇退用諧素心烟霞之癖更
多泉石之身難老其詩如癡女兒能織夗央謂未藝
絕更繡鳳凰并無此鳥可發一笑顧尚書璘曰尚書
器並瑚璉材懸綺綉束髮班行遂屈群公之左珥管
江表首馳三傑之目如春園盡花靡邁錯雜又如過
雨殘荷雖復衰落尚有微情此弇州初評也其後評
又曰湯公讓如淮陽少年斗健作嗷人狀王欽佩如

小女兒帶花學作軟麗顧華玉如春園盡花苍蘼不少劉元瑞如閩人强作齊語多不辨陳羽伯如東市倡慕青樓價徵傅粉澤强工顰笑語涉太苛噫千載而下其當自有定論

顧文莊評近代詩人云周吉甫曄博物洽聞恢奇奥雅詩句之美冠絕當時黄伯子祖儒才藻溢發世擅雕龍所著蠛覺稿出入古今故非恒士黄徵甫應登古文辭詩賦流奕清舉編有謝山暇錄辨難考據尤爲博雅顧孝直端祥賦稟英多矢口而成籠蓋人上分其才藝足了數人姚允吉履旋詩文典則可誦可傳

與弟允初觀察有金友玉昆之目黃叔遁復儒雕文琢章鏗鏘有韻追踪家學志氣罕倫爲貧所羈不副其意張彥先一儒博洽英雋詩古文取法漢魏六朝欝然古色非復時流儔遠度汝舟奇思灝氣高出一世所行七幅庵集唾心集步天集總之皆不經人道語眞是奇人孫幼如起都少而稱詩長習經義雅麗弘肆鑠古切今極才人之致孫燕詒謀稱詩南國多四方之遊所行詩草申文定序之推許甚至李象先佺雅意標舉所著詩集余嘗爲之序頗極推挽而君心似不肯予言知其志大宇宙也此皆垂纓戴縱青

青子矜以其餘力肆力于茲具足千秋可名一代寻皆得時與往還閒伸唱和其他干將之氣斗牛相望汗血之駒跳踱欲騁者尚多不能悉記也金陵多材豈不盛哉

又云張子明正棠詩法盛唐饒王孟韋柳之趣胡彭舉宗仁詩奇峭多新致周吉甫稱其句中有畫類王右丞葉循甫遵家本素封而好韻事所居水石花木皆有佳致詩與柳陳甫陳延之輩相唱和翩翩遒上且學多所通近焦弱侯先生升庵外集校讐編次皆循甫筆也歐陽惟禮名序以太學生官府幕投紱歸惟

禮兄弟多翰墨交所自運清拔有韻又善書法頗
銀鉤蠆尾之意信是白眉
司馬西虹三餘雅會錄後序云吾鄉雖稱都下去輦轂
遠宦于此者率事簡多暇得遂觴咏之樂天順中翰
林學士吉水石溪周公叙始結詩社擇吾鄉能詩士
人若賀公確王公麟羽流邵以誠凡十人與游題曰
南都吟社成化間翰林學士西蜀賛齋周公弘謨繼
之復與士人沈公庠任公彥常金公晃十二人游題
曰清恬雅會正德初戶部侍郎海陵柴墟儲公巏復
繼之乃與揮使劉公默士人施公懋謝公承舉凡十

人游題曰秣陵吟社夫三公者皆海內文宗其人品詩格俱高乃能下交諸士人諸士人亦不少屈諂觴咏適情密若昆季每一會時都人輙拭目傾耳稱爲勝事自柴墟去後此會遂廢前輩風流不可復見予歸田來二稔咸寧盧書菴紳來爲大司徒而西平王崇谿誥亞焉通州馬石渚紳來爲大司空而餘姚楊東橋大章亞焉四公德器無愧石溪諸公而同年之情殆若過之未朞而爲會者七入冬四會俱有唱和得詩四十八首彙爲一編題曰三餘雅會錄盖以四公經理有暇仕之餘也予與石郚力穡就閑耕之餘

也又入冬爲會歲之餘也三餘列而年情友誼藹詩具見之矣觀斯編者其聞風興起踵石溪諸公之跡而復我南都之勝事乎書于末簡以致望焉

顧東橋先生喜談詩嘗曰李空同言作詩必須學杜詩至杜子美如至圓不能加規至方不能加矩矣此空同之過言也夫規矩方圓之至故匠者皆用之杜亦在規矩中耳若必要學杜只是學某匠何得就以子美爲規矩耶何大復所謂舍筏登岸亦是欺人

王欽佩嘗論詩云唐詩自成一格不與雅頌同趣漢魏降于雅頌唐體沿于國風雅言多盡風體則微今以

雅文爲近詩未嘗不流于宋也未第時夢中聞句云起來小歩傍閒堦花霧襲衣寒氣重乙丑閣試春陰詩遂入此聯李長沙批云二語如有神助儲靜夫讀其詩至珠樓十二盡沉沉畫棟泥融燕初乳擊節曰絶似溫李陸子淵笑曰本是王韋時謂善謔

王韜字欽晦逌欽佩先生之族弟商於汴京遂與空同先生善空同有送王韜一絶云王郎口談金虎文自稱師是紫陽君挂帆明日忽南去影落龍江五色雲今載集中

盛仲交游祈澤寺從佛龕中得敝紙上書一詩云斫地

又戴恩光出草廬其一曰謝慧字如愚年三十五有土苴集病中有感詩曰清秋臥病故人疎卷帙床頭費卷舒三逕黃花開雨後一庭紅葉染霜初食無魚肉空彈鋏道有豺狼謾上書自古功名鮮終始嚴光不仕欲何如挽徐子雲先生詩曰長安大隱老詩仙白玉樓成上九天問字諸生閑絳帳承家孤子守青氊空山不返松楸夢遺草猶存月露篇新塚纍纍華表壯何時應是鶴歸年其一曰劉剛字孟堅年三十五有雪礀藁爲僧題氷雪軒曰玉龍蟠處構空房潔白相看興味長法雨飛來朝作凍天花疑處夜分光

翻經不用燒蓮炬入定何須坐石床曾向此中尋惠
遠一團淸氣逼詩腸其一曰彭木正字大方年三十
四有可溪日藁等集哭孟堅詩曰毀璧明時歎陸沉
朱弦山水絕知音壯心已負雲臺在遺響空流雪磵
深交友自多金石好恤孤誰一死生心鳳凰城下靑
山郭水繞荒墳散野陰重來金陵與世昌夜話詩曰
昔别驪駒憶祖筵重來舊榻尚高懸憑將緑酒消離
恨相對靑燈說往年黑子屢添香篆火侗郎能誦古
人篇一時談笑成傾倒却怪隣鷄促曉天其一曰萬
勛字功著年四十二有柳溪吟稾題槐陰書屋曰繞

屋高槐手自培綠陰長日護書幃雨來赤蟻排長陣風定青蟲吐細絲花滿故枝思振奮影過虛席聽吾伊待看造就經綸業三策先當獻玉墀爲人題四老行樂圖曰太平襟度冬忘機散步晴郊看夕暉但願尊前常酩酊儘教世上鬬輕肥殘紅門巷鶯聲老新綠池塘燕子飛我亦生平耽此樂年來轉覺與心違

其一曰胡瑛字廷璨年三十九有梅屋藁和人暮春漫興云雙雙紫燕入疎簾情況蕭然白晝眠湖上一春頻對酒枕邊長夜只聞鵑筝穿古砌苔痕破日到閑庭樹影圓珍重故人成遠別相思兩地共嬋娟冬

夜懷歸曰擁爐獨坐三更後萬事縈心益慘淒塞鴈
一秋鄉信杳家山長夜夢魂迷雞聲滿院天將曙竹
影橫窓月漸低他日公家容我退青山深處得幽棲
世昌嘗自作雲山烟水圖題云萬疊雲山著敝裘五湖
烟水泛孤舟一從官道鞭羸馬十載滄洲負白鷗
王韜字欽晦廼欽佩先生之族弟商於汴京遂與空同
先生善空同有送王韜一絕云王郎口談金虎文自
稱師是紫陽君挂帆明日忽南去影落龍江五色雲
今載集中
盛仲交游祈澤寺從佛龕中得數紙上書一詩云研池

滿座落花香墨透纖毫染漢章靜臥衲衣雲似水[illegible]
懸紙帳月如霜栝浮野渡魚龍遠錫振空山虎豹藏
幸對爐煙坐終日煮茶清話得徜徉友人褚偵呈雪
庭法師座前清覽洪武辛亥暮春書于清隱小軒偵
字本中不知是金陵何許人也
陳羽伯評青溪四子詩云高汝州近思雄壯奇拔馬國
學子道博雅典則金文學子坤清新秀朗金孝廉子
有則兼總諸長詞義雙美周吉甫曰金氏昆玉尚有
詩集若高馬二公人且不知其姓名矣況于詩乎
城北嘉善寺有奇石景最幽文衡山嘗與許巤泉同遊

題詩竹上云蕭蕭落木帶江干翦翦幽花過雨斑豈意旅遊逢九日共來把酒看三山後書丁亥九月九日徵明同子嘉彦明同子穀來休承即刻詩大竹上好事者取詩竹製筆筒在王丹丘家

盛仲交嘗遊清凉寺與友人同登環翠閣覩壁間諸詩因以佯狂張藏厓五韻索仲交賦仲交援筆書壁上云三人閣下共徜徉此日風流壓楚狂讀書不數鄭監稅任俠那誇許少張風生虎向谷旁吼霧盡豹豈山中藏從來陸雲最文弱休笑形貌多羸厓詩成友人咋舌

嘉靖年間修三山街牌樓取土得一石高可八寸闊一尺三寸上刻一詩云青衫白髮老參軍旋糶黃粮買酒尊但得有錢留客醉也勝騎馬傍人門下書子昂二字字與刻皆精工詩乃宋尚書盧秉之作

湛甘泉爲大司馬拆毁庵觀淫祠豹韜衛營中一庵有尼覺清題詩于壁云急忙簡點破袈裟收拾行囊没一些袖拂白雲歸洞口肩挑明月繞天涯可憐松頂新巢鶴却負籬根舊種花再四叮嚀猫與犬休教流落俗人家世皆傳誦之

陳霆字震伯嘗居白下所著有唐餘紀傳兩山墨談治

山堂詞話嘗言奪錦標曲不知始何時世所傳者僧仲殊一篇而已予每浩歌尋繹音節因欲效顰恨未得佳趣耳庚辰卜居建康暇日訪古采陳後主張貴妃事以成素志按後主既脫景陽井之厄隋竟戮麗華於清溪後人哀之即其地立小祠祠中塑二女郎次即孔貴嬪也今遺構荒凉廟貌亦不存矣感嘆之餘爲作此闋調寄沁園春云獨上遺臺目斷清秋鳳兮不還恨吳宮幽徑埋深花草晉時高塚銷盡衣冠橫吹聲沉騎鯨人去月滿空江鴈影寒登臨處且摩挲石刻徙倚闌干　青天半落三山更白鷺洲橫一

水間問誰能心比秋來水淨漸教身似嶺上雲閒擾
擾人生紛紛世事就裏何嘗不强顏重回首怕浮雲
蔽日不見長安

西谿龍公詩詞未有刊本僅從人家卷軸上見之得其
一詞云田廬重葺勸谿翁休作千年調指新屋數閒
連舊屋團轉不愁風雨買得林丘旋開亭榭意思而
已矣雖然節省短景只消如此　陶宅李莊幽邃深
藏少出安樂從今始夏麥秋秔時歲好含含鷄肥酒
美婦要城居兒嫌產薄絮語常常在耳勞生自苦更
到何年知止乃念奴嬌詞也

東橋先生寄王子新過秦樓詞云虎臥天門龍騰鳳闕書法王家原妙畫爛衣襟磨乾池水透得舊來關竅更狂僧醉聖探奇掇雋縱橫顛倒愛青年方盛高名欻起萬人稱好　嘆拙手勉强挑戈依稀撥鐙那識就中天巧欲取金丹幷攜洛賦子細從君論討只恐揮毫遲留迅疾肘腕不禁衰老判千金買紙如山倩渠長掃又跋其所書蘭亭卷云吾國王子新英年遒起遂擅海內書名或者議其眞書稍肥余謂莊重沉着脫去佻巧獨得鍾王遺法賞愛爲極其爲之標譽如此

景前溪爲編修時作自罰篇云職天子近侍在古六卿之列進不能效啟沃之益退復不束修自勵惰學尤官之賜美服安坐于心能自寧乎古稱竊位蓋近是也公刻意自勵如此以翰苑清華而玩愒者愧矣

金陵諸舊扁額　清涼廣慧寺德慶堂牓南唐後主撮襟書　攝山妙因寺額南唐徐鉉書　幕山樓臺榜闕蔚宗書　王荊公定林昭文齋米芾書　鍾山第一山亭額米芾書　棲霞寺扁宋仁宗賜額　雨花臺總秀堂扁宋王埜書　府學泮宮字朱文公書今爲縣學　鳳臺攬輝亭榜朱希真隸書　景定清化諸橋榜

皆馬光祖書　博雅堂扁宋張卽之書　多福寺額
元趙孟頫書　寧壽堂扁趙松雪書　余村玉皇觀
松菴二隸字大德間狀元王龍澤書　明初宮殿諸
榜詹希源正書何元朗叢說云朱孔暘書　府部列寺諸牌坊皆詹
希源書　太學明德堂榜詹希源書　大報恩寺榜
朱孔暘正書　碧峰禪寺榜乃紫芝黃謙書　天界
萬松菴扁仲山王問書　許奉常家會元坊三字徐
霖書　詒穀堂扁金琮書　報恩寺三藏殿婆羅館
扁濟寧于若瀛書　顧東橋息園中載酒亭扁元俞
和紫芝書　永慶寺松隱堂扁李登鍾鼎書

茅元儀武備志成曾經神宗乙夜之覽天語稱其該博元儀即顔其堂曰該博宋比玉擘窠作八分書廣三尺許爲比玉生平得意筆堂在秣陵武定橋東今其室數易主額不知所在矣

舊內後堂扁曰忠實不欺之堂字畫清勁奇古疑爲朱文公書及攷金陵志乃是宋理宗書賜郡守馬光祖者至元二年重建正廳仍用忠實不欺舊扁張起巖作記

露書云天下學宫皆書明倫堂獨應天府學書明德堂云文天祥手書存其跡

王鳳洲游金陵諸園記畧云李文叔記洛陽名園十有九洛陽雖稱故都然當五季兵燹之後生聚未盡復而所置官司自留守一二要勢外往往爲倦宦之所寄秩其居第亦多寓公之所托息顧能以其完力置爲園池皆極瑰麗宏博之觀金陵自高皇定鼎二百年來江山之雄秀人物之妍雅豈弱宋故都可同日語而園池不盡稱于通人何也予以召陪留樞職務稀簡得侍諸公燕游于棲霞獻花燕磯靈谷之勝約畧盡之既而染指名園若中山王諸邸所見大小十餘處必遠勝洛中盖洛中有水有竹有花有檜柏而

無石文叔記中不稱有壘石爲峰嶺者可推也予幸得游安可以無記自中山諸邸之外獨同春園可稱附庸而武定竹園在萬竹園上因併志之

東園一曰太傅園壯麗爲諸園甲初入門雜植榆柳餘皆麥壠轉而右爲心遠堂爲月臺爲小蓬山有峰巒洞壑亭榭之屬兩柏異榦合抄竹樹峭蒨于蔭宜從左方竇而進有一鑑堂枕大池丹橋迤邐凡五六折于小飲宜橋盡有亭甚整潔宛宛水中央一水之外皆平疇老樹樹盡而萬雉層出水盡得石砌危樓縹緲畫船載酒由左爲溪逹于横塘則窮園之衡袤幾

半里時時得佳木武廟南幸嘗于此設釣樂之移日不返即此亭也園在武定橋東城下西與舊院鄰今廢

西園一曰鳳臺園在郡城南稍西去聚寶門二里而近折徑以入爲鳳遊堂前爲月臺有奇峰古樹右方栝子松高可三丈徑十之一相傳宋仁宗手植以賜陶道士者且四百年矣婆娑掩映可愛下覆二古石一曰紫烟最高垂三仞色蒼白喬太宰讖爲平泉甲品一曰雞冠宋梅摯與諸賢刻詩當其時已賞貴之有建康留守馬光祖銘左曰堅秀閣特爲整麗閣前一古榆大合抱不甚高而垂枝下飲芙蕖沼有擠虬猲

猊之狀沼廣袤十餘丈清瑩可鑒毛髮南岸爲臺可望遠高樹羅植畏景不來北岸皆修竹蜿蜒起伏奇卉名果錯雜繁茂考周公瑕所撰舊志堂閣亭榭以百十計多不復存矣顧文莊曰園在城南新橋西驍騎倉南記稱鳳臺園誤其隔弄者乃鳳臺園也

鳳皇臺舊在建初寺之後一曰保寧寺聚寶石城間稍隆處也蹤跡漫滅不復可識錦衣徐君園內有小土阜相傳爲鳳凰臺古跡有井甚甘曰鳳皇井爲堂以冠之後軒臨渟碧池臺之後阜最高者叢石爲基飾以佛宇曰叢桂菴其地有古榆修竹之類後遇朱梆

州衣二云鳳臺本僉憲阮公里居後有鳳皇泉水甚冽而甘云然自園數易主臺亦數見侵削矣中舊有一巨石爲陳廷尉載去後廢爲上元官寺復爲土人侵占太守陳公開虞正在修復

魏公南園當賜第之對街堂五楹頗壯前爲坐月臺有峰石雜卉之屬右復爲堂三楹四周皆廊廊後一樓朱甍畫棟綺疏雕題相接也前滙一池三方皆壘石中畜朱魚百許頭有長至二尺者拊欄而食之悉聚若績錦從左逶迤而下甲館修亭複閣累榭與奇石惟樹繡錯牙互左折而下新治一軒其麗殊甚而梳水西南二方峰巒百疊蜺攫猊飲得月助之項刻變

幻勢態殊絶

魏國第中西圃葢出中門之外西穿二門有堂翼然又復爲堂堂後復爲門而圃見右折而上逶迤曲折叠磴危巒古木奇卉使人足無餘力而目恒有餘觀當賜第初皆織室馬廄久不治甃爲瓦礫場太保公除去之徵石于洞庭武康玉山徵材于蜀徵卉木于吳會而後有此觀後一堂極宏麗前叠石爲山高可以眺羣嶺頂有亭尤麗所植梅桃海棠之類甚多聞春時爛熳若百丈宮錦幄也

葢大功坊之東爲四錦衣東園入門折而東南向有堂

甚麗前爲月榭堂後一室垂朱簾左右小庭耳堂翼之折而西得一門則廣庭廓落前亦有月榭以安羣峯中一峯可比到公石而嵌空玲瓏莫可名狀云故吳郡物也北有危樓凡二十餘級而登前眺報恩寺塔當窓而聳得日而金光漾目大司寇陸公絕㫜以爲奇北有華軒三楹北嚮以承諸山躡石級而上登頓委伏紆餘窈窕上若躡空而下若沉淵者不知其幾亭軒以十數皆整麗明潔向背得所橋梁稱之所尤驚絕者石洞凡三轉窈𡨋沉深不可窺測雖盛晝亦張兩角燈導之乃成步𨬇處煌煌僅若明星數點

吾游眞山洞多矣未有大喻勝之者水洞則淸流泠泠旁穿逮一亭瑩澈見底朱鱗數百頭以餅餌投之駢聚躍唼波光溶溶若冶金之露錙頳茲山周幅不過五十丈而畢足殆里許乃知維摩丈室容千世界不妄也

萬竹園與瓦官寺鄰亦魏國家物有堂三楹前爲臺臺亦樹數峯墻可高數仞朱樓扃鑰甚固啓之亦殊壯左廂三楹亦可布席此外則碧玉數萬挺縱橫將二三頃許偃蹇自得幽深無際赤日避而不下涼飈徐發惜不能鑿池引水以益魚鳥之致有餘憾耳

徐三錦衣家園與鳳臺基趾相接在宅第之後折而東五楹翼然廣除稱是爲月榭以承花石東啓垣則别一仙界矣由山居躡級而上最高處得一樓東北鍾山紫翠在眼下上迤邐皆有亭館之屬伏流窈窕穿中石橋二麗而整曲洞二蜿蜒而幽深益東則山盡而水亭三楹出焉池水清冷鑒毛髮朱魚有徑尺者鼓鬣自恣奇峰峻嶺參差岸崿惟木素藤樛互映帶朱樓畫閣上割雲而下醬波眞使人應接不暇

徐氏兩西園之外復有稱西園者一曰金盤李園去石城門可一里而近門俯大街有堂三楹後爲臺循臺

轉可三十武櫛榆挾之高楊錯植綠陰可愛堂三楹其南爲臺堂之陰叠石爲山其趾皆鑿小池宛曲環遶可以流觴而不知水所從出山麓爲亭亭下爲洞倚墻而竇墻後復有山當是流觴之水之委也左右老栝八株大者合抱偃蹇婆娑生意遒盡垣外竹萬箇雜高榆數十與落照相鮮新東北高阜亭其上曰碧雲深處可以東眺朝天宫北望清凉瓦官浮圖烏龍之靈應觀亦佳處也大約魏氏諸園此最寬廣而不爲倫列得洛中遺意

徐九宅園廳事南向甚壯前有臺峰石皆錦川武康牡

丹十餘種被焉右啓一門廳事更壯而加麗前爲廣庭庭南朱欄映帶瀕一池池三隅皆奇石中亦有峰巒松栝桃梅之屬亭館洞壑縈錯左右晝樓相對而右尤崇踞石臺爲三層時久旱得雨登樓而飲則烟霧羃𢯱忽近忽遠皆有姿態

莫愁湖園亦徐九別業也出三山門不數百步而近其景爲最勝葢其陰即莫愁湖衡不能半里而縱十之隔岸陂陀隱隱不甚高而迤邐有致登樓縱目無所礙每夕日將墮山水映幕宛若李將軍金碧圖

同春園者故齊王孫所創也在城西南隅入門可方數

轉而右闢廣除豁然月臺宏敞峰樹映掩嘉瑞堂承之額故邢公一鳳篆復得一門有堂曰蔭綠文博士彭隸二書皆名筆許太常記所謂垂柳高梧長松秀柏綠陰交加覆于欄檻者是也堂北嚮其背枕水而閣曰藻鑑傍爲漱玉亭太常所謂亭下有泉泉外植竹千挺泉流有聲琅玕成韻者也壘土石爲山逶迤下上亭館列焉多牡丹芍藥花時爛熳大足娛目此園後爲歐陽長林所得臺榭樹石皆有增加香橼數本結實纍纍今歸戴于袞兄弟

武定侯故園在竹橋西漢府之後土墻橫亘里許其中皆竹而北其竇闖而入面東一軒後一堂亦面東又

十餘武水亭三楹得一池其外皆竹大者如盌去西可三十丈而殺南北總五十丈而贏東則汗漫無際矣鸞稍翔空畏日不下輕颸徐來戞玉敲金三伏之際不待遇阮公然後把臂入林也

市隱園鴻臚姚元白所創姚君與故顧尚書璘許太常穀邢侍講一鳳余洗馬孟麟遊諸賢之詩稱之不置入堂後一軒雖小頗整縈庭背奇樹古木稱是轉而東一軒頗敞出門穿委巷得園叩北扉而入茅亭南向左小山以竹籓之前爲大池縱横可七八畝右有平橋橋盡得平屋五楹所謂中林堂者也池前亭臺

橋館之屬署具堂後一軒枕池曰鴉羣閣時久旱御雨坐閣中雨聲琅琅已而平波盡鱗蹙風欲立遥望所謂小山者黑雲羃之殆若潑墨意頗灑然此園今歸鄧太史元昭　文徵明題市隱園詩　芳園卜得傍神京誰識高人大隱情不欲遊親聊溷俗未能忘世且逃名絕勝人境無車馬眞有山林在市城若把終南論栗里只應藏用愧淵明

武氏園在南門內小巷內園有軒四敞其陽爲方池平橋度之可布十席橋盡數丈許爲臺有古樹叢峯菉竹外護池延袤不能數十尺水碧不受塵時聞瀧瀧聲蓊青溪所借流也右有精舍啓鐍而入堂序翼然西一樓頗麗中供吳小仙偉所畫呂祖像聞武君靜

欽不渉外事而奉佛好長生時捐橐爲施亦一佳士

也

王貢士杞園在聚寶門外小市西之弄中門對大河河

北爲帝城入門得堂三楹南向庭中牡丹數十百本

五色煥爛若雲錦從牡丹之西竇而得芍藥圃其花

三倍於牡丹大者如盤裛露迎颸嬌艷百態茉利復

數百本建蘭十餘本生色蔚渟可愛傍一池云錦邊

白蓮花甚奇于洛中擬天王院花園子葢具體而微

此園後歸臨淮李君石蘭所蓄蘭蕙甚盛李君殁又易主矣

顧隣初大史遯園在杏花村中因舉村中之園各紀以

詩小序曰杏花村方幅一里內山園據其什九雖與曠異覡小大殊趣皆可游也間與同人散步其中稍得勝賞因各爲一詩紀之惜不能如李方叔之記名園使人足當臥游耳

鳳臺園舊爲魏公別業後屬上瓦官寺諸髡次第乎其臺芟其樹而稅與灌園者名勝盡隨諸髡且自咤爲青銅海矣　傷心千古鳳皇臺蕭瑟僧寮伴草萊歌扇舞衣無處覓西風蟬咽不勝哀今正在修復

張太守孚之佚園舊爲徐公子萬竹園張與王太守分其地而有之堂榭具存古樹深篁杳然異境　萬個

琅玕抱石斜朱闌深鎖但棲鴉自從仲蔚辭三徑誰爲求羊掃落花　孚之名文曄治台郡有能聲孚之亾後其少子循質率諸孫讀書其中

王太守爾祝圃即所分徐氏之一也中有高樓古樹頗自蒼然然太守生前足跡曾不一至圃丁灌藝而已

高臺傑閣倚崔巍疊石疏花面面開爲問輞川文杏館幾從裴迪賦詩來

西圃舊爲徐公子業水木最爲森秀窈窕中有古栝及石皆宋時物也實爲諸圃之冠　西園坦迤接華林窈窕經丘樹色深朱戶畫扃唯鳥雀不知誰抱薜蘿

心　此園再易主歸桐城吳中丞中丞名用先字體中著作極富歷官薊遼總督以忤璫歸老園中懿行載在皖志子日杲中書舍人品高學博能世其業吳孝廉孔璋園園爲齊王孫業吳以善價得之地故倚城隅多竹與桂望之陰森蔽天日　城陰竹色勝梁園六十年來綺不繁鬧道幼輿丘壑在不妨移石動雲根此園今歸鄧太史元昭館舍樓閣修治一新

何參知公露園西北枕鳳皇臺亭館池樹參差多致舊爲姶氏所創屢易主矣後爲方士醒神子館參知得之小爲拓濶與遯園東西相望也　琪花瑤樹近堪

攀海上求仙去不還獨賸文成馬肝石參差疊作大何山

卜太學味齋園在花盝岡西桃上瓦官寺地既高曠有樓三楹面東而峙遍覽城內外最爲登眺勝處俯視西園如接几案矣　嵯峨飛棟入烟空俯視皇州一氣中誰向賞心誇絕景已專丘壑大江東

許典客長卿園在驍騎倉西北爲九天祠有堂有閣有亭有軒翼然具體內繡毬花絕大而茂可與鳳臺西紫薇競秀它所未有也　元度閒情閒薜蘿徵花選石倚婆娑名園不淺春華色總讓中庭玉樹多

李象先茂才園在古瓦官寺南余遯園之右面東門丁長榆數株清陰夾巷舊爲甯伯隣書屋僅老梅數株耳象先擴而潤之幽邃有佳趣　瓦官寺南高樹陰中有幽人橫素琴曲房小徑殢還往夜靜獨聞鐘磬音

許長卿新園在張氏佚園之北亦萬竹園地也長卿購之爲起亭館迤邐可數百丈花木秀野長卿恒與客嘯咏其中　半畝之塘看戲魚荳棚瓜架日蕭疎高齋把酒聽黃鳥恰是江南四月初　此園曾歸王孟與文學亦數易主

許撫射圃在蕭公廟東入門曲房宛折至迷出入轉入廟後地忽宏敞頗以竹樹綴之　人間玉斧自仙才隱洞深依古殿開宛轉曲房何處入直疑瑶館祕天台

湯太守熈臺園在杏花村口地不甚廣而多佳樹亭子外老杏數株花時紅霞映地　杏花村外酒旗斜墻裏春深樹樹花莫向碧雲天末望樓東一抹綴紅霞

陸文學園在許典客園南有池種荷芰小亭踞其上花架綺錯望之斐然　一點妖紅泛綠波曲池芳樹婆娑不妨靜引南薰坐自按江南子夜歌

者太學子中園在村東城下古屋數間中有牡丹[illegible]舊入門皆修竹今不復茂矣土亘版扉人不知其[illegible]有園也雪浪和尚曾寓此中余過之謂可辟世　修竹晴看綠雪飛古墻深巷隱雙扉不須更說喧難避苔徑由來屐齒稀

張保御園在許無射園北舊爲王太學館保御得之中有屋三楹清寂可人亦多佳樹友人沈不疑常稱之

曾從沈約問郊居此地仍堪賦遂初苦竹自深人不到可能重駐子猷車

隣人李氏小園在湯園之東兩塘相連彎環清泚堤上

垂楊大可合抱杏花斜拂水面老幹鐵立亦可賞也

小池微亞綠楊低黃鳥春晴不住啼何處一樽堪引醉小橋斜日杏花西

武文學園在下瓦官東雙扉常扃閒多花竹錯以山石未及游其藩茅從鳳臺西見杏樹繁盛異常為之延眺而已　咫尺桃源未問津隔墻紅樹擁殘春自嗟尚淺王郎興嘯咏還期待主人

羽士園在驍騎倉東南有池可種蓮新架高閣延矚東南諸山　欲隱何須更買山即看高閣逈塵寰遊建業千峰出盡在危欄指顧間

周南園其地名外井修竹數十竿小屋數椽而已弟

此未終而坳余每到此不勝人琴之慟　綠坡修竹影離離小屋梢雲入暝遲莫問何家山小大月中清嘯玉參差

太復新園在九天祠之北地平曠新搆屋宇蒔花竹共覛摹大槩如遯園而加整飭　自愛山林引興長更憐春草媚池塘行園處處皆相似與作新豐也不妨

華林園即吳宮苑地宋元嘉中更修廣之鑿天泉池造景陽樓大壯觀花光殿設射堋孝武率羣臣讌集效柏粱體爲詩九宮盛事于旒纊帝　三輔務根誠難亮

揚州刺史江夏王義恭　策拙粉鄉懸恩望南徐州刺史竟陵王誕　折衝莫效與民謗領軍將軍元景　侍禁衛儲恩踰量太子右率暢　臣謬叨寵九流曠吏部尚書莊　喉脣廢職方思讓侍中偃　明筆直繩天威諒御史中丞顔師伯

盧公玉田取選時夢中得句云水國微茫路不分紅香引入白雲深後官南戶部過湖恍如夢中句因續云仙洲恍覺非人世民部無論有翰林日永放衙看鶴舞雨餘憑檻聽龍吟平生剩有烟霞癖宦海何當慰此心

王小山者太原人隨宋南渡僑寓高淳見其傍土阜峻

虞臣手植木樨數本于上復搆臺榭以護之數歲
花呈五色芬香異常洪武間聞于朝歲遣中使採花
以獻尚書齊泰王出也嘗爲詩紀其勝後以中使暴
橫泰奏請停止不踰年木樨亦枯死今遺跡尚存子
孫皆居其處人猶稱爲木樨王云

高淳縣建自弘治六年其議始于應天府丞寶應冀公
綺維時一村落耳綺得請則躬往相度經營數載首
卜澤宮規制悉具指授工就廼列植貞松于垣後曰
松出墻丈淳其有興乎後十餘年松踰墻隨有領鄉
薦者自是人文不絕今松日茂繞如列障冀公寔大

有功于淳民云

江寧縣有研官署齊高帝造研所也嘗造凝光研賜王僧虔一云銀光丹陽記

李後主留意筆札所用澄心堂研李廷珪墨龍尾硯三物為天下之冠澄心堂卽今內橋中兵馬司遺址乃徐知誥為昇州節度時府也

李時勉正統中為祭酒太師英國公及侯伯二十餘人早朝畢奏曰臣等皆武夫不諳經典願賜一日假詣國子監聽講上命以三月三日往是日太師率侯伯到監始攜茶湯果餅之屬甚豐李祭酒命諸生講五經各一章講畢設饌諸侯伯讓曰教授之地

就列坐歌鹿鳴以徹時稱太平盛事

雪梅不知何許人止長干寺爲詩清奇人爭誦之性宕不羈每得施予即付酒家如是數年忽踏歌曰老雪梅今日不歸幾時歸輒自荅曰歸歸端坐而逝

西域僧不知名常止雨花臺南囘囘寺中貌若四十許人解中國語自言六十歲矣不御飲食日啗棗果數枚所坐一龕僅容其身每入定則令人扃其龕以紙封之或經月餘謦欬之聲都絶人以爲化矣潛聽之聞其掐數珠聲歷歷也楊景芳者嘗館于家叩其術但勸人少思少睡少食耳一切施予皆不受曰吾無

用也後莫知所終

江南李昪問道士王棲霞何道可致太平棲霞對曰先治心治身乃治國家今陛下尚未能去飢嗔飽喜何論太平宋后自簾中稱歎以爲至言

淳熙十一年溧陽倉斗子坐盜官米黥配而籍其家得草書二軸題云庚申歲書其名權花押正如一劍之狀蓋鍾離翁也詞云露滴蘭芽玉滿畦閒拖象屐到峰西但令心似蓮花淨何必身將槁木齊古塹細香紅樹老半峰殘雪白猿啼雖然不是桃源洞春至桃花亦滿蹊李粹白跋曰字畫放逸有翔龍舞鳳之勢

脫去尋常蹊徑飄然神仙風度也眞本藏建康府治

軍資庫一作唐僧貫休詩見弘秀集

茅山元符宫有蘇養直像自贊其上曰松風颼颼瘦藤

在手惟此白叟獨全于酒

蘇峻反祈鍾山神許畫朱鬣紫蹄馬碧蓋朱絡車後郗

鑒入援亦祈鍾山山神謂鑒曰蘇峻爲逆人神所憤

當與蔣子文共誅鋤之峻亦祈我豈可助之爲虐令

以一疏相示及案收而疏見

世上童謡相傳熒惑星化爲小兒授之庚午辛未間秣

陵小兒突有三年活兩歲之語無端喧傳者十餘載

至甲申乙酉兩歲改革之兆已定于十餘載之前豈偶然哉

欽天監官粱方字省愚亦子名津皆知天文曆數不由師傳悟出射字法隔牕或隔壁一內一外隨人寫文句與在外者一看或耳邊道一詩句卽拍掌數下在内者應聲云此其字某句也周吉甫嘗寫自作移居詩鶯聲催小飲鶴步伴閑行兩句未曾示人者與之射一字不差乃大服其妙

晉元帝渡江隨帝有王離妻李氏者洛陽人將洛陽舊火南渡自言受道於祖母王氏傳此火并有遺書二

十七卷火色甚赤異於餘火四方病者將此火煮藥及炙諸病皆愈轉相妖惑官司禁不能止及李氏王火亦經時而滅人號其所居爲聖火巷在今縣東南三里禪衆寺直南出御街齊武帝末年謠言云赤火南流喪南國帝憂之是歲果有沙門從北來齎此火至火色赤於常火而微云可治疾貴賤爭取之先齋戒以火炙桃板七炷而疾愈吳興丘國賓竊還鄉邑邑人楊道慶虛疾二十年形容骨立依法炙板一炷即瘥是月武帝崩

金陵書品　杜大常環字叔循宋景濂稱其正書入能

品　陳中復工楷書　陳孟顒工楷書　朱孔陽洪武中以楷書名榜書更妙　朱銓字士選迺孔陽弟太宗文皇帝選寫金經入翰林習書　姜濬字子澄仁廟居潛邸召寫金泥字經最眷注之　顧謙以楷書薦累官主事　將士孝工小楷　翟太常瑛字廷光作字運筆如飛結體流麗可愛　李太僕應禎善楷書成化時有旨命寫佛經上疏言臣聞天下國家有九經未聞佛經楊君謙外集中載應禎全疏　生肱童士昂楷書遒勁有法　辣齋王尚文小楷丁馬郎中巘字公信法趙孟頫　紫芝黃謙字[illegible]

草遒勁古雅而榜書更玅　景前溪伯時初工眞行後師周伯琦小篆頗得風骨　南原王欽佩眞草清雅有法　東橋顧華玉眞草皆清徹可愛　劉南坦元端法羲獻片紙隻字人得之爲至寶　顧英玉眞草皆有晉人風味　徐子仁九歲作大書操筆成體正書出入歐顏大書初法朱晦翁幾亂其眞後喜趙松雪筆力遒勁布構端飭成一家書至於篆字得法于異客更造闖奥西淮李㣲白巖喬太宰時號篆聖見則吐舌下之以爲不及　周約庵子庚有王右軍風骨　王吉山子新學聖教序最擅書名但恨其

過于圓熟耳　山農金元玉初法趙子昂晚年學張伯雨精工可愛落筆人便持去元玉家有極高明樓每夜學書煞燭一枝月煞三十枝寒暑無間　石亭陳曾南法蘇眉山評者謂不減吳匏庵篆隸亦佳玉泉陳羽伯行書筆筆晉人　馬南江呈道嘉靖二年貢士四體俱工極有書學　邢太常一鳳字伯羽嘉靖辛丑進士及第工篆書　顧寶幢清文法孫過庭筆力遒勁　馬鷺汀誠望刻意聖教序最佳崖陳子野法鍾王俊逸可愛　秋宇胡懋禮得意之筆酷似祝枝山　雲浦盛仲交小楷法倪元鎮

出入于蘇米兩家古拙中有拔俗之韻隸字更傚古元牘記一冊品題古今名帖　姚秋澗元白行書出入于黃山谷趙松雪兩派而得于趙者爲多　許石城仲貽工行書　楊虛游道南眞草自成一家　金慕楨名魚乃赤松山農家學筆力稍歉　謝髯九子象出于蘇黃兩家筆力清硬　金蓉峰名元初字元予行書有法有趣　何太吳仲雅工行書以上見金陵瑣事而顧文莊云瑣事載金陵書法亦有遺者國初劉中翰理子素孫艮三世能書皆官中書舍人俞公綱上元人以生員善書官至南禮部侍郎　羅

沈參議麟明敏善書　劉千戶蒼能爲趙松雪書　朱參議貞幼工休齋鍾書遒勁盈尺徑壁無傾邪　陳自庵欽字工人多珍愛之楷法晚變爲行益妙

黄珍書學徐九峰能亂真　陳别駕鋼號遲宜子書法褚河南所摹蘭亭奕奕有致又嘗書小詩于牡丹花玉蘭花瓣子太史沂手裝而爲冊至今存　王太守可大行書法趙松雪大數寸者尤佳余有所書陶詩一幅風神遒勁上逼古人今世不多見也　李太守音行書師鐵門限圓媚流麗翩翩動人

浙登行書學聖教序結搆不失小篆學嶧山碑于

鼎文尤妙說者以爲豐南禺之後一人

又云金陵士大夫多留意墨池者焦弱侯先生眞行結法眉山散朗多姿而古貌古骨有長劒倚天孤峰刺日之象　卜中立行書師章草簡勁無媚骨望之肅然類其爲人　朱元介眞行師趙魏公間出入顏曾公與文徵仲日可萬字運筆若飛小則蠅頭大則徑尺咄嗟而辦從來書家之神速恐未有若此者　許伯倫行書師孫過庭勁媚錯出圓熟溫茂如王謝兒郎皆有體韻　沈生子眞書師晉諸王而波拂點畫具有拔山之力　姚允吉眞行法華更稍益以巳意

簡峭中微帶風觀故自彬彬　余世奕真行師閣帖
筆勢遒美行列古雅較乃祖司成當有出藍之譽
孫幼如真書如玉環豐艷而有致行草師米元章燕
湖學記碑幾如優孟之視叔敖　歐陽惟禮真師李
更篆八分師二李與梁鵠結構不踈古雅有意　胡
彭舉八分書師魏之受禪碑簡勁方正中雅氣逼人
如陶貞白坐聽松樓上語語烟霞無一點塵氣　黄
叔遁行書法章草而清勁特甚余嘗戲謂君舉體尤
恍拖沓當號筆伯而作字秀扁故是一反　許無念
爲伯倫長子真行仍乃父而秀逸過之真如趙合德

初進御時以輔屬體無所不靡　魏考叔龥書師
庭經結搆緻密神采流麗圓扇三尺嫣然動人　近
時洪仲韋名寬家金陵工書法能詩刻有鶴遊堂帖
蝶菴集溧陽宋如圓劫亟稱之　劉令度名篆先書
法稱名家尤善章草天性淳厚與人接如坐春風爲
魏國徐公六岳所重　林古度亦善正書并工行草
唐長史時行書有逸致　顧貢士夢游初學聖教
後自成家一時重之屏幛多出其手　于秀才澂善
行書　鄧彰甫耀能蠅頭楷于便面上寫詩經一部
胥戴遴字安道年十歲在尾官寺畫王長史見之曰此

童非徒能畫亦終當致名但恨吾不及見其盛耳逵子顒亦以畫名

顧愷之字長康圖寫特妙常畫裴叔則頰上益三毛人問其故顧曰裴楷俊朗有識具正此是其識具看畫者尋之定覺益三毛神明殊勝又畫謝幼輿在巖石中人問所以顧曰此子宜置丘壑中又欲圖殷荊州殷曰我形惡不煩爾顧曰明府正爲眼爾但明點瞳子飛白拂其上使如輕雲之蔽月常畫人不點睛人問之顧曰四體妍媸本無闗於妙處傳神寫照正在阿堵中宅在尾官寺東北所著有文集及啓矇記

于世

南北朝張僧繇常於金陵安樂寺畫四龍而不點睛每云點之則飛去矣人以為妄因請點之須臾雷電破壁見二龍飛去未點睛者如故初吳曹不興圖青谿龍僧繇見而鄙之乃廣其像于龍泉亭太清中雷震龍泉亭遂失其壁乃知凝于神也昔瓦官寺梁開善寺俱有僧繇畫

前代金陵畫手如南唐徐熙江南名族也善畫花竹林木蟬蝶草蟲多游園圃以求情狀寫意出古今之外自造于妙尤長設色生意燦然劉道醇畫評列為神

品王齊翰工畫羅漢厲昭慶工佛像尤長於觀音句容郝澄以丹青自樂周文矩能畫鬼神冕服車器人物昇元中命圖南莊最爲精絕江寧沙門巨然畫烟嵐晚景當時稱絕蔡潤善畫舟船及江湖水勢曹仲元工畫佛道鬼神竺夢松工畫人物女子宮殿樓閣顧德謙工畫人物劉道士工畫佛道鬼神

江南北苑使董源善畫尤工秋嵐遠景多寫江南眞山不爲奇峭之筆巨然祖述源法皆臻妙理大體源及巨然畫其用筆甚草草近視之幾不類物象遠觀則景物粲然幽情遠思如覩異境如源畫落照圖村[illegible]之

杳然深遠悉是晩景遠峰之頂宛有返照之色此如

虛也

宋艾宣工畫花竹翎毛孤標雅致別是風規敗草荒

尤長野趣東坡跋其畫云宣畫花竹翎毛爲近歲之

冠既老筆尤奇

李士雲金陵人善山水尤長于寫照王介甫鎮金陵爲

傳神介甫贈以詩曰衰容一見便疑眞李氏揮毫妙

入神欲去鍾山終不忍謝渠分我死前身

陶續金陵人所作花果精緻可玩荆公有題所畫示德

逢詩烟雲過眼錄言鎮江張萬戶所藏陶續菓諸色

凡二十種

黃蘊眞名琳字美之家有富文堂收藏書畫古玩冠于東南吳中都元敬自負賞鑒一日同顧華玉聯騎過美之看畫元敬謂之曰姑置宋元其亦有唐人筆乎美之出王維著色山水一卷王維伏生授書圖一卷又出數軸皆唐畫也元敬驚嘆以爲生平未見云

周吉甫云瓦官寺有厲道元羅漢一軸神光射人見者起敬是汪子寧所捨寺更有宋人羅漢四軸給諫

磐弦公送寺內青蓮閣中供奉此皆奇物也

顧文莊曰余家右童子巷丙辰五月因濬溝掘地得

碑一片其一面上有字言是曹仲元畫山水人物樹木有樵夫擔柴柴上懸一小籠籠中有雀又有擔衣篋前行而後有駕牛車者又有岸晒漁網小舟橫於水中最爲精妙按劉道醇五代名畫補遺仲元建康人少學吳生攻畫佛及鬼神仕南唐李璟爲待詔凡命意搦管能奪吳生意思時人器之後頓棄吳法自立一格而落墨緻細傅彩明澤璟嘗命畫寶公石壁冠絕當時故江介遠近佛廟神祠尤多筆跡此固其一也其一面爲武洞淸筆畫有優曇樹下立一峰石前一古佛手持經卷止一半身其餘缺壞矣按洞淸

乃武岳子米芾書史稱其作佛像羅漢善戰掣筆作髭髮尤工天人畫壁髮彩生動然絹素動以粉點眼人皆先落使人惜之洞清亦南唐人二子遺蹟世無存者今乃從地中斷石得之豈非畫史中一段嘉話耶曹畫所題字不在上亦不在下畫脚與字脚相對刻之今代亦無此式

吳偉字次翁江夏人少遊金陵遂居焉山水人物入神品性戇直有氣岸一言不合輒投研去成化中成國朱公延至幕下以小仙呼之因以爲號憲皇召至下授錦衣鎮撫待詔仁智殿有時大醉被召蓬着

面曳破皂履踉蹌行中官扶掖以見上大笑命作
風圖偉詭翻墨汁信手塗抹而風雲慘慘生屏幛
上嘆曰眞仙人筆也偉出入掖庭奴視權貴人求畫
又多不與於是權貴人數短之居無何放歸南都偉
好劇飲或經旬不飯在南都諸豪客日招偉酣飲頗
又好妓飲無妓則罔懽而豪客競集妓餌之孝宗登
極復召見便殿命畫稱旨授百戶賜畫狀元印章逾
數年稱疾歸居秦淮之東涯武宗卽位召之使者至
未就道中酒死子山能遺命葬之金陵 [illegible]
王子新作松嶋高士圖以贈東橋先生大設色規摹趙

集賢大山頭下有長松數株一人趺坐其下神檢出塵表何柘湖言其無畫家谿徑疎秀可愛蓋風韻骨力出於天成也顧少宰藏有一扇面乃子新所畫墨梅一枝花瓣用淡墨爲之精雅明秀姿態橫生後小楷書一絕句西園春風暖復回妖桃濃杏一時開山禽對我閑關語野叟看花故故來字法智永而遒勁過之其畫不可多得

戴文進永樂間初至金陵襆被爲負者挈去文進借酒家筆圖其貌示衆役夫咸曰某也往迹之得不失又小仙春日同人遊杏花村酒渴從老嫗索茗明年

過之老嫗已謝世小仙援筆追寫其像其子見之大慟不已乞而藏之家又傳小仙幼時戲爲蒙師之婦寫照師怒詈之後婦亡累摹弗肖竟用小仙之筆以祀二公皆不以寫照名而落筆輒奇絕若此至人信不可測

小仙嘗飲友人家酒間作畫戲取蓮房濡墨印紙上數處主人莫測其意忽起縱筆揮灑成捕蟹圖最爲神妙

金陵瑣事載前賢畫品云靜誠陳先生遇善山水曾寫太祖御容妙絕當時　陳中復靜誠先生弟繪事高

雅幼年在靜誠先生側戲弄筆墨靜誠叱曰吾豈他無一長汝迺習其下者乎亦工寫照　史謹太倉人工繪事流寓金陵自號吳門野樵長於寒林雪景自題其畫云雨餘山色翠如苔樹杪寒烟濕未開童子無端掃紅葉隔林知有故人來　張文僖益別號春庵喜寫松竹與同榜夏杲同邸舍杲曰子嘗以文名世墨竹小技宜讓我矣故春庵之畫最少有畫法一卷藏于家　沈誠字文實別號味菜居士喜繪事與到落筆自成一家　金大守潤工山水神會天出得世者絕少　殷善字從善花木翎毛自呂廷振十以

善雨泒中來殊有清致從善之子名偕能專其業

傅禮字公緒與同時鄭春鄭堂皆善禽鳥花木和景染色三人如出一手　馬俊字惟秀號訥軒山水倣唐宋人最古雅獨以鬼神馳名　吳珵字元玉號石居成化已丑進士官至郎中由水法戴文進　李葵字誠伯見人繪畫輒能模倣雖百物像貌無不曲盡　蔣子誠幼工山水中年悔其習遂畫佛像觀音大士爲有明第一手　許昂字世顒梅花清楚不俗

胡隆字必興蔣子誠門人工於神鬼陳督南贈之詩云生此南都住北都十年蹤跡遍江湖歸來爲憶

當時事醉裏淋漓入畫圖　史大方工山水謝子象題其畫云朱艦畫舸繫神都翠篠黃茅覆酒壚好似石頭城外景隔溪歌舞莫愁湖　史癡山水人物自寫胸中逸氣不可以畫之常格求之　江質字孟文浙人流寓南京山水專師戴靜庵但用墨太濃耳山農金元玉畫梅花有逃禪老人筆意自題絕句云一別西湖未得歸孤山風月近何如春來賸有看花興又向君家寫折枝　金璿字元善號松居精於醫旁及繪事曾寫袁安臥雪圖兒元玉題云一片堅貞天地知甘貧豈但雪中儀平生恥作干人態縱使天

晴也不宜　嚴賓字子寅精於賞鑒與文徵仲友得徵仲畫百餘幅畫小景酷似徵仲　蔣嵩號三松善山水人物多以焦墨爲之　九峰徐子仁雖不以丹青馳譽所畫松竹花草蕉石皆精雅可愛　許縉字尚文工山水　馬稷字舜舉號醉任善山水人物花木竹石　薛仁字子良山水人物花草專學吳小仙之筆故又號半仙　李著字潛夫號墨湖童年學畫於沈啓南學成歸家每倣吳次翁之筆以售謝子象題其畫云銀河無路泛仙槎一舸空江此是家殘月照人秋睡穩不知清夢在蘆花　秋碧陳大聲山

水倣沈啓南余藏逸史廷臣一小幀自題絕句云情深此日難爲别相送元方又季方萬里楚江孤棹迥穩吟秋色到維揚　景卿字夢弼善小景花草常寫杏花自題絕句云晴團紅粉護春煙彷彿江村二月天記得踏青回首處一枝斜拂酒樓前　王子新畫法趙松雪得其神俊　黄珍字懷季花草有黄荃筆意　許通善畫牛可亂戴崧之筆晚年自悔用心之惧恐墮畜生道中遁專工佛像　林旭字景初少敏善畫山水品格甚高尤精於傳眞年未三十六

陳子野墨竹花草絕無一點俗氣文徵仲稱之

枝清氣逼人且戒門下士到南京不可畫竹彼處有人蓋指子野　陳石亭六七歲便擁筆模倣古人之畫後入翰林與文徵仲講論其畫更進凡宦游所歷覽之名山大川皆圖成卷軸最得馬河中夏禹玉之妙相傳金陵古今圖攷舊缺乃其手繪也　鄒鵬字遠之號鑄居工山水　盛安字行之號雪蓬居聚寶門外五聖巷爲人耿介清約以梅花馳名詹景鳳云盛行之畫梅豪縱而爽趣勝陳憲章王謙皆不及王孟仁字元甫山水清潤有法文徵仲極喜之謝應午題其畫云吾愛王摩詰從來老畫師鉛華渾欲洗

墨韻自生豪疎樹秋雲合孤舟晚鏡移煙江曾獨泛
相對正堪疑　胡懋禮山水脫去塵俗但所畫者不
多耳　謝賓舉字子隱山水人物步驟戴靜庵具體
而微　顧清甫究心禪理而畫自成一家谿徑迥絕
人不能學　雲浦盛仲交畫有逸才有妙賞　秋澗
姚元白晚年工畫梅枝　湯秀才一洲字伯海山水
小幅可觀　王秀才建極字用五工山水　何侍御
仲雅工山水戲寫蘭竹最有清趣　胡宗信字可繪
山水最秀潤　史元昭工山水　沈碩字宜謙號
江長洲人流寓南京曾[illegible][illegible]三年不下樓工于臨[illegible]

姚太學衍舜字光虞工寫松枝　杜大成工草

齊宗朱慶聚號似碧山水與枯木竹石淸雅可觀

江潮宗字容夫天分甚高詩文可立就顧役志於繪事友人規之讀書則曰世寧有凍餓之江生乎中年家落寞甚嘗日晏未炊妻有慍色猶持筆伸紙作小景忽友人持錢米至乃付妻聲曰此豈徒得者耶急持去作午厨毋擾我爲其達如此　秋巖王允恭字謙父寫竹枝允恭爲和陽教督學熊廷弼索劣生允恭力言其無熊困索允恭自鋃鐺以見遂免時人稱其有守　謙居鄭道光字元翰寫梅花　曾鯨字

波臣莆田人流寓寫照入神　齊王孫睿㸅號渤海
山水師倪元鎭睿晉字翰之下筆清遠迥無點塵子
知鄭字思遠爲諸生後棄去隱溧水山中能畫爲詩
數百首卓然不羣　盛事字不朽工山水　劉邁字
種德工花草　姚履旋字允吉畫折枝梅　朱曄工
花草　俞希允折枝花學宋人　冶城道士沈禮山
水亦清　冶城道士唐道時字子貞學畫于胡長白
馬氏名閑卿號芷居陳魯南夫人善山水白描書
學多手裂之不以示人曰此豈婦人女子事乎　沈
氏沈宜謙女楊伯海妻工折枝花吳中黃姬水題其

杏花二云燕飛修閣簾櫳靜紈扇新題春思長妙絕一經仙媛手海棠生艷復生香　僧可浩號月泉靈谷寺住持畫蒲桃有生意不減溫日觀之筆　廣禮號大鏡報恩寺僧陳子野授以畫竹之法

顧文莊曰瑣事載金陵畫品備矣然尚有數人焉宋臣字子忠號二水善畫山水人物遠宗馬遠李唐近效戴進吳偉極妙臨摹元宋名筆皆能亂眞載圖繪寶鑑又有朱希文者善畫梅花與林旭同時見陳中丞鎬金陵人物志　陳別駕鋼號遲宜子善畫蒲桃其配金夫人善水墨畫所寫蕃馬峭勁如生　萬曆中

王元燿者以貲郎官四川藩幕善畫從文氏父子入門後學郭熙巨然倪迂等皆有其家法鑒畫亦有獨見　舊院妓馬湘蘭工畫蘭清逸有致名聞海外暹羅國使者亦知購其畫扇藏之

又曰前輩士流工畫事者自陳魯南太史陳子野明府胡懋禮太史盛仲交文學外絶少後何侍御仲雅繼之近日朱宗伯元介作畫山水花卉巨幅單條爾輿輒染所摹前人遂有南宮奪眞之妙　齊王孫國華工寫生繪梨花白燕鸜鵒錦鷄翩翩然有生動之狀嘗寫松鶴以壽余意匠尤古雅　姚允吉文學之㑹

金華甫大學之菊花皆饒雅趣　宅如郭水村仁寫大幅山水布置渲染具有成法　胡彭舉宗仁畫自文五峰伯仁來曉出入王叔明黃子久二家其筆意古質頗有五代以前氣象二子燿昆起昆奕奕皆有父風　李存箕山水草樹緯有勝情骨法不凡究爲能品　魏考叔之璜弟和叔之克工山水筆法秀美姿顏輭媚有不勝羅綺之態此皆近日行家以畫名者　近時能手如王延卿允齡摹倣各家皆有生氣　鄒滿字典蕭疎秀爽足高人之致　謝仲美成寫眞逼肖有頰上三毛之妙山水花鳥皆可擅長而

爲人醇雅克孝了非時流可及　盛懋開胤昌作畫頗拘尺幅而持身高潔緯有古風年幾九十步履如少年時其子丹宇伯含琳字林玉皆以畫名伯仲恂恂交游咸敬愛之　施雨咸霖畫山水不屑屑景色間有元人風度近日畫家惟霖可稱逸品

薛九江南富家子得侍李後主宮中善歌稽康稽康曲名後主所製也江南平零落江北每歌此曲坐人皆泣錢易爲之詞曰薛九三十侍中郎蘭香花態生春堂龍蟠王氣變秋霧淮聲與水浮秋霜宜城酒霧腹與君試舞當時曲玉樹遺詞莫重聽黃塵

無前綠

盧絳寓居翔鸞坊遘病彌日晝寢夢一婦人被衣持蔗一本令絳盡食歌菩薩蠻一曲送之食畢而病亦瘳矣其詞曰玉京人去秋蕭索畫簷鵲起梧落欹枕悄無言月臨殘夢圓孤衾成暗泣睡起羅衣濕眉黛遠山攢芭蕉生暮寒蓋菩薩蠻也

蔣康之金陵人知音善歌其音屬宮如玉磬之擊明堂温潤可愛癸未春度南康夜泊彭蠡之南夜將半江風吞波山月晦岫四無人語水聲淙淙康之扣舷而歌江水澄澄江月明之詞湖上居民莫不擁衾而聽

推窓出戶見聽者隘岸少焉滿江[illegible]有長嘆之聲自是聲譽愈遠太和正音譜

黄琳美之元宵宴集富文堂太集聲樂徐子仁陳大聲二公稱上客美之曰今日佳會舊詞非所用也請二公聯句即命工度諸絃索何如於是子仁大聲揮翰聯句甫畢一調即令工肄習既成合而奏之傳爲勝事子仁七十時于快園麗藻堂開宴妓女百人稱觴上壽纏頭皆美之詒者大聲爲武弁嘗以運事至都門客召宴命教坊子弟度曲侑之大聲隨處嗺黄[illegible]人距不服大聲乃手攬琵琶從座上快彈一曲諸[illegible]

駭伏跪地叩頭曰吾儕未嘗聞且見也稱之曰樂王自後教坊子弟無人不願請見者歸來問傀歳時不絕二公以小伎爲當時所慕如此豈所謂折楊黃華則听然而笑者耶後陳藎卿所聞亦工度曲頗與二公相上下而窮愁不稱其意氣所著多冐宅人姓氏爲床頭捉刀人以死可嘆也

瑣事載金陵曲品云焉俊小令不減元人　史癡工小令　陳全秀才有樂府一卷行于世但工嘲笑而無詞家大學問　陳鐸字大聲世襲指揮豪爽多氣節經傳子史無不淹貫妙解音律有秋碧樂府梨雲寄

傲公餘漫興行于世咏閨情三弄梅花一闋頗稱作家所爲散套穩協流麗被之絲竹審宫節羽不差毫末　徐霖少年數遊狹斜所塡南北詞大有才情語語入律倡人皆崇奉之　陳once

頭記行于世人最膾炙者梅花序　羅子修雪詞

妙　盛鸞有貽拙堂樂府二卷　邢太常一鳳字伯羽所塡南北詞最新妥入絃索　鄭仕字子學工小令　胡懋禮有紅線雜劇最妙同時吳中梁辰魚亦有紅線傳奇膾炙人口較之懋禮當退三舍　杜大成工小令有詞許一卷名納凉偶筆　金鑾字在衡

右蕭爽齋樂府最是作家　吉山王逢元最是詞曲當家　沈韓峰越工小令鐵面御史能作風流散語賦梅花者豈獨宋廣平乎　盛壹軒敏耕工小令　石樓高志學秀才工小令　段炳字虎臣秀才嘗和馬東籬百歲光陰一套金在衡見之極口贊賞曰押如此險韻迺得如此妥帖乎足以壓倒東籬　張四維字治卿號五山秀才有溪上閒情藏于家　黃方胤有陌花軒小詞　沈恩江寧人也字復之晚得一第官止深州學正馬西虹稱其工樂府云　黃又元名開第馮海浮門人　汪肇部名宗姬有傳奇行

下世　武陵仙史工小令　皮元素名光淳最是作家　徐惺宇名維敬工小令　孫幼如名起都黃疇鳳名戌儒趙獻之皆工小令

敎坊李節箏歌何元朗品爲第一　盛仲交有元朗席上聽彈箏詩元朗和之曰汩汩寒泉瀉玉箏泠泠標格映清冰愁中爲鼓秋風曲不負移家住秣陵　一時擊節金陵全盛時東橋每宴集必用敎坊樂以箏琵佐觴武宗南巡樂工頓仁隨駕至北京在敎坊學得金元人雜劇詞何元朗家小鬟盡傳之老頓言此曲[illegible]之五十年今供筵所唱皆是時曲此等詞並無人[illegible]

及不意垂老遇知音也

陸文量菽園雜記云南京妓劉引靜幼爲一商所眷商𡻕劉爲持服歲時修齋設祭哭泣甚哀目以女丁自誓不見客家人不能奪其志商家後凋落劉又能養其所有以周其妻子有富翁聞其賢欲娶焉劉不從而止此與宋之長沙妓同風塵中乃有此卓異者其視世之處榮貴而淫褻無恥者天淵矣又稗史彙編云永樂初溧陽徐尚書爲潛邸建文抄錄一門有幼女發入樂籍色長陳儀陰眷之不使汚辱後遇赦儀爲嫁之尚處女也鐵鉉二女亦儀成全以從良如儀

者有士君子之風哉

顧文莊曰里中字音有相沿而呼而與本音謬相習而用而與本義乖者或亦通諸海内而不知所從始姑舉一二言之如惹之音人者切野之音羊者切寫之音悉姐切且之音七也切姐之音子野切在二十一馬韻中音宜與鮓叶而南都惹作熱之上聲野作曳之上聲寫作屑之上聲且作切之上聲姐作接之上聲未有作馬韻呼者士之音鉏里切是與氏之音承紙切視之音承豕切在四紙韻中上聲也而作去聲呼皆如肆跪之音去委切兄弟之弟徒禮切上聲也

而音作貴與第呼屬去聲皂隸之皂造作之造早同而讀作去聲如隳字大之音不作徒蓋切亦作户箇切而別音打之去聲入之音本與日同也而作肉音此與本音謬而呼相沿者也又如鈔畧取也而寫書曰鈔書官曰鈔案造紙曰鈔紙爭鬭終也而官府取文書曰吊卷武曰吊錢糧打作都冷切今作丁把切本取擊爲義也而今預事曰打叠探事探人曰打聽先計較曰打量臥曰打睡買物曰打米曰打肉治食具曰打麵張蓋曰打傘屬文起草曰打稿稟賜穀也與也供也給也受也而今以下白事于上曰

稟毆以杖擊也律有鬭毆之條而今人故以言相詎嬲曰毆帳之爲言張也一曰幬謂之帳而呼簿册記物事用度者曰帳仰恃也貧也下託上曰仰今公文自上而行下曰仰票一作慓疾也急疾也今官府有所分付勾取于下其札曰票疋正也音與雅同詩大疋小疋用此字今借爲段布之疋音辟者分别事辭也稱此箇爲者箇是也今以稱人之不若實者曰者假音賈至也又借也今官府借爲休暇之假音如字曰告假給假兑通也穴也直也卦名象口之能言今以天平稱金銀曰兑以物交易曰兑民以糧付官

兌劄剌着也唐人刺身文曰劄青又奏事非表非狀謂之劄子今官籍沒人物曰抄劄閘水門也字一作牐今借爲稽查之用朝中點入班官員曰點朝凡以事查點人曰點閘又民間辦治官物曰閘辦揷刺而入也扱衽曰揷今借爲安置之用如屯兵聚民曰安揷某處某所折言斷也又拗折屈曲也又毀棄也今作抵當之義官司徵糧支俸曰折色民間債負曰准折以金貝代儀曰折儀曰折席姪今音質謂兄弟之子也古以稱兄弟之女又謂吾姑者吾謂之姪似惟以女子臨女子宜名之古自音徒結切也轄車軸端

鍵也論語五經之輨轄輨以月轂轄以鍵輪今借為管轄之用捘子未切逼也韓詩崩騰相排捘今官府刑手之具曰捘指音昝而民間但呼為捘子枴拄杖也今為誘畧之用曰拐帶其畧人之人俗曰拐老祠春祭名也品物少而多文詞故曰祠今凡廟之祀神者皆曰祠自漢有生祠始基之矣刁斗以銅為之軍中用晝炊擊以行夜刁刁風微動貌今謂人之狡獪者曰刁頭律有刁姦之文僥飽也盈也多也漢張覇曰我僥為之今免人之辠罰曰僥減所徵財賄亦曰僥嫖一作僄輕也蓋僄姚之義今蕩子之宿倡[illegible]

嫖梢木枝末也舟之艫尾曰梢舟子曰梢工婦曰梢婆今驢馬䭾物曰梢人以物附寄行李亦謂之梢包容也裹也今任人物足其數曰包賠代人上納官貨曰包攬雇覓舟車騾馬曰包至庖人爲主治辦酒食曰包酒子弟宿何闌中討年月不許接待他客亦曰包䭾負荷也橐䭾負囊橐而䭾物今無錢而買人物徐酬其直者曰䭾那何也又多也安也又語絕之韵也今謂移䟫者曰那步設法備用物曰騰那轉假曰那借科條也本也坎也程也等也科舉科糧意近之以設官名科寖遠矣今支樹木蔬茹者曰科頭不冠

者曰科巴象形字蛇也巴水曲折三迴像之今人之盱衡望遠曰巴不足而營營曰巴日晒肉曰巴凡物之乾如腊者皆曰巴凡此皆習而用之與本義乖者也

閭巷之俚語駔儈之流言一二可紀者戲解剥之以資嗢噱阿承顯富曰趨曰呵慣依人而得財若飲食曰吹徐吞而取其資曰吸以言誑人而沁入之曰滷微戕相姤娼曰醋示若不置人于意中者曰淡持人之陰事使不敢肆焉曰拿或曰捏以言呴煦人曰煖凡而使其從我曰鶂以語漸漬之俾其從曰熏姑習[illegible]

事而待之曰冷若置之若不置之似有係焉者又或與而不必與不盡與也曰吊以事急脇持人而出其賄曰紮尾人之後偵其所之與所爲曰纚羣口而嬲其人曰嘈以事迫而觽之或得其物曰炙又曰燒以言呴沬人令其意靡靡焉輭也曰水以言兩挑之使動或鬬閱焉曰蘇如蘇燈之蘇故以言與事招人使我應曰撩置一言若一物于人令猝不我釋也曰鉤自我而料人與料事曰划設法範圍于人曰箍故陷人于過或令其處負也曰要曰弄乘閒而入之曰鑽以漸而刮劘其所有曰鏇大言嚇人曰烹又曰潑限人之

所至曰暈莛是非佐使人怒曰喉四走而追人或捕人曰撲咀唼人之飲食曰嚼又曰噍其猛取人之財物曰齦音懇專以事務委人曰栽泥人不已曰纏抽取人之財物曰秋從吏人使爲之或奮而往曰撮或曰鼓或又曰獎言語籠罩人使不覺曰蒙罟人之傲而難制曰牛曰驢喇事之失度人之失意也曰狗長軀而癡者曰鵝解兩家之忿或調劑成其事曰拶或反言曰攪刺人之隱失曰鉞有所比合而不能解曰黏又强附而必不可得去也曰釘突然從中而攙人者曰劖內無實而外飾可觀曰晃善迎人之意而助[illegible]

之曰搊討去同事者而巳得容焉曰撐陷人于不可居之地曰坑徒餔啜以膏其口曰油言之鑿空而杜撰也曰贊其最無倫脊者曰謅曰胡以言詭人曰喉又戉刺而曰嶭與人期必而背之使失望焉曰閃有所避而倏遯曰溜不告其人而私取其有若盜焉亦曰溜不遇而貧若不幸而禍也曰否空乏之而不可支曰燋作事之巳甚曰孔矜而自高曰襶而勃然怒而不解也曰嗱其不色懌也曰喪衣服什器時之所競者曰輿目料人之上下曰估共事而偏得利焉曰采一無所得者曰毛彊劃人之有曰斫逐人而驅之曰

輾人之壯大而不慧者曰笨或曰騃或曰獃或曰傻性輭而滯曰鍚其跳宕不馴譁曰浪小兒之嘻戲曰頑曰憨淫泆曰嫪音澇貌寢而不揚曰矬羸小可憎曰倯長無度者曰倲儱事非耳目之常曰詫一人而衆人者戴而奉焉若螘曰宗或曰扛家敗而姑安之事壞而姑待之病亟而姑守之凡皆曰膿㩟巴所有以與人角勝負曰背音畀不當與而醜焉附人以入之曰雌彌縫其事之闕失曰糊人之被震恐而不能自立也曰散或曰酥或曰壚或曰矮不知其人之隱曲出以言探出之曰透謏人與爲人所謏也曰迷知事

物可求之所而提得之曰鍬又曰挖初非有所要質也猝而與之遇曰撞馮怒而以語詬詈之也曰攖耳盡所欲言也曰捲兩心相憐曰疼反是而交相背曰彼無事而遨翔焉曰瞻音搦或曰幌黄去聲老而拘滯不與時偶也曰簡其回曲不可方物曰鬼又身之或見或隱也曰影在數中倖而逃者曰卯卯昌也覓人而抓梳求之曰爪證人之辭也堅不可移曰斷與人有桑中之期曰偷相挑曰刮相調曰撣私合曰有作相近曰陽久而益暱也曰熱摧折之使興敗而反曰掃物寬緩不帖帖者曰儾音囊去聲若事之敗而不可收拾

也曰[illegible]曰裂

南都方言言人物之長曰媌條美曰標致齺曰乾淨其不齺曰齷齪惡綽曰邋遢曰腤臢曰鏖糟言事之軒昂曰[illegible][illegible]上歇平下遮有圭角曰支查老成曰穩重其輕薄曰姑娑不雅馴曰[illegible]苴臘上聲查上聲曰朗伉平聲曰磊砢曰孟浪曰[illegible]蕭併反銃曰莽撞曰粗奘曰倔彊曰麄糙其俊快可喜曰爽俐曰乖角曰踢跳曰俢儡秀溜曰酒[illegible]其不聽敏者曰鶻突曰糊塗與上一音稍異也曰懵懂曰[illegible]鐸音韶道似當爲少度以無思量也以中原音少爲韶度爲道字改爲此曰温暾[illegible]沌訛爲此音耳曰㳙泪曰倜潬曰禿儂修容止曰打扮形[illegible]

者曰脙臁人之下賴曰懘頼言之多而躁曰喳哇曰㶿聒曰瑣碎曰嘈𡁜（下音匝一作帀）曰囔咄曰啐叨曰的達曰絮聒其小語而可厭曰呱噥曰唧噥曰唧嘈䶩而呻者曰哼唧作事之不果決曰摸㩟曰膸膩曰乜斜曰落索曰𡒄儰其捧物不敬曰集𡕒挈（烈）曰蹀躞其敗事曰郎當人之谿刻者曰跋落（音各拉）曰疙瘩曰嘵嗘曰攙搭曰刁蹬曰雕鐫曰窶斆其果而窒者曰裂決用財之吝曰拈掐曰寡辣曰尷尬能不彰著曰隱宿其反是曰招搖曰倡揚（或徜徉也）人之貧乏曰褊短勉強營爲曰掤拽曰巴結曰扯攙曲處以應之曰騰那展

轉造端曰拐㨨恰相當者曰伲恰不合事宜曰差池與世乖舛曰跐蹬曰蹭蹬曰落魄(下音薄)其少精彩曰虺隤(灰頹)或曰萎𤷒(威雖)敗壞之甚曰壘堆性堅執曰直紂好搬弄曰翻騰曰估倒自矜尚曰支楞曰崚嶒不分辨是非曰含胡面羞澀曰靦腆(一作䩄娗)行不端徐曰踉蹌(俱去聲)交關人物曰瓜葛或曰首尾男女之私相通者亦曰首尾以事難人曰揉挱人之發跡曰升騰談笑不誠恪曰欷吹(希哈)或曰哈哄闌入人中事中曰夾插攙人曰聒躁籌處事曰㫆度量(上音刀北韵也)檢物用曰拾掇以言從臾曰攛掇挑抑人曰拄擦曰敦捽攛大

不拘束曰浪蕩（音郎倘）物之細小者曰些些娘（娘女之小者）事之有隙可指曰窩寵其有歸着曰撻煞曰合煞曰與結無破敗者曰囫圇曰團圞不分别曰儱侗物事就理曰條直不了結曰拖拉欲了不了曰丟搭身之孤獨曰伶仃可憎曰臭厭其不整潔煩汙曰賡渲（剌眼閙）之視不定曰的歷都盧手之捉物曰把握摸索身之失跌曰撲騰入水聲曰泪洞咸曰骨都心之不快曰懊憹熬笑之態曰嚜尿（上音速下音分）氣勢鬱曰蘧篨（渠除不能俯也訛氣上）凡物之聲急疾曰忽剌又大曰砰磅（上音畊下音行）曰𩗗颮（忽律）曰颮飂（戚六）

吳皓鑄一鼎於蔣山紀吳之曆數八分書晉懷帝永嘉六年鑄一鼎沉於瓜步江中篆文字鼎似甗形宋文帝得蝦魚遂作一鼎其文曰蝦魚四足齊高祖諱道成於齋中池內見龍鬬簫鼓音遂埋一鼎其文曰龍鼎篆書四足梁武帝大通元年於蔣山埋一鼎文曰大通篆書又鑄一鼎書老子五千言沉之九江中並蕭子雲書陳宣帝於太極殿中鑄一鼎文曰忠烈常侍丁初正書見梁虞荔鼎錄宋後廢帝昱以元徽三年於蔣山頂造一劍銘曰永昌篆書見陶弘景刀劍錄

吳桓王時金陵雨五穀於貧民家富者則不雨

吳孫皓天紀中建康有鬼目菜生黃狗家又有買菜生

吳平家按圖以爲瑞封狗侍芝郎平爲平慮郎皆銀

印青綬

晉時有徐景於宣陽門外得一錦麝橙至家開視有虫

如蟬五色後兩足各綴一五銖錢

王僧辯嘗爲荆南得橘一帶三十子以獻梁元帝

宋大明五年廣郡獻白孔雀以爲中瑞

宋孝武大明三年廣州獻三角水牛七年永平郡獻三

角羊

宋元嘉中有嘉禾一莖九穗

齊永明九年秣陵安明寺有古樹伐以爲薪木自然有法大德三字

沈約謝始興王賜茯苓一枚重十二斤八兩有啓

東昏侯潘妃琥珀釧直一百七十萬

梁臨川王寵姬江無畏寶屧直千萬

江寧縣寺有晉長明燈歲久火色變青而不熱隋文帝平陳已訝其古至唐猶存

南朝有姥善作筆蕭子雲常用之筆心用胎髮開元中筆匠名鐵頭能瑩管如玉莫傳其法

大監五年丹陽山南得尾物高五尺圍四尺上銳下平
蓋如合焉中得劒一𤀹具數十時人莫識沈約云此
東裔冕蓋也楚則用之代棺此制度卑小則隨當時
矣東裔死則坐葬之武帝服其博識
句曲山五芝求之者投金環二雙於石間勿顧念必得
矣第一芝名龍仙食之爲太極仙第二芝名參成食
之爲太極大夫第三芝名燕胎食之爲正一郎中第
四芝名夜光洞鼻食之爲太清左御史第五芝名料
玉食之爲三官眞御史
胡綜博物孫權時掘得銅匣長二尺七寸以琉璃爲蓋

又一自玉如意所執處皆刻龍虎及蟬形莫能識其由使人問綜綜曰昔秦皇以金陵有天子氣平諸山阜處處輒埋寶物以當王氣此蓋是乎

南唐元宗溧水桑樹中生一木人長六寸如僧狀右袒左跪衣祴皆備其色如純漆可鑑謂之須菩提攷前代漢成帝永始元年河南街郵樗樹生枝如人哀帝建平三年汝南有樹生枝如人靈帝熹平中亦兩見

烈祖受禪舊唐有某御厨者來金陵於是宴設有中朝承平遺風長食有鷺鷥餅天喜餅駞蹄餤春分餕雲餅餶糟炙瓏璁餤紅頭僉五色餛飩子母饅頭

南唐陳繼善自江寧尹拜少傅致仕自荷鋤理小圃㕓畦以真珠百千餘顆若種蔬狀布土壤間記顆俯拾周而復始以此爲樂

松窻雜錄衞公長慶中在浙右曾有漁人于秦淮垂機綱下深處忽覺力舉異于常時及歛就水夾卒不獲一鱗忽得古銅鏡可尺餘光浮于波際漁人驚取照之歷歷盡見五藏六府筋縈脉動竦駭神魄因腕戰而墜漁人偶話于舍旁遂乃聞之於公盡厯歲萬計窮索水底終不復得

沈存中曾於建康見發六朝墓得玉臂釵兩頭施転轉

可以屈伸令圓健於元雉爲九龍繞之功侔鬼神

宋張乖崖醉石在徐府西圃中石上文字磨滅幾盡僅徘徊其考紹興丁卯十數字可識而已

清波志云輝居建康春時偕一二鄰曲至內後景陽臺臺之下一尼庵少憩見若琉璃色一瓦盤徑二尺許厚三四寸中空用以閣盆盎叩之鏗然有聲尼云近墾地得之乃李後主用此引後湖水入宮者又至白下門齊安院主僧曰近治地得一玉杯已碎銀一鋌上刻永定公主爲誌公和尚淨髮之資一樣十鋌行人問宮殿耕者得珠璣誠不吾欺

元氏掖庭記元妃靜懿皇后誕日六宮以次獻禮薦明朝宮人選入宮者一獻寒光水玉魚一獻青芝雙孔如意一獻柳金簡翠腕闌手鐲魚是太眞澗肺物如意是六朝宮人所遺闌係景陽宮胭脂井物

宋景濂學士有蟠桃核賦核長五寸廣四寸七分前刻西王母賜漢武桃及宣和殿十字塗以金舊藏大內庫中

相傳明初塡燕雀湖爲宮殿中有大穴愈塡愈深劉青田啓上親塡之忽有一婦人抱子從穴中出至太平門外乃隱

僬僥三尺短之至也南京解中藏有兩僬僥用樟腦函之萬曆戊戌間取入內觀焉函中記云嘉靖間鬚眉尚存今落巳其物長尺餘耳自體宛然人也不知何時所存

江寧紫金山即古之鍾山蔣山也明陵寢在焉葬之時掘土數尺見一石龜頭頸長數寸足尾口耳儼然皆具藏太廟中久晴而腹下有水則雨久雨而腹下乾則晴其異如此

清異錄載金陵七妙虀可照面飯可打擦臺餛飩湯可注研濕麵可穿結帶麩可映字醋可作勸盞寒具嚼

着驚動十里人今猶有此數物起麪餅以城南高座諸寺僧所供爲勝餛飩湯與寒具市上鬻者頗多寒具即饊子醋絶有隹者但作勸盞恐齒齼不禁一引耳秀實又言金陵士大夫頗工口腹至今猶然而餔餟家又競稱吳越閒世言天下諸福惟吳越口福亦其地産然也

裕民坊民家淘井得一瓦枕上有一符符下有驅瘧二篆字相傳爲諸葛武侯所製病瘧者枕之即愈彼此轉相借用遂爲鄰人所匿

明初沈萬三獻銅鍋三隻每隻可炊米五十石一留光

祿寺一留天界寺一鑄爲三小鍋亦存天界中又戶部衙門有鐵梨木𣙜椅二可坐百人云亦籍没萬三家物也

隆慶乙巳秋日周吉甫同諸友人醵錢沽酒夜登雨花臺席地賞月有漂水韋㮚者覺一石炙手遂取歸次日將冷水一盂投石浸之水温而石之熱不減雨花臺出熱石前此未聞

嘉靖初年鼓樓旁園丁從枯井中得一松根研背鐫一銘有開寶八年字嚴子寅以數百錢得之嚴世蕃門下客羅龍文見而愛之言於世蕃遂爲世蕃物嚴氏

抄沒後不知更落何人手

麒麟門外墳頭山中有大石長五丈餘濶半之土人言是明初孝陵碑料旁一石如小山云是碑座皆鑿山爲之後以其重大難于竪立遂遺之于此碑側立上可晒麥百担

馴象門外操軍某耕田得鏡半面能照地中物持以作奸大有所獲後事犯鏡入府庫中又張華宇太守云有舊鄰覓小舟爲漁人忽網得一鏡能照見百里內山川城郭人物因來觀者甚衆不敢留仍投于曾明江中

孝廉王佩中字學南家有一奇石色如墨玉中現大士相眉髮纓絡莊嚴畢具左列紫竹五竿右翔鸚鵡購之數十金以小龕供書樓上友人方與三嘗讀書其中數數見之云先是里中一叟佚其姓氏以六十初度之日發願佛前誓以餘年歲朝南海一過得二十年于願足矣自是歲必進香以爲常及期叟八十矣長跪大士前曰幸仗佛力得遂所願嗣是恐不復再至祈大士稍顯靈異歸傳鄉里生人信心也居數日寂無所見乃附舟歸舟甫離岸旋風大作羣衆倉皇間叟墮于水以爲莫救少焉見衣裾浮海面羣援之

出手握一物甚固啓視之則此石也曰墮水中見一物光明特異因手援之不知何以得起耳衆皆駭夢蘭効此石不知所在

金陵鐵塔倉一鐵剪上覆以亭不知所設亦不知何以在此先是倉中多失米謂是剪作祟今上米者歲一祭之

萬曆辛亥夏杏花村種地人于杏樹下掘得一銅器大如巨碗三足有柄長可尺許顧文莊曰此正古之鐎斗耳其制如今有柄銚子而加三足盖古之鼎烹大鼎則卒難致熱故煴已冷之物一二人食則用鐎也

此地不知何緣埋此且在杏樹根下數尺餘得之

俞公仲茅曾同數友人泛舟于石城門內之烏龍潭時日已暮矣舟在潭北忽見潭南水面有物浮出黑而長可數尺昂首向北而行水輒坌涌舟中人驚呼之遂沒元金陵志言宋元嘉末有黑龍見元武湖側今潭近湖疑即當時所見之處按今潭去湖絕遠志又言潭在承慶寺之前今去寺亦相懸或曰今潭是舊湖地潭自在旗手大倉中大池深澄有龍在內未知果否

嚴文靖公訥爲翰編時使楚藩歸舟行過燕子磯維而

登焉雷大作遂入舟解維已而江波大涌噴沫蔽空一龍曳尾自江而上舟如箕蕩人皆股栗公神色不變與客縱目曰眞奇觀也龍徐徐而逝

萬曆戊申夏大雨驟作江水汜濫從來所未有也鼓樓旁有園丁以蒻篷苫蓋缸一日偶揭視之見蓋上有一龍蟠曲之跡鱗甲爪鬣纖悉畢具又江上有漁人遙望水面一葦席浮至近視之上有小兒坐木車中生可數月耳葦席下羣蛇蝡蝡結負之漁人遂收此見育爲已子

陶隱居稱茅山龍池右有方池丈餘有龍子宋祥符間

遣中使致祭使禱取一龍以獻因取其二緘閉器中中道風雨遂失其一語具御製觀龍歌中今禱雨皆驗閩黄孝翼遊茅山使道人導行披蒙翳中得小池有小黑龍游藻間色如漆頭類蜥蜴腹下如丹砂五爪微白神物變化信自古有之人謂龍子非至虔莫覩孝翼獲觀甚以爲異

高淳李溪有虞媪者因驟雨以杯承簷間水水中浮紅絲縷飲之遂孕及朞產一蛇身具五色媪怖畏而投之溪每至溪浣洗蛇輙來就乳乳亦湧射蛇以咽承之旣而厭之斫以刀正中其尾忽變頭角巨幹綘章

風雨大作掉母入溪壅土成墩而媪已瘞其中矣龍出溪去行輒回首顧凡回者二十有四而成二十四灣俗稱爲望娘灣由湖達江不知所往自後每歲寒食及冬首必有風雷迸葬處雨雹交下皆云龍祭掃至則河魚上擁居民持網以俟有一人而獲魚數石者至今猶然

閭右有浪子蕩費先業不勝官逋私負之責一日市酒肴與妻永訣家有猫兒見饌嗷嗷欲攫之既而夫婦對泣不忍飲食皆就縊猫哀鳴躑躅若救之者其肴在案不之顧也數日不食亦死隣稱義猫

溧陽張氏歸諸生唐有壑閲三月而唐卒初欲以身殉以姑諭而止于妯娌與史及趙爲差厚側目者譏以蜚語史以告張張卽引刀自决諸妯娌奪其刀以牲詛釋之連殺二鵝鵝血盡白皆心悸因捧刀而藏之張竟自經死死而色如生屍泣者三日

吳祖季有一鹿自雛養之因馴習携之市行受吳指不觸人吳行殊不顧鹿追之祖季莆田人生長秣陵後暫往故園鹿從宅内遍尋不見祖季卽不食數日竟死

沈之問虎林人流寓南都家于驍騎倉之傍家畜二鴨

一日將烹其雄以籠罩之雌者旋繞其旁逐之不去飼之不食已殺其雄以沸湯燖之其雌哀鳴舉身投沸湯中宛頸而死沈君憐而瘞之永不食鴨

僧永寧號西林嘉靖中爲報恩寺住持蓄一馬每赴禮部輒乘以往上馬時率默誦法華經至部門而畢一卷以爲常後寺之對門一婦方產夢此馬入其室遂生男天明訪之其馬死正其男生時也後即以子送西林爲徒極愚蠢無知授之書一字不識惟尸傳法華一卷能熟誦此外畧不能上口異類聞經得度可徵若此今寺中尚有西林庵

釋長白游溧水道上見一牛背上生人掌五指分明但有毛耳天啓元年辛酉

李宗定在秣陵夢一人云我元武湖鎭殿將軍也宜救我次日有餽鱖魚長三尺者云得自元武湖宗定憶其夢親送歸湖中是夜仍夢前人謝救已之恩因言魚皆人變不宜快餐自後宗定見魚不復舉箸

浦口守禦門前一𨺗壁原書一犴云太祖所設以蔽隔江儀鳳門內獅子山後一守禦每五鼓下操馬至壁前輒驚跳守禦恠之因撤此壁自是江水嚙岸五里許詢之土人云先是渡江見驢五里始上船今[illegible]

至浦口城牆下矣

欽天山有觀象臺上度銅渾儀四隅柱各一龍蟠繞其之而龍各以一銅銀鐺縶之相傳前幾年風雨中一龍曾飛去人伺而見之遂加鐵自是不復飛

萬曆丁未冬秦淮河儒學貢院之前水成花卉其枝葉瓣朵無一不具時以爲瑞見之異然前記已多有之紹興七年建康府寓旅家盆水結冰有紋如畫佳卉茂木華葉敷芳數日易以他水愈出愈奇又酉陽雜俎言開成末河陽黃魚池冰作花如繡夢溪筆談言慶曆中京師集禧觀渠中冰紋皆成花果林木又元

豊末秀州人家屋瓦上冰亦成花每瓦一枝正如畫家所爲折枝有大花似牡丹芍藥者細花如海棠萱草者皆有枝葉氣象生動雖巧筆不能爲之以紙搨之無異石刻又宋次道春明退朝錄天聖中青州盛冬濃霜屋瓦皆成百花之狀

五穀樹有二株一在明皇城內一在報恩寺不但結子如五穀亦有似魚蟹之形者乃三寶太監西洋取來之物

白雲寺一名永寧寺在鳳臺門外與牛首山相近太監鄭強塋地墳旁多名花異卉有薝蔔花一叢迺三寶

太監西洋取來者中國無其種花瓣似蓮而稍瘦外紫內淡黃色與佛經云薝蔔花金色者同花心嗅之辛辣觸鼻遠遠聞之微有一種清香楊用修胡元瑞皆云薝蔔花卽梔子花非也梔子花瓣極俗色極白香極濃品極賤處處有之若以爲卽薝蔔花恐梔子不敢當也楊胡二公特未見薝蔔花耳

海棠不香不實鍾山有海棠一株歲結實食之外香而中酸陋用孺太史爲作贊

天界寺半峰庵木蘭二樹可一抱云是宋時物開時賞者麕至

鄭太守宣化官邵武其家人携一榧子樹至植于獅子山居側活而蕃茂後太守子元煒移居南門并此樹移植庭中久之遂成喬木葉青翠可愛冬日不凋摺之作榧子香可供瓶史

佛桑花自閩中携至色絕豔美紅者有瓣如襞紅縐紗又有淡紅者有赭黃者有鵝黃者開之月首尾夏秋間可三月苐不能耐冬耳

蘭花自建蘭而外有樹蘭樹可高三四尺許枝葉類冬青而柔碧過之花如粟綴于弱榦上始作青蕊已放則色黃香撲鼻如建蘭又有魚子蘭似樹蘭而榦差

可架其花亦類之又有朱蘭色紅道州蘭葉大以初冬開吊蘭無土而懸之賀正蘭以正月開尤奇異而建蘭有二種閩産葉潤而稍短江右産者葉長而狹花之色香不逮閩而俗皆曰建蘭至土産蘭幹止一花長可三四寸香色俱類建蘭又蕙草花繁其白紫二種宜興所産尤勝

雞籠山五顯廟中有金蓮寶相花在殿臺下花數十年一開觀文莊曾兩見之其莖大不相等粗如巨竹葉短如笋殼包于外花吐莖端色大類芭蕉花青黃白以漸而變瓣中亦有甘露苐此花開在莖端初不抽

葉與芭蕉異耳南中無二本也
紅豆樹牛首山東北有鄭太監墳墳有紅豆樹一株榦
葉俱碧綠結實如紅豆故以爲名
樹之大而久者畱都所有無踰銀杏祈澤寺二株云是
六朝人植牛首山一株云是懶融時植棲霞寺二株
亦是六朝人植皆大可數人合抱而棲霞一株結乳
如石筍下垂相傳樹千年始生乳爲尤奇乃知此木
最壽宜名爲萬年枝俗傳銀杏開花以夜人自未
見者萬曆中大報恩寺鐘樓傍一株開花滿樹老
稚人皆見之

大鞠繡毬花中國無此此本沈生寻令晉江時海舶所生
羅攜至以遺生寻生寻載還育之數年而萎
靜海寺海棠永樂中太監鄭和自西洋携至建寺植于
此至今猶繁盛或云此西府海棠之始
龍爪槐蟠曲如蛇龍攫拏之形樹不甚高僅可丈許花
類槐花微紅作桂香
杜鵑花殷紅而繁麗謂血淚染成良有以也惭東臘月
亦開而移至江南必開于盛夏過秋冬則萎多不能
活
几案所供盆景舊惟虎刺一二品而已近來花園子自

吳中運至吊目蓋多有天目松瓔珞松海棠黃楊石竹瀟湘竹水冬青水木仙小芭蕉枸杞梅花之屬盆取其根幹老而枝葉有畫意者更以古舊佳石安置之一盆至數千錢

黃薔薇最貴重亦最難養花開時大于盌壺獨植無不他卉則易萎亦異品也

白西洋紫繡毬始有此種嬌艷可對有香氣乃藥粉赤紅而常種葉背翻有白絲者

萬曆初觀音門燕子磯前朱家見樹上一鳥身大尾長尺首有錦身文五色燦然奪目飛繞樹中本

集不懼人凡四五日始去或曰此穿花鳳也

紅鸚武沈生子自晉安于暹羅海舶携歸形如常畜鸚鵡而差大金目觜距皆淡紅色羽毛殷赤如臙脂今慧動人按宋謝莊爲赤鸚鵡賦袁淑見而嘆曰江東無我卿當獨秀我若無卿亦一時之傑也卽此鳥昔人貴之

錦雞萬曆中王藩幕元燁家畜于籠中顧文莊曰襄陽此物甚多而賤節時人以充餉若江南之野雉也

了哥毛色黑如鸜鵒微瘦而長觜距皆作淡紅色兩目上有黃皮一道如眉性殊慧鳴似自呼其名萬曆中

曾有人自粤東攜至

翠雞番人自粤東入貢船中有此形大畧如常雞而翠色欲滴居人爭往看之

黄鸚鵡亦番船中物色政如鵝黄而嬌膩過之頂上毛一叢有時奮發則毛開敷如花作淡粉紅色白鸚鵡頂毳又作黄色矗起如冠有時舒開正如黄薔薇花[illegible]聖僕嘗畜之

大晨雞萬曆壬子小人國入貢舟泊石城其人長可三尺許緇髮綠睛作反手字有衣綠衣多摺縫方[illegible]中國類者所貢[illegible][illegible]冠四青鸞一白鸚鵡四大[illegible]

共一重五十斤狀類中國之雞而身肥冠聳高四尺許

今高座諸寺有娑羅樹榦直而多葉葉必七數一曰七葉樹初夏作花花挺出于枝上長數寸莖紫青色一莖數十花花色白結實如栗按西陽雜俎巴陵有寺僧房牀下忽生一木隨伐隨長外國僧見之曰此娑羅樹也元嘉初出一花如蓮此與今本不同天寶中安西道狀言臣所管四鎮有拔汗那最耆者產娑羅樹不芘凡草不止惡禽聳榦無慚于松栝成陰不娩于桃李近差官採得前件樹枝二百莖如得託根長樂

擢穎建章布葉垂陰鄰月中之丹桂連枝接影對天上之白榆此則近是今本矣

宋文獻公云予客建業見有畜波斯魚者大如指鬐具五采兩腮有小黑如黛性矯悍善鬬人以二缶畜之折荷葉覆水面飼以蚓若蠅及蚊伺魚吐泡葉畔乃貯水大缶合之各揭鬐鬣相視怒氣所乘體拳曲如弓鱗甲變黑久之忽作秋隼擊水聲泙然濺珠上人衣如矢激弦絕不可過盤旋既久勝者奮威以逐 負者負者懼自擲缶外視其身純白云

楊元孺爲粤西總戎嘗侵曉出獵于大霧中羅得一鳥

通身如雪頂上毳碧如翡翠身僅大如䨇而兩翼
長幾五六尺紛披豐茸若孔雀尾傍之散垂者絲絲
然可愛背有翎二根大僅如線其長與翼等問之人
不識也因名之雲霧鳥元孺罷官攜歸秣陵嘗函其
皮以示人

朱孟辨獲三奇石于聚寶山間製爲山元膚玉芝朶斷
雲角黃鶴山人王蒙圖而銘之宋太史又爲作後銘

胡長白家武學右袁府巷偶鋤園地鏗然有聲見一研
山埋其下長可尺許高數寸峰巒𡻕崪森秀紋如胡
桃色黝然眞几案之佳物也長白以形類九華因名

小九華手自爲記屬友人咏之

相傳南舊內有紅芍藥一本明仁宗爲太子監國時遇花開嘗設宴與宣宗賞之後宣宗移植北京禁中歷宣德正統二朝花繁郁無比景泰改元歷七年皆不花及天順復辟之春華忽盛開如故識者異之邢文[illegible]

顧文莊曰果之美者姚坊門棗長可二寸許膚赤如血或青黃與朱錯駁犖可愛瓤白踰珂雪味甘於蜜實脆而鬆墮地輒碎惟呂家山方幅十餘畝爲然也過此則不爾移本它地種亦爾湖池藕巨如壯夫之臂臣甘脆亡滓即江南所出形味盡居其下大板紅菱

人口如水雪不待咀嚼而化靈谷寺所産櫻桃獨大色爛若紅靺鞨味甘美小核其形如勾鼻姚園答曰此乃眞櫻桃也又鴨脚子亦巨於它産實糯而甘以火煨之色青碧如瑠璃香味冠絶秋深都人點茶以此爲勝魚之美者鰣魚四月出時郭公鳥鳴捕魚者以此候之鰣游江底最惜其鱗纔挂網即隨水而上甫出水死矣鱗如銀纖明可愛女工以爲花靨其矣爲河豘形醜而性易怒頷獨變五色綵纓漁者繫綵纓以鉤沉數十丈之下豘見綵纓羣趨之鉤纔着皮輙勃然怒腹脝脝反白上浮水面矣捕者手拾而擲

艇中燕尾者獨眼者脈而不熟與其子未經鹽淹者若血滌除未淨屋上塵墮者食之皆能殺人解之用蘆筍或橄欖甘蔗或曰鴨卵生啗之良刀鱭魚出水而死類鰣魚頭有長鬣二漁者言鱭魚最愛鬣撫用絲網最柔稍罥其鬣魚輒伏不動隨網舉矣其次則元武湖之鯽魚其脊黑而厚鱗之在腹下者尤堅大者可二三觔頗以禁地人間不恒有也蔬茹之美者舊稱板橋蘿蔔善橋葱然人頗不貴之惟水芹之出春初菘菜之出夏半茭白之出秋中白菜之出冬初為尤美白菜鹽菹之可度歲周顒所謂秋末晚菘

即此物也

江寧府志卷之三十四終